# Александра Маринина

Адрес официального сайта Александры Марининой в Интернете
http://www.marinina.ru

# Александра Маринина

# Горький КВЕСТ

## Том 3

МОСКВА
2018

УДК 821.161.1-312.4
ББК 84(2Рос=Рус)6-44
М26

Разработка серии *А. Саукова, Ф. Барбышева*

Иллюстрация на обложке *Ивана Хивренко*

**Маринина, Александра.**

М26    Горький квест. Роман в 3 т. : Т. 3 / Александра Маринина. — Москва : Эксмо, 2018. — 384 с. — (А. Маринина. Больше чем детектив. Новое оформление).

ISBN 978-5-04-097146-6

Один из самых необычных романов Александры Марининой. При подготовке к его написанию автор организовала фокус-группы, состоящие из молодых людей, никогда не живших в СССР. Цель: понять, как бы они поступили в той или иной ситуации, если бы на дворе были 70-е годы прошлого столетия.

Представьте, что вы оказались в СССР. Старые добрые семидесятые: стабильность и покой, бесплатное образование, обед в столовой по рублю, мороженое по 19 копеек... Мечта?! Что ж, квест покажет...

Организаторы отобрали несколько парней и девушек для участия в весьма необычном эксперименте — путешествии в 1970-е годы. В доме, где предстоит жить добровольцам, полностью воссоздан быт эпохи «развитого социализма». Они читают пьесы Максима Горького, едят советские продукты, носят советскую одежду и маются от скуки на «комсомольских собраниях», лишённые своих смартфонов и прочих гаджетов. С виду — просто забавное приключение. Вот только для чего всё это придумано? И чем в итоге закончится для каждого из них?

УДК 821.161.1-312.4
ББК 84(2Рос=Рус)6-44

ISBN 978-5-04-097146-6

Дверной звонок вывел Наташу из задумчивости, в которую она погрузилась, оттирая ванну и унитаз. Конечно, первозданной белизны не добиться, но хоть какое-то подобие белого цвета без желтых потеков и разводов должно же быть у сантехники! Движения стали механическими, она все терла и терла поверхности тряпочкой со стиральным порошком — Надежда Павловна сказала, что в те времена других средств не было.

Сегодня с утра устроили тестирование, которое проводил психолог Вилен, нужно было на бланках проставлять галочки напротив подходящих ответов. Потом было первое комсомольское собрание, на котором сначала нужно было слушать невероятно нудный доклад про какую-то скучную книгу, после чего обсуждали Тимура, который на семинаре по истории КПСС назвал какое-то решение «волюнтаристским». Зачем нужна эта история КПСС и почему нельзя было так назвать то решение, Наташа не вникала, в обсуждении проступка Тимура не участвовала, да и никто, собственно говоря, не участвовал. Организаторы остались недовольны тем, как прошло собрание, но что и как нужно делать, чтобы им понравилось, Наташа понять не сумела.

На завтра задали прочесть пьесу «Дачники», и Наташа решила, что вполне успеет после обеда не только «сделать уроки», но и навести чистоту и порядок в ванной и туалете.

Услышав треньканье звонка, она бросила тряпку в ванну, включила воду, сунула ладони под струю воды и сразу почувствовала, как саднит кожа. Ну и порошок! Наскоро обтерла руки полотенцем и выскочила в прихожую. А вдруг? Вдруг это Сергей?

Но это была Маринка, и физиономия ее выглядела довольно кислой.

— Старуха погнала меня в магазин, сказала, что дефицит какой-то выбросили, нужно отстоять очередь и купить. Пошли, а?

— Какой дефицит? Мне не нужно ничего. И вообще, я ванну чищу.

— Ну пойдем, Наташка, ну пожалуйста, — взмолилась подруга. — Старуха сказала, что это обязательно, это часть квеста. Мне одной в лом. Там уже почти все собрались.

— Ладно, — вздохнула Наташа, — пойдем.

Странно, что Полина Викторовна отправила Маринку выполнять задание, а вот Наташе Надежда Павловна ничего не сказала. Задания ведь для всех одинаковые. Если бы Маринка не зашла, Наташа так и драила бы ванну и не узнала бы ничего. Или так специально задумано? Но почему?

Дверь в квартиру-столовую была, как всегда, открыта, на площадке и частично в прихожей толпился народ — и участники, и сотрудники. Надо же! Все эти люди стоят и разговаривают прямо перед дверью в квартиру, где Наташа живет вместе с Надеждой Павловной, а она, оттирая ванну и задумавшись, ничего не услышала...

— Что это? — удивилась и одновременно испугалась Наташа. — Что-то случилось?

— Вопрос неправильный, — бодро прогремел Виссарион Иннокентьевич. — Полагается спрашивать: «Что дают?»

— Что дают? — послушно повторила она.

— Завезли венгерских кур и копченую колбасу, — многозначительно улыбаясь, пояснил актер. — Девушки уже пришли.

Наташа зажмурилась и помотала головой. Ей показалось, что она попала на другую планету. Почему куры венгерские? Почему все толпятся здесь? Какие девушки и куда они пришли? Ничего не понятно.

— Какие девушки? — тупо спросила она.

— Продавщицы. Ирина и Полина Викторовна, — пояснил переводчик Семен, стоящий рядом с Гримо.

Маринка округлила глаза.

— Обе? А зачем? Стар... Полина Викторовна вроде только что дома была...

Сзади к девушкам подошел Юрий, тоже встал в очередь и принялся объяснять:

— Потому что натуральное мясо и колбаса не должны продаваться в одном отделе. Два отдела — два продавца.

— И две очереди? — послышался голос Сергея.

Оказывается, он стоял в прихожей, и Наташа его сразу не увидела.

— Вообще-то очередей три, а не две, — продолжал разъяснять Юрий. — Сначала вы стоите в один отдел, потом в другой, потом в кассу, после чего проталкиваетесь сначала к одному продавцу, потом к другому, чтобы забрать свои покупки. Так что готовьтесь, молодежь, легко не будет. И быстро тоже не будет.

— А почему ничего не продают и дверь не открывают? — спросил Тимур.

Сотрудники рассмеялись, веселее всех хохотала Галина Александровна.

— Потому что товар еще не вынесли из подсобки, — ответила она, вытирая выступившие слезы.

— А почему его не выносят? — это уже Артем.

— Потому что сначала нужно обзвонить всех знакомых и нужных людей, спросить, оставить ли им курицу или палочку колбасы, отложить все «для своих», для себя, а уж потом, что останется, нести в торговый зал.

— А сколько еще ждать?

— Как повезет. Может, минут пять, а может, и полчаса. Товарищи, соблюдайте очередь, не толпитесь кучей! — громко скомандовала профессор.

Наташа обернулась к Юрию, стоящему сзади.

— А вы правда привезли куриц и колбасу?

— Правда, — подтвердил завхоз.

— Давно?

— Да минут двадцать как разгрузился.

— Вот! — снова загремел сочный баритон Гримо. — Наталья молодец, быстро учится жить по старым правилам. Найди грузчика и спроси, когда завезли товар. Тогда можно хотя бы примерно прикинуть, сколько еще ждать, пока документы оформят, посчитают, взвесят, разложат, вопросы порешают.

Маринка начала решительно протискиваться между людьми, заполнившими площадку и прихожую.

— Девушка, вы куда? — строго вопросила Галина Александровна. — Вы там не стояли, вы позже подошли, я видела.

— Хочу спросить, когда начнут продавать, — ответила Маринка.

Сотрудники снова грохнули дружным смехом.

— Так вам и сказали! И вообще, вы туда не пройдете, вы по эту сторону прилавка, в торговом зале, а продавцы в подсобке, туда можно войти только со стороны служебного входа. Вот подождите, выйдет продавец, за ним следом работник с товаром, тогда начнут продавать.

— Тогда я пойду пока в буфет, там посижу. Чего тут стоять-то беспонтово?

Хохот стал еще громче. Наташа понимала, что Маринка делает что-то неправильно, но что именно — уловить не могла. Тучный Семен, отирая выступившие на лбу капли пота, прочел для молодых участников короткую лекцию об устройстве очереди. Из лекции следовало, что сорок лет назад отойти посидеть и подождать, пока подойдет очередь в продуктовом магазине, было практически нереально. Во-первых, сидеть негде. Во-вторых, выходя из очереди, нужно непременно предупредить того, кто стоит следом за тобой, и попросить, чтобы тебя запомнили. Отлучаться следует ненадолго. Если тот, кто стоял за тобой, тоже уйдет, то следующий в очереди тебя совершенно точно вперед себя не пропустит: он тебя не видел, не помнит, ты его ни о чем не предупреждал. И тебе придется вставать в конец очереди. И, в-третьих, даже если найдется где присесть, то не дай бог тебя увидит кто-нибудь из твоей очереди! Они стоят, а ты сидишь! Тебе этого не простят. И либо сделают вид, что не помнят тебя, и не пропустят, либо ты наслушаешься столько приятного, что воспоминаний хватит на неделю.

Маринка недовольно нахмурилась.

— Так что, стоять тут все время, что ли?

— Именно так, милая Марина, стоять как вкопанная, — весело подтвердил Гримо.

— Вот блин! Я даже за билетами на концерт любимой группы так не стояла, сейчас любые билеты можно по интернету купить. А уж за курицей... Тоже мне, ценность!

— Зачем же вы, девушка, стоите в очереди, если вам курица не нужна? — ехидно спросил психолог Вилен.

— Мне Полина Викторовна велела.

— Маму надо слушаться, — назидательно проговорил Тимур. — Точнее, бабушку. Мне, например, Юра на пальцах объяснил, сколько всего можно приготовить из одной курицы. Мы с ним сначала сварим ее, потом из бульона сделаем суп с вермишелью и картошкой, половину вареной курицы разделим и съедим с гарниром, а из другой половины настрижем салатик. Одна курица — и целых три блюда! Юра обещал, что будет вкуснее, чем в столовке.

— И охота тебе возиться, — презрительно протянула Маринка. — Время только терять.

— Ты что! Прикольно же! Я никогда в жизни курицу не варил, интересно попробовать. Ну и зафотаю весь процесс, само собой. Да я на этой курице знаешь сколько лайков соберу?

Дверь в комнату-магазин приоткрылась, послышался сварливый голос:

— Подходите.

Дверь захлопнулась. Стоящий первым Сергей растерянно обернулся.

— Что стоишь? Заходи, — подбодрил его Вилен.

— Пошли, Серега, — оживился Артем.

— Э, нет, — остановил его психолог, — так не пойдет. Нас здесь...

Он покрутил головой, пересчитывая присутствующих: шестеро участников, шестеро сотрудников.

— ...двенадцать человек. А в очереди должно быть как минимум человек пятьдесят, и эту очередь нужно отстоять. Пятьдесят — это еще приемлемо, это, считайте, вам сильно повезло, а могло быть и больше ста. Так что входите по одному, и после каждого из вас должна быть пауза минут на пять, в течение которых обслужат еще пять условных покупателей. Заходи, Сергей.

Когда дверь за ним закрылась, Артем снова требовательно посмотрел на Галину Александровну.

— Все равно я не понимаю, зачем сюда всех согнали. Мы с Виленом живем вместе, он меня послал в магазин, я пошел, с этим все ясно. А он сам-то зачем тут стоит? Для массовости?

— И для массовости тоже. Нужно, чтобы вы прочувствовали, каково это — простоять час в очереди за едой среди уставших нервных людей. Поверьте мне, это крайне полезный опыт. Кроме того, могут иметь место ограничения, например, по одной курице или по одной палке колбасы в руки, и если вам нужны две курицы или побольше колбасы, то нужно либо стоять в очереди дважды, либо идти вдвоем.

— А зачем нам по две курицы? — подала голос Маринка. — И колбасы столько на фиг надо?

— Может быть, вы ждете гостей и вам нужно много продуктов. Может быть, у вас большая семья. Может быть, вы хотите, чтобы курица просто была про запас, потому что когда сможете купить ее в следующий раз — неизвестно. То же самое относится к копченой колбасе. Вареную колбасу никто про запас не покупает, это понятно, а вот копченая — деликатес к праздничному столу и хранится достаточно долго. А поскольку это не только деликатес, но и дефицит, то может использоваться в качестве подарка или подношения.

Тимур присвистнул.

— Ни фига себе! Колбаса в подарок! Упаковать в коробочку и перевязать ленточкой с бантиком! Это крутейше! Люди, ну правда, встаньте в очередь, как положено, я пофотаю пока.

Со своим фотоаппаратом он не расставался. Сотрудники с улыбками переглянулись и послушно стали выстраиваться в линию, участники тоже заняли свои места. Когда десять человек перестали толпиться и встали друг за другом, первый — Артем — оказался у самой двери, за которой раздавали продукты, а последние трое стояли на ступеньках лестницы. Теперь Наташе видна была и Евдокия, до этого не проронившая ни слова и остававшаяся совершенно незаметной. Следом за Наташей пристроилась Маринка, за ней — Юрий, и замыкал очередь подошедший самым последним доктор Эдуард Константинович. Тимур скакал вдоль очереди, щелкая затвором.

— Эй, фотограф, а твоя очередь где? — насмешливо спросил Артем. — Смотри, без курицы останешься, а в следующий раз неизвестно когда завезут.

— Так я же с тобой вместе пришел! Ты что, забыл?

— Ничего не знаю, молодой человек, — обычно сочный голос Гримо вдруг зазвучал противно и скрипуче, — я вас тут не видел, и не вздумайте пролезть без очереди. Вон тот юноша, — артист бесцеремонно стал тыкать в воздух указательным пальцем в сторону Артема, — стоял, я видел, он как пришел — так никуда и не отходил, а за ним вон тот мужчина.

«Вон тем мужчиной» был переводчик Семен.

— А вас, молодой человек, тут не стояло! — продолжал Гримо.

Неожиданно за Тимура вступилась Евдокия.

— Ну что вы, он стоял.

— Не было его!

Теперь в мини-спектакль включилась Галина Александровна.

— И вы, девушка, его не выгораживайте, а то взяли моду скакать по свиданиям, шататься неизвестно где, а потом без очереди лезть! Постыдились бы, молодые, а стоять не хотите, все вам на блюдечке подавай, мы весь день отработали и теперь стоим, куда только родители смотрят, вырастили захребетников!

Евдокия умолкла, а все сотрудники наперебой принялись ругать современную молодежь вообще и паренька с фотоаппаратом в частности. Обстановка быстро накалилась, и Наташа удивлялась, почему так долго не выходит Сергей. Она осторожно подняла руку и дотронулась до плеча стоявшего перед ней Виссариона Иннокентьевича.

— А что вы будете из курицы готовить? — спросила она.

Гримо улыбнулся и ответил своим обычным голосом:

— Сам не знаю. Я готовить не умею. Сережа, кажется, тоже не мастер. Но будем пробовать, Надюша обещала рецепт дать, научить.

— Может, помочь? — предложила Наташа. — Я неплохо готовлю, меня мама учила. Мы с Маринкой вместе живем, я всегда ее кормлю.

— Прекрасно, прекрасно, — довольно загудел актер. — Будем крайне признательны, крайне! Я бы съел цыпленка табака.

Цыпленок табака! Этого Наташа не умела.

— Я отойду на минутку, — сказала она, обернувшись к Маринке.

Та, конечно, заметила, что подруга разговаривала с куратором Сергея, и теперь глаза ее сузились в подозрительном прищуре.

— Ты куда? Что ты еще задумала?

— Ничего я не задумала, подойду к Надежде, спрошу рецепт.

— Зачем тебе рецепт? Твоя Надежда сама все приготовит, она же повар. Не темни, Наташка! Не валяй дурака! — сердито зашипела Маринка.

— Хочу научиться.

Наташа прошла вдоль очереди. Надежду Павловну она нашла в общей комнате; та сидела за пустым столом, откинувшись на спинку стула и вытянув ноги.

— Хорошо, что вы все в очереди стоите, — улыбнулась она, увидев Наташу, — я хоть отдохну немножко, никому буфет не понадобится. Если только Назар заглянет, но я им недавно наверх подавала к чаю... А ты что пришла?

Услышав, что нужен рецепт, Надежда Павловна покачала головой:

— Из тех кур, которые привезли, «табака» не получится, можно, конечно, сделать, но вкусно не выйдет.

— Маринка сказала, что куры какие-то венгерские.

— Ой, да перестань, — повар махнула рукой. — Это в прежние времена венгерские куры считались хорошими, их моментально раскупали. Сейчас их у нас не продают, Юра с фермы птицу привозит. Про венгерские сказали, чтобы вы почувствовали аромат эпохи. Все импортное было заведомо лучше, чем наше. Югославские или финские сапоги, например, французская тушь, монгольские дубленки — все было дефицитом. И венгерские куры тоже.

— Ясно, — разочарованно протянула девушка. — А почему вы меня в магазин не отправили? Если бы Маринка за мной не зашла, я бы и не узнала, что нужно в очереди стоять.

— Для правды жизни, — усмехнулась повар-буфетчица. — Если твоя мама имеет дело с продуктами, то тебе за дефицитом стоять не нужно, у вас в семье эта проблема решается по-другому. И курица сама собой появится, и колбаса, и заграничную косметику прямо домой принесут. Работники торговли и общепита в очередях не стояли, как правило.

— Выгодно быть вашей дочкой, — заметила Наташа.

— А ты думала! Так что можешь идти домой, если не хочешь стоять.

— Нет, я как все... И Маринке скучно одной, мальчики все впереди оказались, они раньше других пришли, Дуня молчит как рыба, мы там стоим среди старших, и если я уйду — ей даже поговорить не с кем будет. И вообще, это, наверное, обидно: она стоит, а я порхаю, потому что мне с мамой повезло.

Надежда Павловна наклонилась, помассировала отекшие за день щиколотки, вздохнула.

— Так жизнь устроена. Всюду и всегда. Одни стоят, другие порхают.

Проходя на обратном пути мимо двери комнаты-магазина, Наташа столкнулась с выходящим оттуда Сергеем. В руках у него была матерчатая сумка с продуктами.

— Купил? — с интересом спросил Артем, чья очередь была следующей.

— Ага!

— Надо говорить не «купил», а «отоварился», — поправил его Семен. — И запомни: при советской власти все более или менее стоящее не продавали, а давали или выбрасывали. Ты же хорошо чувствуешь слово, должен понимать, что разница принципиальная.

— Понял, учту. А когда мне можно заходить?

— Продавцы сами позовут, не волнуйся.

Наташа следом за Сергеем стала протискиваться в тесном коридоре вдоль очереди, обогнала его и подошла к своему месту, между Гримо и Маринкой. Сердце ее бешено колотилось. Вот сейчас он подойдет, Виссарион Иннокентьевич скажет ему, что Наташа вызвалась помочь, а она ответит, что из этих кур «табака» не получится и она лучше приготовит им что-нибудь другое, например потушит курицу в сметане с чесноком или сделает котлеты... Завяжется разговор, Сергей пригласит ее к себе... Хотя как же она уйдет, очередь ведь... Надо играть по правилам. Ничего, главное — договориться.

Утихшая было свара в очереди оживилась, только поводом теперь был уже не Тимур, а Вилен, изображавший человека, которому «в больницу». Наташа так волновалась, ожидая начала разговора с Гримо и Сергеем, что в первый момент вообще не поняла, что происходит. Сергей все не подходил, он застрял возле Евдокии и о чем-то тихонько беседовал с ней. Наташа не сводила с него глаз, а в голове звучала старая печальная песня:

*Что касается меня, то я опять гляжу на вас,*
*А вы глядите на него,*
*А он глядит в пространство...*

— Юра! — послышался из глубины квартиры голос Надежды Павловны. — Ты здесь?

— Да! — громко отозвался завхоз. — Я нужен?

— Не могу окно закрыть, щеколду заело!

— Иду!

Он ловко пробрался внутрь и скрылся. Теперь доктор Качурин стоял прямо за Маринкой, и Наташе казалось, что она слышит у себя за спиной негромкие голоса, но не могла заставить себя обернуться и посмотреть, кто разговаривает. Она оцепенела, глядя на Сергея и Евдокию. Ну почему, почему она такой тормоз? Почему не сообразила заговорить с Сергеем сразу же, как только он вышел, чтобы он увлекся и прошел мимо этой странной молчаливой Дуни? Ведь такая прекрасная возможность представилась! Можно было спросить о покупках, о Полине и Ирине, игравших роли продавщиц, можно было даже попробовать обсудить слова Семена о разнице между «продавать», «давать» и «выбрасывать». Артем сказал, что все понял, а Сергей? Она, Наташа, например, не совсем поняла. Нутром чувствует эту разницу, а объяснить так четко и красиво, как это обычно делает Артем, не может. Можно было начать обсуждать феномен очереди... Да много поводов для разговора, выбирай любой! А она, как дура, молча шла следом за ним, а когда он остановился около Евдокии, просто прошла дальше.

— Товарищи, ну поверьте, у меня жена в больнице, ей нужно диетическое питание, я должен успеть сварить бульон и отнести ей...

— Не пускайте его без очереди! У нас у всех кто-нибудь в больнице лежит, так что, теперь всех без очереди отпускать?

— Да пропустите его, ну что вы, в самом деле...

— А вы не командуйте!

— У меня тоже времени нет, мне за внуком в садик надо, а я стою! И вы постоите, не развалитесь!

— Так в больницу же... Диетическое...

— Да не слушайте вы его, знаем мы эти штучки! В больницы после семи вечера не пускают, а сейчас уже без двадцати семь. Вы, мужчина, врите да не завирайтесь!

Открылась дверь, выглянула Ирина.

— Подходите, — бросила она Артему, потом перевела недовольный взгляд на очередь и вдруг гаркнула отвратительным базарным голосом: — Граждане, не орите, мешаете работать! И очередь не занимайте, товар заканчивается.

Свара мгновенно утихла, повисла тишина. Наташа очнулась. Сергей по-прежнему стоял около Дуни. Но, возможно, это ничего не значит...

Вернулся Юрий.

— Я стоять не буду, — заявил он. — Раз товар кончается, значит, мне точно не хватит. Это мое несчастье по жизни, всегда всё заканчивается ровно передо мной.

Наташа молча кивнула.

— Значит, и нам не хватит? — послышался сзади голос доктора. — Думаете, нам с девушкой тоже не имеет смысла стоять?

— Смысл всегда есть, — непонятно ответил завхоз.

Интонация у него была странной, но Наташа так расстроилась, что не стала думать об этом. Сергей отошел наконец от Евдокии и остановился около актера.

— Почему ты так долго в магазине торчал? — спросил Гримо подошедшего Сергея.

— В кассу большая очередь была, — с усмешкой ответил тот.

— Ох уж эта Полина! Знаю ее вредный характер. Небось, она придумала? Иришка у нас добрая, она не стала бы тебя мытарить.

— Добрая? А что ж на вас кричала, как подорванная?

— Роль такая. Вот Наташенька... — начал Виссарион Иннокентьевич, но ей уже совсем не хотелось, чтобы ее приглашали в гости или просили помочь.

Ей хотелось одного: убежать к себе, закрыться в своей комнате и лечь, отвернувшись к стене.

> И опять лицом в подушку,
> Ждать, когда исчезнут мысли...
> Что же делать? Надо, надо
> Продержаться как-нибудь.

Но разве можно уйти из очереди? Надежда Павловна на работе, никто, кроме нее, Наташи, продукты не купит, а играть нужно строго по правилам. Как бы это выглядело, если бы девушка ушла из магазина без покупок и оставила всю семью без продуктов только потому, что у нее резко испортилось настроение?

— Спасибо, Наташа, — донесся до нее голос Сергея, — я думаю, мы сами справимся. Не хочется тебя затруднять.

Ну конечно. Если бы помощь предложила Евдокия, он бы наверняка согласился. Но она, судя по всему, не предложила. «... Я опять гляжу на вас, а вы глядите на него, а он глядит в пространство». Почему все так нелепо?

Она даже не заметила, в какой момент и куда исчезли Маринка и стоявший последним доктор Качурин. Просто стояла, тупо дожидаясь, когда настанет ее очередь заходить в магазин и прозвучит голос Ирины, приглашающей следующего покупателя. Маринка тоже хороша! Вытащила ее стоять в очереди, а сама смылась, как только сказали, что товар заканчивается. Хоть бы слово проронила, предупредила, что уходит. Наверное, наслаждается одиночеством в пустой квартире, пока Полина Викторовна изображает из себя продавщицу. Или, может быть, придумала, как завязать более близкий контакт с Уайли, и теперь готовится к осуществлению очередного грандиозного плана.

Как же долго тянется эта бесконечная очередь! Неужели люди действительно вот так стояли в магазинах после работы? Неужели правда, что нужно потратить столько времени, чтобы купить продукты? Потом нужно прийти домой, приготовить еду, вымыть посуду... А если еще что-то делать по дому, например убираться, помыть пол, постирать, погладить, то уже и спать пора. Когда же жить? Только в выходные дни? А если всю уборку и стирку оставлять на субботу-воскресенье, то получается, что и выходных дней нет. Как-то неправильно была устроена жизнь... Хотя она и сейчас так устроена на самом деле, разница только в том, что на магазины тратится намного меньше времени, да над стиральной машиной стоять не нужно, кнопки нажал — и уходи гулять или спать ложись, а раньше машины были другими, Надежда рассказывала. Тогда в чем же разница между той жизнью и этой? Выходит, разница-то лишь в этой очереди за колбасой и в программном обеспечении стиральных машин. Или нет? Может быть, Наташа чего-то не понимает?

Сотрудники снова загалдели, нервозность опять начала нарастать, переводчик Семен, вышедший с покупками, остался на площадке и принял активное участие в общем гомоне, тон которому задавала Галина Александровна, которая, судя по всему, лучше всех помнила, какие разговоры обычно велись в длинных очередях за дефицитом и по каким поводам возникали скандалы. Самым активным помощником профессора выступал Виссарион Иннокентьевич, мгновенно перевоплощавшийся то в дряхлого старика-инвалида, то в энергичного многодетного отца, то в моложавую злобную пенсионерку, то еще в кого-то, находя для каждого персонажа и свой особенный голос, и набор слов. Пожилой актер явно наслаждался ситуацией, играя такое количество ролей и импровизируя на ходу, Галина Александровна веселилась, Семен пыхтел, обливаясь потом, но старался изо всех сил, психолог Вилен относился к порученному заданию серьезно, подавал реплики, разжигая конфликты, и в какой-то момент Наташе показалось, что это не игра. Это все взаправду. Она, двадцатилетняя девчонка, вместо того чтобы гулять с мальчиком или сидеть с ним в кино, стоит в этом жутком вонючем магазине, ждет, когда ей дадут возможность унести домой дохлую противную курицу, и вокруг все уставшие, злые, все торопятся и при этом боятся, что им не хватит, потому что «товар закончится». Над головами носится тоскливая нервозность, смешанная с безысходностью и ревнивым страхом, что кому-то достанется лучший кусок, а тебе самому не достанется ничего вообще и время, проведенное в магазине, окажется потраченным впустую, и эта гремучая смесь эмоций и негативных мыслей обтекает людей, стоящих вдоль прилавка, проникает сквозь одежду, пропитывает кожу. И когда кто-нибудь пытается влезть без очереди, эта смесь вырывается из-под кожи наружу в виде грубости, хамства и оскорблений, радуясь высвобождению. Да, от этого и в самом деле хочется убежать в тайгу, где много воздуха, деревьев и тумана и так мало людей, злобы и ненависти.

Хорошо, что у них здесь есть столовая. А если вот такое — каждый день? Как же люди выдерживали это ежедневное бесконечное стояние, эту злобность и нервозность?

Наконец Наташа вернулась в квартиру, сунула в морозильник курицу, сделала бутерброд с только что купленной колбасой, вкуса никакого не ощутила, ушла в свою комнату, уткнулась лицом в подушку и заплакала. Эта странная очередь вытянула из нее все силы. Да, с ее плоскостопием стоять — невыносимо, ноги болят ужасно, даже ортопедические стельки не спасают, но еще мучительнее оказалась атмосфера, к которой Наташа не привыкла. «Я неприспособленная, — думала она, трясясь от рыданий, — я ни на что не гожусь, я знала, что не могу жить в этой сегодняшней жизни, а теперь оказалось, что я не смогла бы жить и в той жизни, о которой так мечтала. Я думала, что тогда было лучше. Я верила, что тогда все были умными, тонкими и добрыми, как песни из того времени. Но это не так. Плохо было всегда и всюду. Где же мне жить? Как мне жить? Когда мне жить?»

\* \* \*

Артем закрыл том Горького и удовлетворенно улыбнулся. Он понял, в чем была его ошибка. Нет, не так: он не ошибался, он просто не знал, не понимал. Теперь, прочитав «Дачников», уверен, что понял. С людьми среднего и старшего возраста нельзя разговаривать так же, как с молодыми. Слоганы, на которые легко ведется молодой потребитель, не срабатывают. Молодому достаточно дать понять, что «если у тебя этого нет — ты отстой и лузер», и он немедленно побежит искать деньги, чтобы это купить. В долги влезет, в рискованную авантюру втянется, перед родителями унизится, но найдет деньги и купит. В современном мире иметь много — не стыдно, иметь лучшее — признак успешности, хвастаться — не зазорно. Как прошла молодость тех, кто родился в пятидесятые годы, то есть ровесников Владимира Лагутина? В основной своей массе — в унижении, в осознании убожества, в постоянном употреблении слов «блат» и «достать», когда смотришь, затаив дыхание, французский или итальянский фильм и понимаешь, что никогда, никогда не будешь ездить на такой машине, и никогда не будешь носить такую одежду, и не накормят тебя такой красивой и вкусной едой, и не жить тебе в просторной квартире, а собственный дом с бассейном — это уж просто запредельно и бывает только в кино, а не в настоящей жизни. И никогда ты не увидишь своими глазами такого моря, и не будешь загорать в шезлонге на таком хорошо оборудованном пляже. Выходишь из кинотеатра, видишь на улице людей в одинаковой серо-черно-коричневой одежде, заходишь в магазин, где в мясном отделе пустой прилавок, а в рыбном — один-единственный поддон со слипшимися замороженными тушками трески, и думаешь о том, что нужно занести одной женщине шоколадку, чтобы она предупредила, когда в гастроном завезут колбасу или сосиски, а другой женщине подарить бутылку вина, потому что она работает в универмаге и, если захочет, поможет «достать» более или менее модную кофточку или еще какой дефицит, который могут «выбросить» к концу месяца для выполнения плана. А дома твоя младшая сестренка взахлеб рассказывает о том, как заходила в гости к однокласснице, только на мину-точку, книжку взять, и ее угостили чаем с бутербродом, а колбаса на бутерброде была совсем не такая, как они обычно покупают в магазине, и на вид, и на вкус. «Мама, а почему мы такую колбасу никогда не покупаем? Она же намного вкуснее!» — говорит девятилетняя сестрен-ка, и мама отводит глаза и молчит, потому что нельзя же объяснить ребенку, что в доме ее одноклассницы продукты из спецраспределителя и что вкусная еда положена не всем строителям коммунизма в стране, а лишь отдельным людям, которые, по сути, ничего на самом деле и не строят, а только надувают щеки и ходят с важным видом: следят, чтобы другие люди, попроще, строили этот самый коммунизм правильно, и руководят ими.

Много интересного и неожиданного услышал Артем Фадеев на ежедневных лекциях Галины Александровны: он был единственным, кто ходил постоянно и за все три дня не пропустил ни одного занятия. Картинка повседневной жизни в советской стране в семидеся-тые годы сложилась достаточно полная, и вот сегодня, читая «Дачников», Артем буквально застыл, дойдя до четвертого действия, до сцены откровений Суслова, отстаивающего свое право быть простым обывате-лем. Человек, наголодавшийся и наволновавшийся в юности, хочет в зрелые годы сытно есть и ни о чем не беспокоиться. Ему приятно осознание того, что он, пройдя через трудный и полный лишений период, сумел выстроить свою жизнь так, чтобы теперь хватало и на еду, и на комфорт, и на удовольствия. Теперь он имеет возможность получить то, чего был лишен когда-то. Вроде все правильно, но... Если тезис верен, то человеку должно быть приятно покупать сегодня то, чего раньше он купить не мог. А слоган не работает. Почему?

Вилена дома не было, он по вечерам чаще всего сидит у Уайли. Жаль. Он бы, наверное, объяснил, в чем неувязка и почему не работает слоган, который, по всем прикидкам, должен работать.

Артем улегся на диван, привычно закинув руки за голову и прикрыв глаза. Чем заняться, когда под рукой нет компьютера? Остается только думать, но именно для этого он и приехал. Он, пожалуй, единственный среди участников, кто почти не страдает от невозможности пользоваться интернетом. Нет, нельзя, конечно, сказать, что он легко обходится без привычных возможностей получить информацию или пообщаться, но он же понимает, что это временное затруднение, которым вполне можно пренебречь, потому что есть цель, есть задача, которую нужно решить, а решить ее можно, только полностью погрузившись в обстановку той жизни, которую прожили когда-то те, чье мышление Артему необходимо понять.

Тусоваться с ребятами скучно, с Серегой хоть покурить можно, а с Тимом вообще разговаривать не о чем. В принципе интересно поболтать с Наташей, а остальные Артема ничем не привлекают. Вот если бы Ирина... Но как к ней подойти? Что сказать? Чем заинтересовать? Если бы она приходила на лекции

Галины Александровны, было бы проще, на совместных занятиях всегда можно найти повод завязать разговор. Был бы интернет — не было бы проблем: найти сайт фильма или сериала, где Ирина снималась, или группу фанатов, написать восхищенный отзыв... Короче, в Сети найти человека и связаться с ним — ни разу не вопрос, а вот как в реальной жизни наладить контакт с женщиной лет на двадцать старше? Наверное, это всегда было непросто, вот у Власа с Марьей Львовной из тех же «Дачников» ничего не вышло, хотя вроде и она к нему нормально относится, и он влюблен по уши. Марья Львовна считает себя старухой, жалуется на седину, на отсутствие трех зубов, а ведь ей тридцать семь, она старше Власа на двенадцать лет. Ирине за сорок. Значит, разница в возрасте еще больше, и ему, Артему, точно ничего не светит. Или все-таки попытаться? С другой стороны — зачем? Чтобы нарваться на насмешливый отказ, а то и на издевку? Марья Львовна с Власом хотя бы по-человечески говорила, называла голубчиком, милым. Да, она его гонит от себя, просит прекратить признания в любви и уйти, но делает это как-то необидно, без высокомерия. Кроме того, Марья одинока в интимном плане, у нее нет ни любовника, ни кавалера, и Влас мог быть уверен, что ни с кем не конкурирует. А что Артем знает об Ирине? Да ничего, кроме того, что она актриса и у нее вроде бы есть дочка. Может, у нее и муж есть или куча любовников и поклонников и Артем со своими неумелыми ухаживаниями будет выглядеть просто смехотворно. Для него никогда не было проблемой познакомиться с девушкой, делал он это, как и очень многие, не лично, а на сайтах знакомств, и получалось у него легко и достаточно изящно, но все они оказывались скучными и пресными и годились только на то, чтобы переспать. В них не было изюминки, с ними не было интересно, и Артем без сожалений расставался с ними через неделю-другую, а то и быстрее.

Ему казались смешными и нелепыми рассказы друзей-приятелей на тему «увидел — и пропал», он не понимал: что это? Как это? Увидев Ирину месяц назад, наконец понял. Но женщина не выделяла его из общей массы участников, и Артем понимал, что вряд ли сможет быть ей хоть чем-нибудь интересен. Что он может ей предложить? Большие деньги? Нет. Внешность? Тоже нет. Связи и возможности? И этим он не располагает.

Но почему же все-таки не работает посыл «купи и не будь лузером»?

Мысль зашла в тупик. Нужно с кем-нибудь поговорить, чтобы дать себе новый толчок. С кем-нибудь из старших, кто жил в семидесятые. Как ни соблазнительно было попробовать обратиться к Ирине, но для данной задачи она не годилась: слишком молода, и в семидесятые была еще ребенком.

Артем посмотрел на часы: начало одиннадцатого, звонить уже нельзя, их предупреждали, что после десяти вечера звонить по телефону разрешается только в суперэкстренных случаях или если о таком звонке заранее договаривались. «Людям рано утром вставать на работу, а ты своим звонком перебудишь всю квартиру, — объяснял Вилен. — Кроме того, после программы «Время» обычно по телевизору показывали то, что многим интересно. Спортивные соревнования, например, фигурное катание, хоккей, футбол, или хорошие концерты, или фильмы. Люди смотрят, а тут ты со своим звонком...» Ну да, Артем понимал, что на паузу не поставишь, и вечерний звонок по телефону был бы сорок лет назад мешающим и неуместным. Люди либо таращатся в телик, либо уже спят. С мобильными телефонами этой проблемы нет, она решается при помощи виброзвонка или текстовых сообщений. Совсем другой была система контактов между людьми в те годы, совсем...

Он решил выйти на улицу и посмотреть на окна: в каких горит свет? Конечно, еще светло, но в помещении читать без электричества уже трудновато, и таким нехитрым способом он надеялся определить, кому еще прилично позвонить.

Артем распахнул дверь подъезда и тут же наткнулся на Наташу, Марину и Назара Захаровича, стоящих справа, под окном Галины Александровны. В окне виднелись две головы: профессора и доктора Качурина. Хорошенькая Маринка стояла у самой стены дома, положив ладонь на подоконник, а Наташа и Назар перебрасывались непонятными Артему фразами:

— В Останкино, где «Титан» кино...
— Там работает она билетершею...
— На дверях она стоит, вся замерзшая...
— Вся замерзшая, вся продрогшая...
— Но любовь свою превозмогшая...
— Вся озябшая, вся застывшая...
— Но не продавшая и не простившая...

О чем это они? На ходу стихи сочиняют, что ли?

— Две ошибки, — объявила Галина Александровна. — Не «озябшая», а «иззябшая», и не «застывшая», а «простывшая».

Доктор Качурин тут же сделал какую-то пометку в блокноте.

— Пока счет ровный, — сказал он. — У Назара Захаровича по одной ошибке в двух предыдущих стихах, у Наташи две в последнем.

— Что это у вас? — удивленно спросил Артем. — Конкурс, что ли?

— Соревнование у нас, сынок, — улыбаясь, пояснил Назар Захарович. — Мы тут старые песенки вспоминаем, под которые наша с Галиной Александровной молодость прошла, вот и Наташенька их тоже любит и хорошо знает. Видишь, вечернее развлечение себе придумали, уже второй день балуемся. Сегодня мы соревнуемся по Галичу. Я строчку — Наташа строчку, Галина Александровна следит за точностью, а Эдуард Константинович фиксирует очки, ведет счет.

Артем посмотрел на Марину, стоящую молча. Вид у нее был странный.

— А ты что делаешь? — спросил он. — Какая у тебя функция?

— А я болею, как положено на соревнованиях.

— За кого? За Наталью?

— За Назара Захаровича, — ответила Марина, и Артему показалось, что голос у нее стал каким-то не то загадочным, не то немножко неуверенным.

— Ладно, тогда я буду за Наташу болеть, — сказал Артем, — чтобы все было по справедливости.

— Вот это правильно, сынок, — одобрительно отозвался Назар Захарович. — Без группы поддержки соревноваться тяжело. Ну, профессор, назначай следующее испытание. Что берем?

Галина Александровна задумалась на несколько секунд.

— Давайте «Старательский вальсок». Потянете?

Назар Захарович вопросительно поглядел на Наташу, та кивнула и сразу начала:

— Мы давно называемся взрослыми...

— И не платим мальчишеству дань, — подхватил Назар.

В первый момент Артем подумал, что стихи скучные. Наверное, про то, как повзрослевшие люди с доброй улыбкой вспоминают свои детские мечты и романтические устремления. Но уже к концу первого куплета он насторожился: песня была явно не о том. Более того, ему показалось, что в голове проскочил едва уловимый сигнал: нащупано что-то очень важное, и сейчас главное — не упустить момент, чтобы направить мысль в нужном направлении.

— Но поскольку молчание — золото...

— То и мы, безусловно, старатели.

— Промолчи — попадешь в богачи...

— Промолчи, промолчи, промолчи...

Теперь Артем слушал внимательно и напряженно.

— А молчальники вышли в начальники...

— Потому что молчание — золото...

— Промолчи — попадешь в первачи...

— Промолчи, промолчи, промолчи...

Первачи... Кто это такие? Надо будет у Галины спросить.

А старик и девушка уже мчались дальше вдоль следующего куплета:

— Пусть другие кричат от отчаянья...

— От обиды, от боли, от голода...

— Мы-то знаем: доходней молчание...

— Потому что молчание — золото!

Артем дослушал до конца, потом Галина Александровна подвела итог.

— Одна ошибка точно у Наташи, две у Назара Захаровича, но вариативные и потому допустимые.

— Не понял, — нахмурился Артем. — Как вы определяете допустимость ошибок?

– Видите ли, у этих песен обычно не бывает канонического текста. Вы — дитя свободы и технического прогресса, вам это трудно понять. Сегодня почти все исполнители записывают песню в студии, эта запись крутится по радио, размещается в интернете, используется в качестве фонограммы на концертах, потому что вживую мало кто теперь поет, единицы. И все слышат один и тот же вариант с одним и тем же текстом. Галич, Кукин, Клячкин, Высоцкий и огромное множество других авторов не могли в то время ни записать свои песни в студии, ни издать в сборнике. Это был андерграунд. Песни исполнялись на так называемых квартирниках или на подпольных концертах, фанаты записывали эти выступления на магнитофоны, потом копировали и размножали записи. Тексты тоже перепечатывали на машинке, на тонкой плохой бумаге, чтобы через копирку побольше копий пробилось за один раз. Но ведь автор пел свои песни не по бумажке, а по памяти, и всегда одно исполнение отличалось от другого. Например, в одном случае Галич пел: «Отвези меня, шофер, в Останкино», а в другом: «Отвези-ка меня, шеф...» Понимаете? Записи расходятся, люди слушают и запоминают разные варианты. Такие расхождения я считаю вариативными, и если то, что я помню, не совпадает с тем, что говорят Назар Захарович или Наташа, это не будет ошибкой. А вот «вся озябшая» вместо «вся иззябшая» — это совершенно точно ошибка и с точки зрения русского языка, и с точки зрения поэтики.

— Теперь понял, — кивнул Артем. — А кто такие первачи?

— Ну что ты пристал, — капризно протянула Марина. — Тут соревнование, а ты с вопросами лезешь! Потом спросишь, не мешай.

— А мы уже закончили, — сказал Назар Захарович. — Доктор, огласите приговор!

— Три — два, выиграл Назар Захарович, — объявил Качурин.

— Как и вчера, — вздохнула Наташа. — Мне дядю Назара никогда не победить.

Но Марина неожиданно запротестовала:

— Как — закончили? Почему так мало? Вы же только начали!

— Мы договаривались на пять песен, — строго ответил Назар.

Маринка расстроилась так очевидно, что Артему стало смешно.

— Разве вы уже все пять проговорили? Эдуард Константинович, вы проверьте по записям, не может быть, чтобы пять, — растерянно бормотала она.

Качурин очень серьезно, без малейшего намека на улыбку, посмотрел в блокнот:

— Первая — чисто, вторая — одна ошибка у Назара Захаровича, третья — одна у него же, четвертая — две у Наташи, пятая — одна у Наташи.

— Ну вот...

Артему показалось, что Маринка чуть не плачет. Чего это она? Неужели ей так интересно слушать старые стихи, которые когда-то были песнями? Или тут что-то другое?

— Друзья, а давайте выпьем чаю, — вдруг предложила Галина Александровна. — И мы с Назаром Захаровичем расскажем Артему, кто такие первачи. Когда вы на улице, а я в квартире, получается, что я вещаю, как королевская особа с балкона или как красна девица из терема.

— Я — за! — тут же радостно откликнулась Маринка.

— Наверное, неудобно, поздно уже, — смущенно проговорила Наташа.

Артем решительно взял ее за предплечье.

— Раз хозяйка приглашает, значит, не поздно и удобно. Пошли.

За чаем засиделись заполночь. Назар Захарович строго проверил, все ли участники предупредили своих кураторов, где находятся. Надежда Павловна и Полина Викторовна были проинформированы, что девочки вместе с Назаром ушли на соревнование, а вот Артем не предупредил Вилена, он же собирался выйти только на минутку, посмотреть, у кого в окнах свет, а потом вернуться в квартиру и позвонить...

— А ты знаешь, где Вилен сейчас? — спросила Галина Александровна.

— Да как обычно, в бо... — Артем запнулся и чуть было не проговорился, — у Ричарда.

— Ладно, договаривай, — усмехнулся Назар Захарович, — в богадельне. Думаешь, мы не знаем, как вы, молодежь, наш пятый этаж называете? Но это не дело, если родители в одиннадцать вечера не знают, где ребенок. И нечего на меня так смотреть. До тех пор, пока ты живешь с родителями под одной крышей, ты — ребенок, независимо от того, сколько тебе лет, и родители всегда волнуются, если не знают, где ты. Сходи к себе, оставь записку Вилену. Или в богадельню позвони.

Артем поднялся к себе на третий этаж. Квартира пуста. Он вырвал из блокнота листок, написал записку и вернулся к Галине Александровне, вспоминая, как ссорился с матерью, отстаивая собственное право не ставить родителей в известность о своих планах и о том, куда и когда он собирается уходить и когда вернется. «Если ты захочешь знать, где я, ты в любой момент можешь позвонить и спросить, я не имею привычки выключать мобильник», — говорил он и не понимал, почему такая простая вещь не устраивает маму.

Он и Назару собирался ответить точно так же, мол, если Вилен будет беспокоиться, он позвонит, но вовремя осекся. Куда он позвонит? Кому? Начнет поздним вечером обзванивать всех знакомых подряд и спрашивать, не знают ли они, где Артем? Бред. А ведь в те давние времена, наверное, так и поступали... Оставить записку с предупреждением... Такое ему, Артему, даже в голову не пришло бы. Сейчас никто записок не пишет. Мобильные телефоны появились, когда матери было двадцать пять, она выросла в тот период, когда не вернувшихся вовремя загулявших детей ждали, искали, потом, наверное, долго ругали. И она со всем своим воспитанием, с молоком матери впитала неистребимую потребность каждую минуту знать, где находится ее сын. Может, не стоит так злиться на нее за это? Если Артем не может понять маму, родившуюся в семидесятом году, то она точно так же не может понять его, выросшего в эпоху мобильной связи и интернета.

Рассказы Галины и Назара о первачах слушали только Артем и Наташа. Доктор Качурин сидел с задумчивым видом, углубившись в какие-то свои мысли. Наверное, ему неинтересно, а может быть, он и сам всё это знает. Маринка, пристроившись рядом с доктором, тоже молчала, и по выражению ее лица Артем отчетливо понял, что она не слушает про первачей, но при этом ей не скучно. Оказалось, что первачи — это не те, кто на самом деле лучший, а те, кого назначили быть «первым». Первые секретари (в отличие от вторых и третьих) райкомов, горкомов и обкомов партии или комсомола. Начальники, руководители. И даже актеры назывались первачами, если их особенно любили режиссеры: таким актерам во время гастролей или съемочных экспедиций доставались самые лучшие номера в гостиницах и предоставлялось самое лучшее обслуживание. Можно было написать безумно талантливое стихотворение, даже гениальное, и вся страна от мала до велика будет знать его наизусть, но первачом это поэта не сделает. Первачом он сможет стать только тогда, когда похвалят в газете «Правда» или на съезде Союза писателей. Иными словами — назначат «первым», то есть «правильным». Вот тогда начнутся путевки в Дома творчества, дача в Переделкине, творческие командировки за границу, талоны в двухсотую секцию ГУМа и прочие радости. И вот тогда ты — первач! Не похвалят, не отметят — ничего этого не будет, хоть этот поэт во сто крат талантливее всех его коллег по перу, вместе взятых. Каждый понимал: правду говорить нельзя, нужно изо всех сил прославлять советскую власть, чтобы заметили, отметили и похвалили. Одно неверное или даже просто сомнительное слово — и не быть тебе первачом. Нет, с землей, может, и не сровняют, и даже с работы не уволят, но удобств, комфорта, хороших продуктов и красивой одежды тебе не видать. И о зарубежных поездках можешь забыть. Будешь жить как все. Врать, молчать, притворяться, высиживать на постылых собраниях и политинформациях, доставать, искать блат, часами стоять в длинных очередях, списывать у знакомой рецепты супа, который можно приготовить без мяса, на одном плавленом сырке, и слушать, раскрыв рот, пересказ кинофильма, который смотрел сослуживец знакомого, случайно, по большому везению прорвавшийся на закрытый просмотр в Дом кино или в Дом журналиста. Еще, как рассказывала Галина Александровна, были совсем особенные очереди, не такие, в которые можно просто встать, проходя мимо магазина и увидев, что «выбросили дефицит». В эти особенные очереди нужно было еще суметь «попасть», и тянулись они годами. Очереди на получение квартиры, очереди на автомобиль, на ковер, на кухонный гарнитур, мебельную стенку, цветной телевизор... Как же это все унизительно!

А потом пришли 1990-е годы, и для многих вдруг оказалось, что все было напрасно. Напрасно тянул лямку на нелюбимой работе, молчал, одобрял, правильно голосовал, пряча подальше совесть, делал вид, терпел неудобства и унижения и снова молчал, потому что ждал квартиру, или машину, или повышения в должности, чтобы пенсия была побольше — такая, на которую можно не только самому достойно встретить старость, но и детям, и внукам хоть немного помогать. Все было напрасно. Потому что все рухнуло. Накопления на сберкнижке, сделанные за всю трудовую жизнь, сгорели. Очереди отменили, жилье давать перестали. Цены растут, а зарплаты не выплачивают. Твое образование никому не нужно, твоя профессия не востребована, потому что твой завод обнищал и закрылся, а вся отрасль производства уже дышит на ладан, не выдерживая конкуренции с импортом.

И вот в этом моменте, как казалось Артему, и кроется ответ на вопрос: почему не работает слоган. В «Дачниках» Суслов говорит о трудной юности и преодолении. Применительно к людям, живущим в советскую эпоху, речь идет о трудной молодости и унижении. «Преодоление» — существительное с положительным знаком, «унижение» же несет в себе заряд, безусловно, отрицательный. Когда человеку в возрасте «пятьдесят плюс» напомнить о том, что у него когда-то чего-то не было, в его голове автоматически всплывают и чувство унижения, и растерянность перелома 1990-х. Он не говорит себе, как Суслов: «Ах, какой я молодец, сумел все преодолеть и теперь живу сытно, удобно, не так, как раньше». Нет, он говорит: «Я не хочу об этом вспоминать, мне неприятно думать о том, как я врал, притворялся и унижался».

Ему вдруг вспомнилась игра в урок литературы, на котором Ирина исполняла роль ученицы. Получается, ложь и притворство окружали человека уже в школьные годы... Интересно, будут ли еще такие «уроки»? Может быть, они дадут Артему какую-нибудь почву для налаживания контакта с Ириной.

— Ричард пока уроки не планирует, но в любой момент может передумать, — сказала Галина Александровна. — А что, тебе понравилось? Хочешь повторить?

— Если честно, это было ужасно, — признался Артем. — Но очень познавательно. Даже не верится, неужели так и в самом деле могло быть? Или диалоги все-таки сильно приукрашены?

Профессор вздохнула.

— Диалоги для игры на отборочном туре мы придумывали, конечно, сами, но не на пустом месте. Могу рассказать одну историю из жизни, она имела место в школе, где училась моя двоюродная сестра. Хорошая московская школа, английская, но не привилегированная, как та, в которой учился Володя Лагутин, а обычная, районная. Работал в ней прекрасный учитель литературы, новатор, творческий человек, пытавшийся научить подростков мыслить самостоятельно, а не повторять написанное в учебнике. На него написали донос в ЦК, якобы он занимается на уроках антисоветской пропагандой. Начались визиты проверяющих из ЦК и из управления народного образования. Потихоньку, тайком, опросили десятерых ребят, учеников этого педагога, задали вопрос: «Кто твой любимый писатель?» Надеялись, вероятно, что подросток по неосторожности назовет Пастернака, Булгакова или еще кого-нибудь, кто был в немилости. Восемь человек назвали Пушкина, двое других Лермонтова и Толстого. Казалось бы, торжество справедливости? А вот и нет.

— Как же так? — изумился Артем. — Пушкина нельзя было любить? Или я чего-то не знаю?

— Проверяющие докладывали на педсовете: учитель не прививает ученикам любовь к советской литературе, у детей все любимые писатели оказались русскими, до-

революционными, значит, виноват учитель, не соблю-
дает и не разъясняет на уроках принцип партийности
советской литературы.

Глаза Наташи расширились, и только сейчас Артем
заметил, какие они огромные и синие.

— Какой ужас, — почти прошептала она. — Неужели это всерьез? Неужели так и вправду было? В это
невозможно поверить.

— И тем не менее было именно так. Мама моей ку-
зины работала учителем химии в этой школе и присут-
ствовала на том самом педсовете, так что все сведения
получены из первых рук.

— А что потом стало с этим учителем? Удалось ему
отбиться от проверок? — с интересом спросил Артем.

— Съели учителя, — грустно ответила профессор. —
Не дали работать. А жаль. Талантливый был человек,
и в детях талант умел пробудить. Сестра как раз у него
училась, так что ситуация разворачивалась, можно
сказать, у меня на глазах. Кстати, она была одной из
тех восьмерых, кого тайком опрашивали и кто назвал
Пушкина.

Вернувшись от Галины Александровны, Артем застал
Вилена в постели с книгой в руках. Они проговорили
почти два часа, потом Артем ушел к себе в комнату, лег,
но заснуть смог только за час до звонка будильника.
Вилен многое скорректировал в его рассуждениях,
и к утру Артем Фадеев был уверен, что нашел решение
задачи. Цель достигнута, и можно смело бросать квест
и уезжать.

Правда, если он уедет, то больше не увидит Ирину. Ну
и что? Все равно они только здороваются, а поговорить
с ней удалось лишь во время комсомольского собрания, где она играет роль секретаря комсомольской
организации института. Таких собраний, как обещали

организаторы, будет несколько, но все равно шансов на успех мало. Между ними ничего не может быть, и Артему нужно просто собрать себя в кулак и перетерпеть.

# Записки
## молодого учителя
### «ДАЧНИКИ»

Пьесе «Дачники» в учебнике отведено совсем немного места: если пьесе «На дне» посвящено целых четыре страницы текста, то «Дачникам» — всего полстранички, да и то львиную долю объема занимает цитирование стихотворения Власа, а также высказывания самого Горького о сути пьесы, правда, без ссылки на первоисточник, так что невозможно проверить, действительно ли Алексей Максимович такие слова написал.

И снова мне приходится не соглашаться с учебником! Хотя должен признать, что по мере составления этих «Записок» я постепенно учусь делать это деликатно и неявно. Учебник провозглашает «правильными интеллигентами» Марью Львовну, Власа, Соню и Зимина, всех прочих персонажей записывая в «омещанившихся обывателей, которые заботятся только о своем покое и благополучии». «Эти люди, — говорится в учебнике, — чувствуют страх перед жизнью, стремятся спрятаться от суровой действительности, они — дачники в своей стране». Как говорится, не смею спорить... Все так и есть. Причем не только тогда, на рубеже веков, но и сейчас, после шестидесяти с лишком лет непрерывного строительства светлого будущего. Взять хотя бы мою семью со всеми благами, дачами, персональными автомобилями с водителями, продуктовыми пайками из горкомовских и исполкомовских распределителей, «белыми списками» для покупки дефицитных книг, связями и знакомствами... Никогда не поверю, что отец с матерью ни сном ни духом не ведают, как живут другие люди, не допущенные к кормушке. Не поверю, что они не знают об отвратительном качестве товаров, произведенных на советских заводах и фабриках, о том, что товары эти неконкурентоспособны и люди не хотят их покупать, но вынуждены делать это, потому что никаких других товаров просто нет. Мои родители отлично осведомлены и об истинном положении дел, и о том, что все громкие слова о выполнении и перевыполнении планов и о том, что «советское — значит отличное!», есть не что иное, как огромная и всем надоевшая ложь. И что же? Они не захотели жить как все, носить то, что продается в советских универмагах, и есть продукты, которые наличествуют на прилавках, они спокойненько и удобненько спрятались от суровой действительности. Они — точно такие же дачники в своей стране, как и те, кого Горький «всеми силами души презирал» (как гласит учебник). Только теперь, во второй половине двадцатого века, мои родители отнюдь не презренные, а очень даже уважаемые люди, светоч и маяк для рядовых граждан. Вот такие странные метаморфозы.

Влас из «Дачников» мне, кстати, очень понравился, но вовсе не по тем причинам, которые предлагает нам школьный учебник. Мою симпатию он завоевал уже тем, что стал жертвой родительских амбиций — учился там, где велел отец, и в результате приобрел не знания, а одно только отвращение к наукам. Как мне это понятно! А дальше, во время разговора с Марьей Львовной, Влас произносит слова, сделавшие его не только понятным мне, но и близким, своим: «Тошно мне, Марья

Львовна, нелепо мне... У меня голова засорена каким-то хламом... Мне хочется стонать, ругаться, жаловаться... Я, кажется, начну пить водку, черт побери! Я не могу, не умею жить среди них иначе, чем они живут... и это меня уродует...» И затем: «Вы не поверите — порой так хочется крикнуть всем что-то злое, резкое, оскорбительное...» Вот и я точно такой же Влас, от ногтей до волос. С той лишь разницей, что ему пока еще только «кажется», а мне уже ничего не кажется; свой рубеж я переступил. А ведь мы с Власом ровесники, ему, как и мне, 25 лет... Акселерация, наверное.

Однако самыми для меня интересными персонажами в «Дачниках» стали Рюмин и писатель Шалимов, в учебнике и вовсе не упомянутые. Начну с Якова Шалимова, писателя, приехавшего к старому приятелю на дачу отдохнуть от светской суеты, собраться с мыслями. Шалимов находится в том состоянии, которое, наверное, как раз и называется творческим кризисом: «Ничего я не пишу... И какого черта тут напишешь, когда совершенно ничего понять нельзя? Люди какие-то запутанные, скользкие, неуловимые... Но — надо кушать, значит, надо писать. А для кого? Не понимаю... Лет пять назад я был уверен, что знаю читателя... и знаю, чего он хочет от меня... И вдруг, незаметно для себя, потерял я его... это чужие мне люди, не любят они меня. Не нужен я им... как латинский язык... Стар я для них... и все мои мысли — стары...» На этих строках слезы наворачиваются на глаза, и я снова вспоминаю «Мещан»: вот человек, молодой и полный сил, делает то, что ему интересно, нравится, получается, делает из года в год, наслаждается результатами своего труда, и вдруг оказывается, что выросло новое поколение, которому результат твоего искреннего и увлеченного труда не нужен, не привлекателен, не востребован. И человек теряется и перестает понимать, как и для чего ему трудиться дальше, если то единственное, что он любит и умеет делать и что кормило его много лет, становится никому не нужным. К Шалимову в этой сцене я испытываю такую же острую щемящую жалость, как и к Петру Артамонову из «Дела Артамоновых», и к Бессеменову из «Мещан». Новое поколение хочет жить по новым законам, старое поколение выбрасывается на свалку за ненадобностью. Жестокий закон!

И еще один закон, не менее, наверное, жестокий: писатель в нашей стране «всем должен». Великолепные сцены сперва Басова с Марьей Львовной, а затем Шалимова с Варварой Михайловной выпукло рисуют нагло-потребительское отношение людей к литераторам, особенно популярным, известным. Басов, на дачу к которому приехал отдохнуть и перевести дух Шалимов, старается защитить давнего приятеля от нападок и завышенных требований: «Нельзя же так, уважаемая! По-вашему выходит, что если писатель, то уж это непременно какой-то эдакий... герой, что ли? Ведь это, знаете, не всякому писателю удобно». На что Марья Львовна категорично заявляет: «Мы должны всегда повышать наши требования к жизни и людям». И далее: «Но мы живем в стране, где только писатель может быть глашатаем правды, беспристрастным судьею пороков своего народа и борцом за его интересы... Только он может быть таким, и таким должен быть русский писатель...» И продолжает после ответной реплики Басова: «Я этого не вижу в вашем друге, не вижу, нет! Чего он хочет? Чего ищет? Где его ненависть? Его любовь? Его правда? Кто он: друг мой? Враг? Я этого не понимаю...»

В этом коротком диалоге Марьи Львовны с Басовым есть и простор для моих собственных размышлений, и тема для обсуждения с учениками. На уроке можно было бы предложить ребятам поговорить о том, обязательно ли в литературном произведении должны быть ненависть, любовь и правда. И обязательно ли писателю быть «героем» и «глашатаем», непременно ли нужно «обличать пороки», чтобы произведение стало интересным читателю и любимым.

Более тонкий вопрос о позиции Марьи Львовны я ученикам, конечно, предложить не осмелюсь, но сам для себя его обдумываю. Обращу снова внимание на ее слова: «Кто он: друг мой? Враг? Я этого не понимаю...» Реплика произносится, вероятнее всего, с раздражением и негодованием. Авторской ремарки об интонации в тексте Горького нет, но есть указание на движение: на словах «Я этого не вижу в вашем друге» Марья Львовна сходит с террасы, после «Я этого не понимаю...» быстро уходит за угол дачи. Таким образом, описание движения ясно показывает: разговор вызывает у Марьи Львовны негативные эмоции, и быстрый уход за угол в данном случае, я уверен, равносилен хлопанью дверьми. Что же получается? Во всей сцене видно, как Марья Львовна давит на Басова, не давая ему возможности обдумать и развернуть аргументацию, а ведь Басов — адвокат, человек, привыкший к устному изложению мыслей, обладающий быстрой реакцией и не лезущий за словом в карман. Какой же силы должно быть это давление, чтобы растерялся даже такой персонаж, как адвокат Басов? В этом месте Марья Львовна начинает вызывать неприязнь, во всяком случае, у меня. Очень сильно вся сцена напомнила мне многочисленные комсомольские собрания, на которых пришлось высиживать в последние десять лет... Но вернемся к Марье Львовне. Она, видите ли, не понимает, друг ей писатель или враг. И виноват в этом, разумеется, сам писатель. Забавно. Здесь предметом для внутренних размышлений являются два аспекта. Первый: почему каждого человека нужно непременно записать в друзья или во враги? Так ли уж это необходимо? И если человек испытывает потребность в классификации окружающих, в ранжировании, то почему только два класса, два ранга? Кто и где сказал, что их должно быть два, а не три, не десять, не сто? Это что, такое своеобразное преломление постулата о единстве и борьбе противоположностей? Да, для каждой прямой противоположностей две, это правда. Но кто и, опять же, где сказал, что жизнь и душа человека — всего лишь прямая линия? Возьмите любую окружность: у каждого конкретного диаметра есть две противолежащие точки на окружности, но сколько их, этих диаметров, проходящих через один и тот же центр одного и того же круга? Вот именно! Однако ж Марья Львовна непоколебимо убеждена, что из каждого писателя надобно сотворить либо друга себе, либо врага. Дальше — больше: при невозможности навесить на писателя ярлык у Марьи Львовны и всех ей подобных возникают обида и негодование. Она, видите ли, не понимает. Не понимает! Как хорошо: не понимает «она», а претензии предъявляются к «писателю», он виноват. В одной реплике Марьи Львовны показана целая типичная философия, уж не знаю, русского ли человека или человека вообще: стремление найти того, кто виноват, сбиться в стаю (то есть объединиться с друзьями) и обозначить врага как объект совместной с друзьями травли.

Несчастный Шалимов, как выяснилось, виноват во всем и перед всеми, и не только перед Марьей Львовной, но и перед Варварой Михайловной, которая когда-то семнадцатилетней девушкой увидела писателя Шалимова на литературных чтениях и влюбилась. Разумеется, платонически: «Как я любила вас, когда читала ваши книги... как я ждала вас! Вы мне казались таким... светлым, все понимающим... Таким вы показались мне, когда однажды читали на литературном вечере... мне было тогда семнадцать лет... и с той поры до встречи с вами ваш образ жил в памяти моей, как звезда, яркий... как звезда! ...Задыхаясь от пошлости, я представляла себе вас — и мне было легче... была какая-то надежда... И вот вы явились... такой же, как все! Такой же... Это больно!» Каково, а? Дамочка сама себе что-то там напридумывала, сама создала образ, сама влюбилась, а когда выяснилось, что живой, реальный человек на этот выдуманный образ совсем не похож, предъявляет ему же претензии, дескать, он виноват, какой негодяй, не оправдал ожиданий. Иными словами, Варвара Михайловна, как и Марья Львовна, отрицает право другого человека быть самим собой и жить собственной жизнью, собственными интересами, считаться с собственными потребностями. Считаться можно и нужно только с потребностями окружающих, в особенности — читателей, конкретно — вышеуказанных двух дам, одна из которых, между прочим, провозглашается школьным учебником «представителем передовой интеллигенции», борющейся за лучшую жизнь пролетариата и крестьянства. Может, именно поэтому после революции так широко распространилось умение по любому поводу искать виноватых и записывать во враги... Передовая дореволюционная интеллигенция сначала возглавила революцию, а потом навязала молодой республике свой образ мышления.

У Варвары Михайловны есть еще одна претензия к Шалимову: почему он не учит людей жить лучше? Он же писатель, он должен, обязан! Шалимов, человек умный, тонкий и честный, объясняет ей, что в нем «нет самонадеянности учителей», он «чужой человек, одинокий созерцатель жизни», он не умеет «говорить громко». Сперва он и в самом деле пытается что-то объяснить Варваре Михайловне, достучаться до нее, заставить услышать свои искренние слова, но... Тупое стремление Варвары назначить его виноватым заставляет Шалимова почти сорваться: «Почему вы применяете ко мне иные требования... иные мерки, чем вообще к людям?.. Вы все... живете так, как вам нравится, а я, потому что я писатель, должен жить как вы хотите!» Со словами Шалимова трудно не согласиться. К писателям, увы, в нашей стране относятся именно так. И эту тему, только в очень аккуратной формулировке, тоже можно было бы вынести в класс на обсуждение.

Вообще-то в этом месте мне даже стало стыдно, я ведь и сам грешил подобным отношением к писателям. Что поделать, нас так воспитывали школьные учебники, ибо живых настоящих писателей я в глаза не видел, кроме как на телеэкране, когда они произносили какие-то правильные мутные славословия на очередных съездах либо партии, либо Союза писателей.

Но самым любимым моим персонажем в «Дачниках» является Рюмин, безответно влюбленный в Варвару Михайловну, замужнюю даму, супругу адвоката Басова. Главное достоинство Рюмина в моих глазах состоит в том, что он не приемлет косности и нетерпимости. В сцене Рюмина с Варварой Михайловной и Марьей Львовной в первом действии интересный и важный разговор о том, до какой степени нужно говорить правду детям, перерастает в не менее важную дискуссию о праве человека желать обмана. Рюмин считает, что такое право есть, и готов его отстаивать, дамы же его не поддерживают и возражают. Рюмин настаивает на том, что человек, видя вокруг себя грязь, пошлость, грубость и гадость, не может уничтожить противоречия жизни, не может изгнать из нее зло и грязь, но должен хотя бы иметь право отвернуться и не смотреть ежечасно и ежеминутно на эту печальную картину. «Я только против этих... обнажений... этих неумных, ненужных попыток сорвать с жизни красивые одежды поэзии, которая скрывает ее грубые, часто уродливые формы... Нужно украшать жизнь! Нужно приготовить для нее новые одежды, прежде чем сбросить старые...» И далее: «Человек хочет забвения, отдыха... мира хочет человек!» Марья Львовна такого человека, желающего отдыха и мира, тут же презрительно именует «обанкротившимся», а Варвара Михайловна удивляется тому, что еще два года назад у Рюмина была другая точка зрения. Вот в этом месте я долго смеялся! Ладно бы речь шла о пяти минутах или, в крайнем случае, нескольких часах, в течение которых человек кардинально поменял свою позицию, свои взгляды и принципы, но два года! То есть чудесная Варвара, предмет безответной любви Рюмина, не меняется и не развивается сама, застыла в своих семнадцати годах (а сейчас ей уже целых 27!) и не признает права других людей на изменения и развитие: «Я помню, года два тому назад вы говорили совсем другое... и так же искренно... так же горячо...» — укоряет она Рюмина, и тот отвечает: «Растет человек, и растет мысль его!» Марья Львовна и тут не удерживается от сарказма: «Она мечется, как испуганная летучая мышь, эта маленькая, темная мысль!» Рюмин, волнуясь, возражает: «Она поднимается спиралью, но она поднимается все выше!» В этом коротком быстром обмене репликами все трое как на ладони: Варвара с непониманием того, как можно вообще менять свое мнение и свои оценки; Марья Львовна с традиционным лозунгом: «Все, с чем лично я не согласна, заведомо плохо и неприемлемо» и со стремлением оскорбить и унизить то, что непонятно или не нравится; Рюмин со своим искренним желанием душевного покоя и готовностью к изменениям, переосмыслениям и переоценкам. Ну и кто из троих наиболее симпатичен? Кстати, чуть позже Рюмин скажет о Марье Львовне, что она «в высокой степени обладает жестокостью верующих... слепой и холодной жестокостью...» Отличные слова! Хотелось бы знать, можно ли применять их к тем нашим современникам, которые уверяют, что верят в коммунизм. И опять вспомнились наши комсомольские собрания...

В следующем действии Рюмин снова повторит свою оценку Марьи Львовны: «Люди этого типа преступно нетерпимы... Почему они полагают, что все должны принимать их верования?» Нетерпимость — преступна. Хорошая тема для дискуссии с учениками. Но следует проявить аккуратность, чтобы слова о преступной нетерпимости никоим образом не соединились с революционными устремлениями Марьи Львовны, ее дочери Сони и поклонника Сони, Зимина. Иначе не сносить мне головы... Порой я забываю, что пишу всего лишь полухудожественные-полумечтательные очерки, и начинаю мыслить как настоящий учитель, готовящийся к настоящему уроку литературы с настоящими школьниками и в настоящей советской школе. Я ухожу от действительности в вымысел в наивных попытках отвернуться и не видеть грязь и пошлость окружающей меня действительности. Я — Рюмин, я — Рюмин, я — Рюмин...

И еще одно забавное наблюдение, которым я не могу не поделиться. Но сперва напомню: согласно школьному учебнику, проповедник «сладкой лжи» Лука из пьесы «На дне» кругом неправ, а Сатин, защитник «горькой правды», — глашатай авторской позиции, сиречь истины в последней инстанции. Давайте вспомним о любопытной «биологической» концепции Луки, касающейся смысла жизни человека, казалось бы, никчемного и бессмысленного, согласно которой смысл может состоять в том, что когда-нибудь потомок этого ненужного человечка принесет огромное благо обществу и цивилизации. А вот диалог Рюмина все с той же Марьей Львовной: Рюмин утверждает, что людей, испуганных жизнью, очень много, потому что жизнь ужасна и в ней все строго предопределено, и только бытие человека случайно, бессмысленно, бесцельно; а Марья Львовна в ответ на это говорит... Угадайте — что? Цитирую: «А вы постарайтесь возвести случайный факт вашего бытия на степень общественной необходимости, — вот ваша жизнь и получит смысл...» Ничего не напоминает? И как же так вышло, что носители одной и той же мысли в разных произведениях получают разную оценку в учебнике? Лука вроде как неправ, ибо коль он неправ в вопросе о правде и лжи, то уж неправ тотально и во всем, у нас же так не бывает, чтобы человек был прав в одном и неправ в другом. Стоит кому-то высказать одну-единственную мысль, которая кому-то покажется верной и полезной, автора мысли немедленно возводят в ранг классика, гения и кумира, и тут уж любой его пук и чих становятся объектами самого подобострастного анализа с заранее предопределенным выводом: это гениально! Если же мысль по вкусу не пришлась, то человек записывается в вечные и непримиримые враги, и все, что он когда бы то ни было говорил или писал, объявляется неправильным и вредным. Вот не повезло бедному Луке! Зато Марья Львовна — олицетворение всего лучшего и передового в русской дореволюционной интеллигенции, и каждое ее слово — бриллиант истины. Если уж Лука неправ в вопросах правды и лжи, то, стало быть, и биологическая теория его вредна и порочна, но когда то же самое произносит положительная Марья Львовна, становится трудновато придумать трактовку, которая годилась бы для школьного учебника.

Рюмин симпатичен мне не только готовностью к переменам и нетерпимостью к нетерпимости, но и желанием свободы мысли и чувства. Он не выносит, когда ему пытаются навязать что-то со стороны, он хочет сам все прочувствовать, передумать и прийти к собственным выводам, пусть даже неправильным, но своим. «Когда я слышу, как люди определяют смысл жизни, мне кажется, что кто-то грубый, сильный обнимает меня жесткими объятиями и давит, хочет изуродовать...» Эти слова очень мне близки. В таких грубых жестких объятиях я задыхаюсь все 25 лет своей жизни.

Совершенно потрясла меня сцена объяснения Рюмина с Варварой Михайловной, когда он решился открыть ей свои чувства. Варвара ответить на них не может, она не испытывает к Рюмину ничего, кроме дружеской симпатии, иными словами — она не оправдывает его надежд и ожиданий. И что же? «На ваше отношение ко мне я возложил все надежды, — говорит Рюмин. — А вот теперь их нет — и нет жизни для меня...» И Варвара на голубом глазу отвечает: «Не надо говорить так! Не надо делать мне больно... Разве я виновата?» Вот так, мои дорогие. Когда Шалимов не оправдал надежд Варвары, он был немедленно назначен ею виноватым. А когда надежд не оправдала сама Варвара, то она ни в чем не виновата, белая и пушистая. Пожалуй, эта дама вызывает у меня самое большое отвращение среди всех персонажей пьесы. Даже Марья Львовна — и та лучше! Она упрямая, негибкая, не особенно умная, но у нее хотя бы одна мерка для всех и для себя самой в том числе, то есть она искренняя. А Варвара...

Но этот эпизод снова возвращает нас к проблеме горькой правды и сладкой лжи, которой так много внимания уделено в учебнике в связи с пьесой «На дне». В ходе объяснения с Варварой Михайловной Рюмин восклицает: «А я хочу быть обманутым, да! Вот я узнал правду — и мне нечем жить!» Похоже, и этот вопрос беспокоил Алексея Максимовича, коль он к нему не один раз обратился.

Ну и, конечно же, какая пьеса Горького может обойтись без суицида! Рюмин пытается застрелиться, но неудачно, он получает всего лишь нетяжкое ранение. Ему стыдно, он просит прощения у Варвары Михайловны... Ужасная тягостная сцена, которая заканчивается словами Рюмина о самом себе: «Да... вот, жил неудачно и умереть не сумел... жалкий человек!» Когда читал пьесу впервые, в шестнадцать лет, эпизод меня не впечатлил. Зато теперь, когда перечитывал, глотал слезы.

Но суицидальная попытка Рюмина — не единственное самоубийство в пьесе, о сведении счетов с жизнью говорится не раз. Сперва обсуждают юнкера, у которого сестра застрелилась: «Не правда ли, какой сенсационный случай... барышня и вдруг — стреляется...» Далее, уже в другом действии, Юлия Филипповна предлагает своему мужу Суслову, вынимая из кармана маленький револьвер: «Давай застрелимся, друг мой! Сначала ты... потом я!» Суслов совершенно справедливо расценивает эти слова как шутку, однако Юлия довольно долго и пространно рассуждает на тему самоубийства, делая вид, что говорит серьезно. Через некоторое время уже сам Суслов, осознав, вероятно, что из самоубийства вполне можно сделать повод для шутки, замечает как бы мимоходом в ответ на реплику о том, что люди «живут без действия»: «А вот я застрелюсь... и будет действие». На что Рюмин, отрицательно качая головой, отвечает:

«Вы — не застрелитесь». Интересно, существует ли такая закономерность, согласно которой человек, много говорящий о самоубийстве, никогда не поднимет руку на самого себя? Сам Горький в этом смысле примером быть вряд ли может, ведь он сначала дважды пытался покончить с собой, лет эдак в девятнадцать-двадцать, а уж потом начал писать (и думать) о суицидах, и делал это до самой своей смерти.

Еще меня зацепили отдельные реплики отдельных персонажей. Даже не знаю почему. Или знаю, но не признаюсь никому. Например: «Мне все равно!... Все равно, куда я приду, лишь бы выйти из этой скучной муки!» (Ольга Алексеевна); «У меня в душе растет какая-то серая злоба» (Калерия); «Когда я выпью рюмку крепкого вина, я чувствую себя более серьезной... жить мне — хуже... и хочется сделать что-то безумное» (Юлия Филипповна).

Отдельно скажу о Суслове, о его монологах в четвертом действии: они снова заставили меня, как и слова Бессеменова и Тетерева в «Мещанах», под иным углом взглянуть на родителей. С одной стороны, то, что говорит Суслов, полностью применимо и к моему отцу: «Вы, Марья Львовна, так называемый идейный человек... Вы где-то там делаете что-то таинственное... может быть, великое, историческое, это уж не мое дело!.. Очевидно, вы думаете, что эта ваша деятельность дает вам право относиться к людям сверху вниз. Вы стремитесь на всех влиять, всех поучать...» Именно таким и является мой отец, крупный столичный партийный начальник. В чем смысл и суть его деятельности — мне неведомо, но он ужасно важный человек, вершит какие-то там судьбы, следит, чтобы коммунисты Москвы правильно боролись за правильные идеалы, сильно устает на работе, а дома продолжает руководить и поучать, если вообще соизволяет открыть рот. Но с другой стороны, далее Суслов говорит вещи не столь однозначные, например, о том, что люди, наголодавшиеся и наволновавшиеся в юности, имеют полное право в зрелом возрасте хотеть много и вкусно есть, пить, отдыхать и вообще наградить себя с избытком за беспокойную, голодную, трудную юность; такая психология может кому-то не нравиться, но она вполне естественна, и с этим нужно считаться. «Прежде всего человек, почтенная Марья Львовна, а потом все прочие глупости...» Вот тут я и призадумался: вроде бы нам всегда внушали, что стремление к материальным благам и физическому комфорту есть мещанство и недостойно советского человека, но ведь мои родители пережили Великую Отечественную войну, а бабушка Ульяна — еще и войну Гражданскую, и, наверное, нет ничего предосудительного в том, что в зрелые годы они так цепляются за свои пайки и прочие блага... Смутила меня эта сцена у Горького, поколебала уверенность в собственной правоте. Выступление Суслова заканчивается его открытым признанием: «Я обыватель — и больше ничего-с! Вот мой план жизни. Мне нравится быть обывателем... Я буду жить как я хочу!» Однако сильнее всего меня поразила реакция Марьи Львовны: «Да это истерия! Так обнажить себя может только психически больной!» Пьеса написана в 1904 году, прошло 75 лет, и ничего не изменилось. По-прежнему тех, кто не согласен с руководящей идеей, считают психически больными. Трудно поверить, что за 75 лет ни наука, ни представления людей не сдвинулись с места. Приходится делать неутешительный вывод, что приравнивание инакомыслия к психическому заболеванию — не более чем удобный прием, позволяющий уклоняться от открытой дискуссии. Удивительно, что идеология за 75 лет не претерпела никаких изменений и настолько обленилась, что даже новых приемов не выработала.

Вернусь к Суслову: в самом начале пьесы он угрюмо (как указывает Горький) говорит о том, что ему трудно допустить существование человека, который смеет быть самим собой. Иными словами, Суслов изначально понимает необходимость притворяться и скрывать свое истинное лицо и готов с этой необходимостью мириться. Однако же в той самой сцене четвертого действия он перестает притворяться и, как говорится, срывает маску. Он честен, искренен. Он говорит то, что думает и чувствует, хотя, вероятно, понимает, что делать этого не следовало бы. Это хорошо или плохо? С одной стороны, хорошо, потому что быть честным и искренним — правильно. Нас так учили. Но с другой стороны, попытку предстать перед людьми без маски эти самые люди расценивают как признак помешательства. То есть не одобряют. И носителем этого неодобрения, как я уже указал выше, является Марья Львовна, та самая, которая учебником провозглашена «интеллигенцией нового типа, передовой, революционной». Что же получается? Правильная и передовая Марья Львовна не одобряет искренности и не ценит честности, считая их признаками психического заболевания? А «неправильный и глубоко презираемый автором» Суслов отказывается от притворства и лицемерия, то есть, по этой логике, поступает плохо? Неувязочка, прямо скажем... Нет, не у Горького, разумеется, а у тех, кто пытается привить нашим школьникам интерес к его произведениям. Как-то топорно они это делают.

Но, разумеется, эти мысли — не для обсуждения в классе. С учениками можно было бы поговорить о многом другом, что затронуто персонажами пьесы: говорить ли детям правду и как достичь дружбы между детьми и родителями; является ли умение жить умением жить без помощи и поддержки; легко ли жить среди людей, которые все только стонут и жалуются; возможна ли дружба между мужчиной и женщиной...

Ну и, конечно же, при обсуждении «Дачников» можно и нужно говорить о любви, благо почвы для этого в тексте пьесы предостаточно. Тут и влюбленность Варвары Михайловны в Шалимова, и безответная любовь Рюмина, и дачный, скоротечный, но тем не менее страстный роман Юлии Филипповны, жены Суслова, с Замысловым, и юная любовь Сони и Зимина, и ничем не окончившиеся отношения Власа и Марьи Львовны. Одним словом, есть о чем поговорить. Было бы желание...

\* \* \*

На обсуждении «Дачников» Сергей, как обычно, сидел рядом с Артемом. После занятий они всегда выходили вместе и шли на улицу курить, но сегодня Артем, едва поднявшись из-за длинного стола, сразу направился к входной двери. И вообще он выглядел как-то необычно, был рассеянным, и его выступление оказалось на удивление коротким и не таким подробным, как прежде.

— Ты куда? — окликнул его Сергей, догнав Артема на лестнице.

— Нужно Юру найти, он же главный по транспорту.

— Тебе нужна машина? Хочешь куда-то съездить?

— Мне нужны билеты на самолет. Я уезжаю.

Сергей оторопел.

— Как? Почему? Дома что-то случилось?

Мимо них по лестнице спускались Марина и Тимур.

— Тим, где твой надзиратель? — обратился к нему Артем.

— На ферму за овощами поехал, а что?

— Ничего, ладно, — Артем махнул рукой. — Как думаешь, насчет билетов к кому еще можно обратиться? К Назару? Или надо к главному боссу идти?

Услышав, что Артем собрался уезжать, Тимур ужасно расстроился. Марина давно прошла мимо, а он все стоял на лестничной площадке и уговаривал Артема не торопиться.

— Ты же денег не получишь! Тебе заплатят только за отработанные дни. А вдруг премия?

— Тим, я не привык рассчитывать на мифические прибыли, я рассчитываю только на себя и на свою работу.

— Но это и есть твоя работа! Ты ее делаешь лучше всех! У тебя и у Сереги всегда больше всего совпадений с «Записками»! — убеждал Тимур. — Если останется только один Серега, то шансов на успех станет в два раза меньше. Ну подумай еще, Артем, не торопись. Ты же всех нас подставляешь! А вдруг мы без тебя не справимся? И нам тогда заплатят только за дни, а премию не дадут.

Сергею тоже жаль было расставаться с товарищем, но что ж поделать, если человеку стало скучно. Никакие аргументы, чтобы удержать Артема, ему в голову не приходили, кроме финансовых.

— Когда Юра вернется? — спросил упрямо Артем.

— К ужину, наверное. Он на какую-то дальнюю ферму ездит.

— Черт, и ведь не позвонишь ему... Хотя если я выхожу из игры, то на меня правила уже не распространяются. Тим, дашь номерок?

Сергею показалось, что Тимур замялся.

— Откуда у меня номер? Юра мне и не давал его, нам же на мобильные нельзя звонить.

— А, ну да... Ладно, подожду до вечера, все равно на сегодняшний рейс я уже никак не успеваю. Или, может, к Назару подойти, как думаешь? — обратился Артем к Сергею.

— Назар с боссом в богадельню сразу ушли, — буркнул расстроенный Сергей. — У них перерывов не бывает.

— Тогда подожду. Вот засада! — Артем внезапно улыбнулся. — Когда есть интернет — нет проблем, любой билет можно и забронировать, и оплатить, хоть на самолет, хоть на концерт. А без интернета и не знаешь, куда обратиться и как вопрос решить. Галина рассказывала, что раньше надо было ехать в кассу и часами стоять в очереди. Интересно, сейчас такие кассы еще есть?

— Наверное, есть, — Сергей посмотрел вслед уходящему Тимуру, — но в поселке их точно нет. Если только в городе.

Они спустились вниз, вышли на улицу, присели на выступающий бордюр цоколя, закурили.

— Тебе что, в самом деле неинтересно? — осторожно спросил Сергей.

— Интересно. Но уже не нужно. Я понял то, что хотел. Можно валить отсюда и заниматься делом.

— Но если ты останешься, то есть шанс, что поймешь еще больше. Разве нет?

— Есть, — согласился Артем. — Но я должен выбирать между интересным и нужным — с одной стороны, и интересным и не очень нужным, с другой. Работа — это интересное и нужное, это моя карьера и мои будущие доходы. А квест — это интересное, без которого я вполне могу обойтись.

Никакие уговоры не помогали, аргументы не действовали, да Сергей и сам чувствовал, что не может найти нужные слова, чтобы удержать Артема. Ну что ж, значит, не судьба.

Они собрались было возвращаться и в дверях подъезда столкнулись с Тимуром.

— О, Серега, а я как раз тебя ищу. Ты вроде говорил, что твой Гримо тебе вслух читает?

Сергей удивился.

— Ну, было один раз, еще на отборе. А что?

— А-а, — разочарованно протянул Тимур. — А я думал, он и пьесы тебе читает.

— Это принципиально?

— Да я хотел к тебе напроситься, все-таки слушать не так напряжно, как самому глаза ломать. Но если вы не читаете вслух...

Глаза его хитро блеснули.

— А давай попросим Гримо нам почитать. Если ему одному трудно, можно еще кого-нибудь позвать, Ирину, например, или Старуху. Пусть читают нам по очереди или по ролям. Будет такой домашний театр. А? Клево я придумал?

Сама по себе идея Сергею понравилась. Хоть какое-то разнообразие.

— Старуху не надо, — быстро проговорил он. — Я ее боюсь, она всегда сердитая, губы поджаты.

Старухой участники квеста, с легкой руки Марины, называли между собой строгую Полину Викторовну.

— Ладно, тогда Ирину позовем. Ну, в смысле, попросим Гримо, чтобы позвал.

— А если она не согласится? — спросил Артем.

— Если Гримо попросит — согласится, никуда не денется, — уверенно заявил Тимур.

Виссарион Иннокентьевич воспринял предложение устроить домашний театр с воодушевлением и тут же сам позвонил Ирине, которую даже уговаривать не пришлось.

— Вот когда большая квартира пригодилась, — восторженно гудел баритон актера. — А я-то все размышлял, к чему нам с Сережей такая удача привалила! Судьба все видит, ее не обманешь. Места много, все разместимся. Сколько зрителей предполагается?

— Двое, — растерялся Сергей. — Я и Тим.

— Я тоже, — вдруг сказал Артем. — Ну... все равно же мне сегодня не улететь, а так хоть послушаю.

— А девочек пригласите?

Тимур скроил презрительную мину.

— Да ну их! Пусть сами читают, нечего моими идеями пользоваться.

А вот Сергей совсем не возражал бы пригласить Евдокию. Но признаваться в этом вслух постеснялся, поэтому промолчал.

— Это жаль, — покачал густоволосой головой Гримо, — артисту нужен зритель. Подумайте насчет девочек. Полагаю, они с удовольствием придут.

После обеда прочитали и обсудили «Записки молодого учителя», а после ужина собрались в трехкомнатной квартире на третьем этаже, у Виссариона Иннокентьевича и Сергея. Тим — безалаберный балабол — раззвонил девчонкам про «литературный вечер», хотя сам же первый был против их присутствия, и, к радости Сергея, Евдокия спросила, может ли она тоже прийти. Во время ужина в столовой с таким же вопросом подошла Наташа.

— А Маринка придет? — спросил он.

Наташа отрицательно покачала головой. «Вот и хорошо», — подумал Сергей. Почему-то хорошенькая и, в общем-то, неглупая Маринка ужасно его раздражала. Иногда просто до бешенства. Непонятно, как такая милая и тихая девчушка, как Наташа, может с ней дружить.

Оказалось, что, пока участники между обедом и ужином разбирались с довольно длинным текстом Владимира Лагутина о «Дачниках» и ожесточенно спорили о Суслове, Марье Львовне и о том, является ли откровенность и искренность признаком психического заболевания, Виссарион и Ирина подготовили сцену и зрительный зал. Сцена представляла собой два кресла, поставленных на расстоянии одного метра друг от друга. Шторы задернуты, в комнате довольно темно, около каждого из кресел стоит включенный торшер. Зрителям предлагалось разместиться на диване и стульях.

Когда все расселись, Гримо встал и очень серьезно объявил:

— Максим Горький, «Старик», пьеса в четырех действиях. Мужские роли читаю я, женские — Ирина. Текст от автора читает Ирина. За гладкость исполнения не ручаюсь, мы с Ирочкой — дуэт несыгранный.

Тимур зачем-то начал хлопать, за ним последовали остальные, Гримо благодарно улыбнулся и сел. Действо началось.

\* \* \*

До третьего действия Сергей слушал вполуха, то и дело посматривал на Евдокию, но когда дошло до разговора Софьи Марковны с Девицей, забыл о своем вялом интересе к неразговорчивой девушке и снова погрузился в собственные болезненные мысли. Девица явилась в дом Мастакова вместе со Стариком, который знает о хозяине дома некую некрасивую и опасную правду и шантажирует его. Откровенное объяснение

Мастакова со Стариком никакого результата не дало, и теперь любовница Мастакова, пытаясь помочь любимому и защитить его, уговаривает Девицу повлиять на злобного Старика. Девица сперва отказывается встать на сторону Софьи, демонстрирует лояльность по отношению к Старику, но очень скоро соглашается изменить позицию в обмен на деньги, предложенные Софьей. С самого первого момента появления в пьесе эта особа выглядела буквально цепным псом Старика, солдатом, который никогда и ни за что не предаст своего командира, и вдруг такое... «Конешно, если секрет ваш в моих руках, вы меня не обидите... Хоша — с деньгами можно далеко уйти... Я бы ушла. А он — пожил на свой пай, старец-то...» Вот так легко и без зазрения совести ломаются убеждения, которые кажутся со стороны твердыми и незыблемыми, а недавний яростный идейный противник превращается в корыстолюбивого подельника. Почему он, Сергей, даже не попробовал уговорить сестру? Он даже не попытался что-то исправить. Почему ему не пришло в голову переманить паршивку на свою сторону, посулив ей денег? Почему он не подумал, чем и как можно шантажировать Олеську, чтобы заставить ее не идти на поводу у матери? Потому, что покупать поступки за деньги — низко? Потому, что шантажировать — мерзко? Ну да, он не стал пачкаться в грязи и мерзости, он просто хлопнул дверью и ушел. Типа поступил красиво. Пусть Геннадий пропадает ни за что в лапах жадной беспринципной хищницы, но он, Сергей Гребенев, сохранит себя в чистоте и порядочности.

А правильным ли было такое решение? Вот Софья Марковна готова ехать в город к знакомому прокурору, просить, может быть, даже взятку давать, чтобы разоблачения Старика не имели правовых последствий для ее любимого, она, умная и красивая женщина, готова унижаться и совершать преступление, чтобы спасти Мастакова. Он же, Сергей, не сделал ничего. Хотя... Почему ничего? Он открыто высказал матери и сестре все, что думает. Он ушел из дома. Он начал искать работу в другом городе. По глупости потерял должность и зарплату. Подрабатывал грузчиком в супермаркете и сторожем на даче. Да уж, поступки... Можно гордиться.

На какое-то время ему удалось приглушить собственные боль и стыд, он снова начал поглядывать на Евдокию, которая смотрела на актеров не отрываясь и слушала очень внимательно. Но вот Мастаков пытается объясниться со своим старым другом Харитоновым, рассказать ему правду о себе, объяснить, чем Старик его шантажирует, а потом спрашивает, верит ли друг в его невиновность и может ли простить за побег с каторги и многолетний обман — жизнь под чужим именем. И что слышит в ответ? Никаких слов поддержки и утешения. И снова мысли переметнулись к Геннадию: а если бы он осмелился все рассказать бабуле, друзьям, знакомым, сослуживцам? Предупредить их, что жена принуждает его делить наследство под угрозой распространения позорящих клеветнических слухов. Что было бы? Поверили бы ему друзья? Поддержали бы? Или сказали бы: «Ну, знаешь, мы в этом вопросе не судьи, мы ничего не решаем... Кто тебя знает, а вдруг ты и в самом деле... того... этого... на малолеток засматриваешься... А нам потом предъявят, что мы попустительствовали и покрывали педофила».

Самоубийство Мастакова Сергей ощутил как кровавый мозоль, по которому резко провели наждаком. А вдруг Геннадий тоже... Даже думать об этом невыносимо.

\* \* \*

Тимур работал медленно. Навыков печати с фотоувеличителем у него было совсем немного, и он боялся перепутать кюветы и щипцы.

— Говорил же тебе: поставь метки! — укоризненно сказал Юрий.

Если он не сильно уставал к концу дня, то помогал Тимуру, и они, закрывшись в маленькой ванной, выключив свет и включив красный фонарь, колдовали над проявкой пленки и печатью фотографий. Пленку в проявочный бачок следовало заправлять в полной темноте, на ощупь, эту процедуру Тимур успел оттренировать дома и теперь справлялся вполне неплохо. Самым трудным было правильно определить концентрацию проявителя и фиксажа в воде, а также длительность воздействия для того типа пленки, который ему удалось достать. Из купленных тридцати катушек он заранее, еще до отъезда на квест, отделил пять для домашних тренировок, быстро отщелкал 180 кадров и начал экспериментировать, предварительно почитав найденные в интернете инструкции и рекомендации. По этим инструкциям, достаточно подробным, выходило, что все просто, однако на практике пришлось убедиться, что есть масса тонкостей и нюансов. Тимур даже начал бояться, что пяти пленок ему не хватит. Так и оказалось, пришлось пожертвовать еще двумя катушками, зато теперь он точно знал, что на одну часть того проявителя, который у него был, нужно заливать девять частей воды, а фиксаж разводить в пропорции один к пяти.

Отрабатывать же навыки печати дома никак не удавалось, мама запретила использовать ванную для «всякой жуткой химии», но Тимур позвонил Юре, посетовал на проблему и получил от него заверения в помощи, а также ценный совет прикупить дополнительные кюветы.

— В фиксаже нужно держать долго, и если кювета занята, это стопорит весь процесс. А вообще на фига ты так паришься? Отдавай пленку в проявку и печать, тебе в ателье все в лучшем виде сделают. В семидесятые годы у нас много чего не было, конечно, но уж фотоателье-то были. Мастера, само собой, печатали сами, а любители все в ателье бегали.

— А какие там были сроки? — с надеждой спросил Тимур.

— Несколько дней, может, неделя.

— Не годится. Мне результат нужен сразу, чтобы быстро переделать, если что не получится.

Начав печатать фотографии, Тимур убедился, что Юра был прав: если в проявителе фотобумага должна находиться обычно не больше трех минут, в стоп-ванне и в кювете с чистой водой — пару секунд, то фиксаж требовал куда более длительной выдержки. За это время можно было проявить еще три-четыре снимка, а куда их потом класть для фиксации? Все-таки Тимур — удачливый пацан, повезло ему с куратором!

И все равно без ошибок не обошлось: несколько раз Тимур ухитрился использовать одни и те же щипцы для перекладывания снимка из проявителя в стоп-ванну и из чистой воды в фиксаж, хотя делать этого категорически нельзя, именно поэтому щипцов должно быть как минимум двое. Юра советовал поставить на щипцы яркие несмываемые метки, например, лаком для ногтей.

— Попроси у девчонок, у них же наверняка есть, — сказал он в первый же день.

Но Тимур, уверенный в своей внимательности и хорошей памяти, совету не внял. И даже ошибившись несколько раз, продолжал пользоваться совершенно одинаковыми на вид специальными щипцами. Почему-то ему казалось принципиально важным довести до автоматизма навык класть вторые щипцы между кюветой с чистой водой и фиксажем, а первые после перекладывания снимка в чистую воду возвращать на место между увеличителем и проявителем. Казалось бы, что такого сложного? Навык никак не хотел формироваться, автоматизм не вырабатывался, Тимур проявлял упертость, но хорошего настроения при этом не терял.

Если Юра помогал, то с интересом рассматривал фотографии и давал порой забавные комментарии. В этот вечер Тимур ждал своего куратора с нетерпением, а Юры все не было: после возвращения с фермы он помогал Надежде Павловне раскладывать продукты в комнате-магазине, потом мыть посуду и убирать столовую и кухню.

Наконец клацнул ключ в замке. Тимур, приводивший в ванной оборудование в боевую готовность, выскочил в прихожую.

— Ну что? — спросил он тревожно. — Не искал тебя Артем?

— Нет. Я последние два часа у Надежды торчал в пищеблоке, чего меня искать? Вот он я, все знают, что по вечерам я ей помогаю.

— И в богадельню не поднимался?

— Вот этого не знаю, — развел руками Юра. — Но если что, Назар нашел бы меня и поручил заняться билетом для Артема. Раз указаний не было, значит, все тихо.

Тимур с облегчением выдохнул.

— Похоже, сработало! Ну, ты гигант! Как ты догадался-то? Мне бы и в голову не пришло.

Юрий рассмеялся и потрепал его по плечу.

— Эх, ты, молодежь! Тут и догадываться нечего, все очевидно.

— Да? — несказанно удивился Тимур. — А мне ничего не очевидно. Может, ты на самом деле что-то знаешь, а передо мной понтуешься, типа сам догадался.

— Да прямо-таки, — усмехнулся Юра. — Ты еще росточком не вышел, чтобы я перед тобой пальцы гнул. Ну что, у тебя все готово?

— Ага.

— Тогда я переоденусь — и приступим.

Через несколько минут они закрылись в ванной и включили красный свет. Сегодня основная масса кадров была отснята во время импровизированного спектакля. Это был первый опыт съемки со вспышкой при заданных технических условиях, и получилось далеко не все. Но пара-тройка крупных планов Ирины и Виссариона вышла очень недурно.

— И все-таки как ты догадался? — снова спросил Тимур, пристально глядя на лежащую в проявителе фотобумагу, на которой постепенно проступало изображение женщины, сидящей с книгой в руках в круге света, падающего из-под абажура старомодного торшера на длинной ножке. Женщина была самой обыкновенной, по мнению Тимура, — староватой и толстоватой, и в лице ничего такого особенного... Маринка с Наташей намного красивее, Маринка — вообще супер, ей в модели надо идти. А Ирина... Нет, непонятно.

— Не отвлекайся, — строго сказал Юра, — счет упустишь. Говорил же тебе, купи вместо таймеров несколько будильников, самых дешевых, самых простых. Вот не слушаешься старших!

— Да я по привычке подумал, что в телефоне же есть таймер, — начал оправдываться Тимур.

— Думал он, — проворчал куратор. — А таймеров в те годы не было. Теперь вот считаем вдвоем, как попугаи. Какое время на первый фиксаж?

— Двадцать два семнадцать.

Это означало, что в первую из пяти кювет с закрепителем снимок был положен в 22 часа 17 минут.

— Сейчас двадцать два тридцать, можно вынимать.

Тимур понимал, что Юра прав. Если длительность экспозиции можно было худо-бедно определять на глаз, то процесс проявки и фиксации требует хотя бы приблизительного контроля времени, особенно когда закрепляются одновременно несколько фотографий. Надо перестать валять дурака, пойти в магазин и купить самые примитивные механические будильники, иначе они с ума сойдут, постоянно удерживая в памяти время для пяти кювет с фиксажем одновременно и при этом следя за длительностью проявки. Ну как тут щипцы не перепутать! Для щипцов уже не оставалось свободного места в голове.

Наконец все хорошие кадры были напечатаны, фотографии промывались в ванне под проточной водой, и можно было включить свет и расслабиться. Юра присел на край ванны, чуть нагнулся и стал рассматривать снимки.

— Какую пьесу слушали-то?

— «Старик».

— Надо же... Я и не слышал о такой. И как тебе, понравилось? Интересно было?

— Да ну, что там интересного! Но кое-что прикольное есть, например старушка одна, я не понял, кто она, не то нянька, не то прислуга, ну, короче, она говорит так прикольно, вроде добренькая, всех любит, обо всех переживает. Прикинь, «праведник — богу ябедник». Классно?

— Классно, — согласился Юра. — А еще что?

— «Где ни поселюсь — веселюсь». Здорово, правда?

— Правда. Позитивно настроенная бабуська. А еще?

— Еще «Жених — не бородавка, коли его нет — хватать нечем». А что, в те времена, что ли, было стыдно не иметь жениха?

— Еще как! Ради замужества на все готовы были.

— Ну надо же... А сейчас девки вообще не парятся на эту тему. Так ты прикинь, эта добренькая бабуська предлагала человека убить. И не просто так абстрактно предлагала, а готова была сама его отравить, чтобы своему хозяину помочь избавиться от шантажиста.

— Ого! — хмыкнул Юрий, продолжая рассматривать фотографии. — И как? Убила? Отравила?

— Нет, ее отговорили. Но меня прямо подкосило, когда такая бабулька — божий одуванчик оказалась убийцей. Неужели так бывает?

— Все бывает, — философски ответил куратор. — Тем более она же все-таки не убила.

— Но готова была, — упрямо возразил Тимур. — И сама первая это придумала, никому другому такое и в ум не влетело.

Юра помолчал немного, потом взял щипцы и легонько дотронулся до одного из снимков, лежащих в ванне.

— Посмотри, здесь все видно.

— Что видно? — не понял Тимур.

— Да все. Ты посмотри внимательно. Это снято в тот момент, когда включили свет и вы аплодировали исполнителям. Видишь, какое лицо у Артема, какой взгляд? А ведь он на Ирину смотрит. А у Сереги какое лицо? У Наташи? У Евдокии? Как они сидят, как голову держат, куда взгляд направлен? Ну? Что видишь?

Тимур всмотрелся, пожал плечами.

— Ничего не вижу. Ну, ребята наши, ну, сидят, хлопают... Что я должен увидеть?

— И вот здесь хорошо видно, — задумчиво продолжал Юра, указывая щипцами на другой снимок. — И вот здесь тоже. Артем запал на Ирину, а Серега твой — на Евдокию. У Артема все серьезно, а у Сереги — нет, просто интерес легкий.

— Да ладно, — недоверчиво протянул Тимур. — Гонишь?

— Ни в одном глазу! Еще могу сказать, что Наташе нравится Серега, а Маринке и Дуне не нравится никто из вас троих. Чего ты помрачнел-то? Ладно, не напрягайся, я же вижу, что тебе Маринка нравится. Но шансов у тебя нет, ей нужна птица другого полета.

— Как же ты увидел? С чего ты это взял?

Юра встал, потянулся, насмешливо взглянул на подопечного.

— Ничего-то вы, молодежь, не умеете. В компах сечете, в программинге, взломать банк можете, а людей читать не научились. Ну да, откуда вам научиться, если вы на людей вообще не смотрите, вы ведь даже когда за одним столом собираетесь — в глаза не глядите, разговоров не ведете, утыкаетесь в телефоны или куда там еще, у вас весь навык общения только в переписке, да и там вы ухитряетесь не слова подбирать, а смайликами пользоваться. Любовь не видите, ненависть не видите, обман различать не умеете... Как вы выживать-то собираетесь, дети виртуального мира?

— Чего ты наезжаешь? Сейчас весь мир по интернету общается — и ничего.

— Пока ничего, а потом что будет, через пару поколений? Я про Артема сразу все понял, как только увидел первые фотографии, которые ты в самом начале сделал. А ты как услышал, что он собрался уезжать, так и растерялся. Хорошо, что хоть ума хватило мне позвонить, я и подсказал. Теперь прикрывать тебя придется.

Тимур помрачнел. Да, он грубо нарушил правила. Когда Артем сказал, что хочет уехать, Тимур здорово перепугался, помчался в свою квартиру и позвонил Юре на мобильный. Юра его, конечно, отчитал, но зато дал полезный совет.

— Ты вроде говорил, что сведения с телефонного узла только ты получаешь, — упавшим голосом заметил Тимур в ответ на выволочку куратора.

— Да, только я, и докладываю Ричарду и Назару тоже я. До сегодняшнего дня они верили мне на слово, но где гарантия, что так будет и дальше? А вдруг Назар захочет сам отчеты посмотреть? Ричард-то вряд ли заинтересуется, у него свои задачи, он по уши загружен, а Назар — хитрый карась, его поступки прогнозировать невозможно. Так что ты уж меня не подставляй. Тебе, может, и не страшно вылететь из проекта, у тебя предки богатенькие, с голоду не помрешь, а мне оказаться уволенным никак нельзя.

На самом деле Тимур совсем не хотел, чтобы его поймали на нарушении и отчислили. И родительские деньги были совершенно ни при чем. Он страшно испугался, услышав, что Артем собрался уезжать. Этого нельзя допустить, ведь было то письмо, а потом и разговоры по телефону... Поэтому он рискнул и позвонил Юре в надежде на дельный совет. Именно Юра вспомнил, что на отборе старик Гримо читал Сереге книгу вслух, и именно он придумал попытаться возобновить эту практику и привлечь Ирину. «На Ирину он поведется, — уверенно сказал Юра по телефону, — зуб даю». И не ошибся.

\* \* \*

Первое комсомольское собрание, как и обсуждение первой из упомянутых в «Записках» пьесы, прошло скомканно и в целом неудачно, но я был к этому готов. Полина, Виссарион и Ирина блестяще сыграли свои роли, но молодые участники совершенно растерялись и не понимали, как себя вести и что говорить. Слишком уж необычной оказалась для них ситуация. Полина, оценив плачевный результат эксперимента, предложила показать ребятам отрывок из какого-нибудь старого фильма, где есть нужный эпизод. Гримо подхватил идею с воодушевлением и тут же вспомнил фильм под названием «Разные судьбы».

— Там, конечно, дело происходит в пятидесятые, а не в семидесятые годы, и комсомольцы еще во что-то верили и были более искренними, не такими циничными, как в нужный нам период, но общая стратегия и атмосфера достаточно показательны, — сказал он.

Фильм этот в нашей разбросанной по квартирам коллекции был, и предложение Полины показалось мне разумным. Участников отпустили на пятнадцать минут и велели после перерыва вернуться в общую квартиру. Три комнаты этой квартиры Юра оборудовал под нужды квеста. В самой большой, как и во время отборочного тура, находился длинный стол, за которым умещались все, кому надлежало присутствовать при коллективных обсуждениях. В комнате поменьше стояли четыре стола-парты из тех, какими когда-то меблировали студенческие аудитории, и простые стулья. За тремя столами должны были сидеть шестеро «комсомольцев», за четвертым, лицом к ним, — Гримо и Полина, представляющие сотрудников вышестоящих органов. Ирина, «секретарь комсомольской организации института, предприятия или учреждения», сидела на отдельно стоящем стуле около подоконника, выполняющего функцию стола: пятая парта в комнату просто не поместилась. У самой двери с трудом втиснули еще два полукресла для меня и Галии. Для Вилена места уже не оставалось, но он сказал, что может и постоять или поставить дополнительный стул в проеме двери. Если кто-то из сотрудников, помимо названных, захочет поприсутствовать, ему придется наблюдать ход собрания из прихожей, стоя или сидя за спиной у нашего психолога.

Третья комната, дальняя, точно такая же, как «зал для руководства» в квартире-столовой, предназначалась для выполнения функции кинотеатра. На стену повесили огромную панель, на этажерку сложили диски с фильмами, которые были в советском прокате в семидесятые годы, а наш старательный офис-менеджер Юра раздобыл в местном клубе кресла, демонтированные из кинозала много лет назад и сваленные в подсобку за ненадобностью.

Эпизод из фильма произвел на участников сильное впечатление.

— Да не может быть, чтобы так было! — возмущенно кричал хипстер Тимур. — Это не может быть всерьез!

— Жуть какая, — говорила Марина, округлив глаза. — Это получается, какие-то посторонние люди будут мне указывать, кого любить?

— Но она же все наврала, — сказал Сергей озадаченно. — Она же клеветала на мужа. Почему ей поверили? Почему ей, а не ему?

— Ничего себе давление они там организовывали, — качала головой Евдокия. — Все эти комсомольцы похожи на зомби с промытыми мозгами, которых хорошо научили, когда и по какому поводу нужно впадать в истерику.

Наташа подавленно молчала, а Артем записывал в тетрадь, лежащую на коленях, какие-то соображения. От предложения посмотреть фильм целиком все дружно отказались: эпоха отражена другая, более ранняя, а «беспонтово таращиться в такой отстой», как выразился Тимур, никто не захотел.

Для сегодняшнего, второго по счету, собрания мы с Галией и Виленом выбрали доклад по материалам очередного съезда партии и персональное дело студентки, собравшейся замуж за иностранца. Суть дела подсказала Ирина, вспомнившая и рассказавшая историю, услышанную от какой-то подруги матери. Комсоргом группы назначили Наташу, а студенткой-невестой — Евдокию. Делать доклад поручили Сергею. Разумеется, сам доклад составили заранее, а Сергей должен был встать между столами участников и столом начальников и зачитать его. Собственно говоря, этот текст и докладом-то назвать было нельзя, Галия посоветовала просто склеить между собой отдельные абзацы из Отчетного доклада ЦК КПСС, чтобы получилось говорильни минут на двадцать — двадцать пять.

Сергей начал зачитывать довольно бодро, но уже к исходу первой страницы доклада заметно скис, интонации пропали, и теперь слышался только монотонный бубнеж. Я смотрел на участников и старался не улыбаться. Как же им было скучно! Маялся даже Артем, который приехал сюда с твердой установкой получить как можно больше информации, и информацию эту он старался извлекать из всего, что только было доступно, в том числе и из собственного опыта. Через три-четыре минуты после начала собрания ребята начали ерзать и перешептываться. Галия тут же подняла над головой синюю карточку. Карточки эти мы придумали, чтобы иметь возможность делать замечания, не прерывая выступающих. Синяя означала недопустимое поведение, которое следовало немедленно прекратить, красная — недопустимые речи, которые полагалось «переговорить».

На первом собрании слушался доклад по книге Брежнева «Возрождение», он длился около 40 минут, и участники по мере возможности вынесли из этой мутной скуки определенный опыт. Сегодня Артем, кроме тетради, с которой он не расставался, принес книгу, но пока еще не пытался читать, терпел, и книга лежала у него на коленях. Наташа, выполняя функцию комсорга, должна была сидеть за самым ближним к начальству столом, поэтому никаких вольностей позволить себе не могла. Место рядом с ней пустовало, его потом займет Сергей. За вторым столом уселись Евдокия и Артем. Артем, как я уже сказал, запасся книгой, но некоторое время еще пытался что-то записывать, а его соседка с отстраненным видом смотрела в окно и о чем-то думала. Тимур с Мариной ерзали, переглядывались, пытались шепотом разговаривать, но Галия при помощи синей карточки пресекла их жалкую попытку развлечься. Во второй раз карточка была продемонстрирована, когда Тимур раскрыл принесенную с собой папку и начал показывать Марине новые фотографии. Проделывал он это под столом, но все равно в небольшом помещении все было отлично видно, а коль видно нам с Галией, то и начальству, которое сидело куда ближе к нарушителям.

Терпение у Артема закончилось, и он раскрыл книгу, по-прежнему держа ее на коленях. Синяя карточка.

Тимур поднял руку. Наверное, решил быть самым хитрым и отпроситься в туалет. Снова синяя карточка.

Докладчика никто не слушал. На лицах ребят была написана такая изнуряющая мука, что мне в какой-то момент стало их жалко. Начальству было легче: Полина что-то писала в тетради, и я вспомнил, как она говорила, что в молодости сочиняла стихи, чтобы убить время на мероприятиях, которые нужно было высидеть; Гримо читал распечатанные «Записки молодого учителя», не выпуская из пальцев ручку и периодически делая пометки на полях, то есть изображал картину «руководитель работает с документами»; Ирина, пристроившись возле подоконника и разложив на нем бумаги, тоже демонстрировала деловитость и погруженность в работу, но я-то знал, что среди этой кучи бумаг ловко спрятана вложенная на всякий случай в материалы съезда тоненькая брошюрка с аффирмациями, рекомендованными для постоянного повторения тем, кто хочет сбросить лишний вес. Наш секретарь комсомольской организации только делала вид, что читает деловые документы, на самом деле она смотрела в брошюру и мысленно твердила свои волшебные заклинания, которые должны, по уверениям знатоков, помочь ей перестать хотеть мучное и сладкое.

Марина коснулась рукой плеча Евдокии, сидящей перед ней. Дуня обернулась, Марина что-то спросила... Карточка.

— Бедные дети, — прошептала мне на ухо Галия. — Имеет смысл научить их играть хотя бы в «Морской бой» или в «Виселицу». В «Анаграммы» тоже хорошо играть, там даже переговариваться не надо. Еще одного собрания они не вынесут, а ведь их запланировано куда больше.

Игра «Виселица» была мне хорошо известна, как и любому, выросшему в англоязычной стране. А в «Анаграммы» мы не играли, и что это такое, я не знал.

— Берется длинное слово и начинается соревнование: кто больше существительных составит из букв этого слова. Впрочем, можно и не особо длинное брать.

Например, «гастроном». Знаете, как много слов можно из этих букв выкрутить!

Вялая душная скука разливалась по комнате, забивала ноздри, не давала дышать. Казалось, от этой скуки воздух превратился в липкую вату. Ничего, пусть терпят. Я не садист, но мне обязательно нужно, чтобы эти дети прочувствовали, что такое несвобода. Это не тюрьма, нет. Это отсутствие возможности не делать то, чего делать не хочется. Отсутствие выбора. Отсутствие бесстрашия перед лицом перемен. Отсутствие права думать о собственных желаниях и потребностях. Опыт первого собрания их озадачил, второй должен привести в ярость, а к пятому-шестому, по прикидкам Вилена, они научатся воспринимать эту навязанную несвободу как обстоятельство жизни, к которому нужно приспособиться. Вот тогда они и придут в то психологическое состояние, в котором пребывал Владимир Лагутин и многие его сверстники.

Доклад закончился, и все с облегчением вздохнули. Предстояло развлечение: заслушивание персонального дела. Ирина сложила свои бумаги в стопку и поднялась.

— Второй пункт повестки дня — персональное дело комсомолки Аленичевой, — объявила она. — Аленичева, выйди и встань перед своими товарищами.

Евдокия послушно поднялась и вышла на свободное пространство, заняв место у самой стены, чтобы не оказаться спиной ни к группе, ни к Ирине, ни к начальству.

— Комсорг группы, доложите дело, — обратилась Ирина к Наташе и снова уселась возле подоконника.

Галия мне сказала, что такие девочки, как Наташа, никогда и нигде не становились комсоргами, слишком уж они тихие и неактивные. Но у нас квест, и комсоргом должен побыть каждый из участников, как, впрочем, и докладчиком, и героем персонального дела.

Несчастная Наташа волновалась так, что у нее даже голос сел. Роль обличителя чужих пороков ей совершенно не подходила.

— Дуня... то есть Евдокия...

— Комсомолка Аленичева, — строго поправила ее Ирина.

— Да, комсомолка Аленичева собирается выйти замуж и переехать к мужу, — выговорила Наташа, с трудом прокашлявшись. — Вот. Мы должны рассмотреть ее персональное дело.

— А что, замуж выходить нельзя, что ли? — выкрикнул с места Тимур.

Галия укоризненно покачала головой, но карточку не подняла. Вопрос вполне правомерный, а Наташа пока плохо справляется.

С грехом пополам удалось заставить комсорга поведать группе, что Евдокия Аленичева собралась замуж за гражданина Испании и после регистрации брака хочет подать документы на выезд, чтобы жить вместе с мужем в Барселоне.

— И чё? — снова подал голос Тимур. — В чем криминал-то? Что мы должны разобрать? В кино хотя бы понятно было, там жена жаловалась, что муж ее бил, а тут-то чего?

Красная карточка.

Ирине пришлось прийти на помощь комсоргу, Наташа даже после первого собрания и просмотра фрагмента фильма так и не усвоила, в чем должна заключаться ее роль.

— Кто хочет высказаться и осудить комсомолку Аленичеву? — требовательно спросила секретарь комсомольской организации.

Никто не захотел. Подозреваю, что никто и не понимал, за что можно осуждать девушку, собравшуюся замуж за иностранца. Первым сориентировался Артем, но этого и следовало ожидать: он исправно посещал ежедневные занятия у Галии и был информирован куда лучше остальных участников. Он произнес четкую, хорошо выстроенную речь о бездуховности западной жизни и о несовместимости звания «советский комсомолец» с буржуазным омещаниванием, которое неизбежно произойдет с Аленичевой, если она переедет в капиталистическую страну Испанию.

— Еще есть мнения? — задала вопрос Ирина, когда Артем сел на место.

Мнений не было. Поднялась Полина, вид у нее был такой, что молодые участники все как один невольно вжали головы в плечи. Актриса, что и говорить! Еще ни слова не произнесла, только встала из-за стола, а уже всё стало понятно.

— Товарищи комсомольцы, — произнесла она хорошо поставленным голосом, — я как представитель горкома комсомола не могу не выразить удивления вашим безразличием к судьбе Аленичевой. Евдокия — ваш товарищ, вы учитесь на одном курсе, и когда Аленичева попала в беду и готовится совершить опрометчивый шаг, ни у кого из вас не нашлось нужных слов, чтобы удержать ее от этого шага и объяснить ей, чем впоследствии обернутся для нее такие необдуманные поступки.

Говорила Полина долго. Сначала о том, что комсомольцы должны активно осуждать Евдокию, а не сидеть молча, потому что комсомолец должен всегда и всюду занимать активную позицию и бороться с пережитками буржуазного строя в сознании своих товарищей. Во второй части выступления представитель горкома комсомола обвиняла несчастную Дуню в предательстве Родины, которую влюбленная девушка собралась покинуть ради того самого мещанского счастья, которое неизбежно обрушится ей на голову, если она переедет в Испанию.

Я наблюдал за лицами ребят. Это было великолепное зрелище. Но то ли еще будет! Общая канва сценария мне знакома, мы ее заранее обсудили с Гримо, Полиной, Ириной и Галией, и я знал, что впереди меня ждет немало интересного.

Полина закончила, и оживился Виссарион-Гримо.

— А, кстати, где вы, Аленичева, познакомились с гражданином Испании? Насколько мне известно, в вашем институте не обучаются студенты из этой страны. Так как же состоялось ваше знакомство?

— Мигель приехал в качестве туриста, он просто ждал около гостиницы, когда соберется группа и подойдет экскурсовод, а я шла мимо... — ответила Евдокия.

— Около какой гостиницы? — быстро спросил Гримо, сдвинув брови.

— Около «Интуриста».

— А вы сами, Аленичева, что делали в этой гостинице? — голос актера начал наливаться яростью и обличительным пафосом. — В «Интуристе» должны находиться только зарубежные гости, а советской студентке, комсомолке, там делать нечего. Для чего вы ходили туда?

— Я... Я не ходила туда, то есть внутрь не заходила, я шла мимо... Был дождь, грязно очень, у меня оторвался ремешок на сумке, потому что она тяжелая, много книг... Ремешок оторвался, сумка упала в грязь, Мигель подошел, помог мне, поджал кольцо, на котором ремешок держался... И мы познакомились, вот и все.

— Это позор! — загрохотал Гримо, причем так натурально, что в первый момент я даже поверил ему. — Вы, комсомолка Аленичева, бессовестно клевещете на всю нашу советскую молодежь! Я никогда не поверю, что в центре Москвы посреди бела дня не нашлось ни одного мужчины, который вам помог бы. Ни одного, кроме какого-то заезжего испанца! И во всей нашей необъятной стране, среди двухсот пятидесяти миллионов жителей, вы не нашли достойного молодого человека, вместе с которым вы будете идти по жизни и вносить свой вклад в строительство коммунистического будущего! Вместо этого вы умышленно шатаетесь возле гостиницы, где проживают иностранцы, и ищете способ завязать знакомство, чтобы продать свою девичью честь в обмен на материальные блага капиталистического псевдорая. Вам Родина дала всё: бесплатное образование, бесплатное медицинское обслуживание, счастливое детство, дружбу ваших товарищей, а вы что хотите сделать в ответ? Предать свою великую Родину и уехать!

Над первым столом взметнулась рука Сергея.

— Вот комсомолец Гребенев хочет выступить, — обрадованно сказала Наташа.

Ирина сделала царственный разрешающий жест.

— Очень хорошо. Давай, Гребенев.

— Как вы можете? — взволнованно заговорил Сергей. — Как вам не стыдно обвинять Евдокию в проституции? Она...

Красная карточка. И еще одна, в другой руке. Это означало, что всего двумя короткими фразами Сергей ухитрился нарушить сразу два правила поведения на собрании. Одно нарушение я понимал: рядовой комсомолец ни при каких условиях не смел сказать человеку из райкома (каковым на сегодня являлся Гримо) подобные слова. А второе нарушение в чем состоит?

— Представитель райкома не мог обвинять девушку в проституции, — шепотом пояснила Галия. — Потому что проституции как явления в Советском Союзе не было.

— Как — не было? — изумился я. — А куда же она делась?

— Да была, конечно, но все обязаны были считать, что ее нет. Потому что советская власть такая замечательная, что все буржуазные пороки изжила. Девушку в те годы можно было обвинять публично только в недостойном поведении, а слово «проституция» применительно к комсомолке употреблять нельзя, понимаете? Это означало бы признание того факта, что явление существует.

Сергей помолчал, потом снова заговорил:

— Прошу прощения, я попробую еще раз. Я бы хотел вступиться за Евдокию. Я знаю ее как старательную студентку и хорошего товарища, она никогда не отказывает в помощи, поддерживает, доброжелательная и ответственная. Я не верю, что комсомолка Аленичева способна предать Родину и погнаться за дешевыми буржуазными радостями. Она любит своего будущего мужа и намерена построить с ним крепкую семью. Возможно, Аленичева просто немного поторопилась с определением будущего местожительства, необдуманно пошла на поводу у жениха, который, конечно же, как и любой человек, хочет жить на своей родине и не мыслит существования в другой стране. Просто этот Мигель еще совсем мало знает о России...

Красная карточка. Сергей не понял почему, взглянул на Ирину, которая тут же тихонько поправила:

— ...о Советском Союзе.

— Ну да, о Советском Союзе, и он не понимает, насколько жизнь у нас лучше и светлее, чем жизнь в стране капитализма. Он предложил — Аленичева согласилась. Но я уверен, что если мы окажем Евдокии моральную поддержку, подставим плечо, подскажем нужные аргументы, то она сможет убедить жениха переехать в Советский Союз и стать советским гражданином. Ведь правда, Евдокия? Ты сможешь?

Что ж, молодец. Отличный парень. Умница. Не отдал Дуню на растерзание, грудью встал на защиту, но при этом, хоть и не с первой попытки, сумел соблюсти идеологический регламент. К сожалению, роль Евдокии прописана досконально, и отступать от нее она не должна. Так что героем Сергею сегодня не быть.

Она и не отступила.

— Я не смогу, — тихо сказала Евдокия, опустив глаза. — У Мигеля больная мама и трое братьев и сестер, младших, он работает и всех содержит. Как же они будут жить, если он их бросит и переедет к нам?

Наташа растерянно взглянула на Ирину, та кивком головы указала на листок, лежащий перед комсоргом, — шпаргалку, которую специально составил Гримо, имевший в деле ведения собраний самый большой опыт из всех нас.

— Если желающих выступить больше нет, переходим к голосованию, — прочитала Наташа по бумажке.

— Предложения, — громко прошипел Гримо. — Не туда смотришь! Сначала предложения.

Наташа залилась краской, поискала глазами в шпаргалке нужное место.

— Да. Какие будут предложения? Поставить на вид, объявить выговор с занесением в учетную карточку или исключить из комсомола?

Слово снова взяла Полина. Строго глядя на присутствующих, она сказала:

— Мы все понимаем, что для человека, собирающегося покинуть Родину, может быть только один вид взыскания: исключение из рядов комсомольской организации. Но сегодняшнее собрание заставило меня усомниться в сознательности и идейной стойкости студентов вашего института. Может быть, вам нужно подумать о переизбрании комсорга курса? Или в вашем равнодушии к судьбе вашего товарища виновато руководство комсомольской организации института?

Это был вызов. Даже два вызова одновременно. Первый: попробуйте только не вынести на голосование то решение, которое должно быть. И второй: а будете ли вы защищать комсорга (Наташу) и комсомольского вожака (Ирину)? Посмеете ли, точно зная, что представителю горкома они не нравятся?

Дети ничего не поняли, кроме одного: им подсказали, какое именно решение они должны предложить своему комсоргу. Такие, понимаете ли, игры в демократию. В советское время в эти игры умели играть все уже с детсадовского возраста. А нынешние... Сплоховали. Ну, почти.

Руку подняла Марина.

— Предлагаю исключить комсомолку Аленичеву из комсомольской организации! — звонко отчеканила она. — Таким, как она, не место среди нас.

Других предложений не поступило. Комсорг Наташа слабым голосом объявила голосование. Кто за? Артем, Марина. Они быстро усвоили правила. Разумеется, Ирина тоже подняла руку, причем сделала это самой первой, а ее выразительная мимика подсказала Наташе, что комсоргу также следует голосовать за исключение. Кто против? Тимур. Этот по правилам играть не желает ни в какую. Про воздержавшихся Наташа забыла, а в шпаргалку вовремя не посмотрела. После очередной подсказки Гримо выяснилось, что воздержался Сергей. Итак, решение об исключении Евдокии из рядов комсомольской организации оказалось принято большинством голосов.

Участники изнывали от желания поскорее убраться отсюда, но неумолимая Галия остановила их порыв к свободе.

— Перерыв десять минут, можете сходить в туалет, — она бросила хитрый взгляд в сторону Тимура, — и быстро перекусить в буфете. Потом возвращаетесь сюда, будем проводить разбор ошибок.

— А в прошлый раз разбора не было, — строптиво произнес Тимур. — В прошлый раз вы кино показывали. Почему сегодня не так?

— Объясняю на простом примере, — послышался у меня за спиной голос Семена.

Переводчика на собрание я не приглашал, ибо никаких сложных моментов не предвиделось. Все говорят по очереди и не пользуются сленгом. А он все-таки пришел... Я даже не заметил, когда он появился, настолько увлекся ходом спектакля.

— Когда я еще был студентом, меня и моего одногруппника попросили помочь с переводом во время экскурсии по городу. Одногруппник мой владел языком значительно слабее меня, но я обратил внимание, что один из туристов-англичан то и дело меня поправлял, указывая на ошибки, а товарищу моему не сделал ни одного замечания. И когда я набрался нахальства спросить у этого туриста, почему он меня поправляет и неужели я знаю английский хуже, чем мой сокурсник, знаете, что он ответил? Это послужило мне уроком на всю жизнь. Он сказал: «Ваш товарищ говорит так плохо, что его нельзя сбивать, он все равно не поймет моих объяснений, испугается и вообще забудет даже то, что знает. А вы говорите настолько хорошо, что вам уже пора совершенствоваться и исправлять мелкие недочеты, шлифовать язык». Пример понятен?

Все дружно закивали, Тимур хихикнул, лицо Артема выражало удовлетворение, ибо для него работа над ошибками становилась еще одним полезным источником информации.

Дружить со временем ребята так и не научились, наручными часами пользоваться еще не привыкли, хотя каждому их выдали в день приезда (я попросил Юру приобрести шесть самых простых и дешевых часов), поэтому десять минут перерыва превратились в двадцать. Единственной, кто не опоздал, оказалась Евдокия, потому что она вообще не уходила, подошла к Ирине и о чем-то очень тихо с ней разговаривала, стоя у окна. Последним, на исходе девятнадцатой минуты, явился Тимур с камерой в руках.

— Дуня, встань, как ты стояла, я сфотаю, — скомандовал он. — Ну встань, трудно тебе, что ли? Комсомольское собрание — это будет звезда инсты!

Галия решительно остановила рьяного фотографа, пообещав, что после окончания разбора ему дадут возможность поснимать со всех ракурсов.

— Итак, приступим. О том, что вертеться, разговаривать и заниматься посторонними делами нельзя, говорить не стану, это вам и так должно быть понятно. Скажу честно: на больших комсомольских собраниях, например общеинститутских или курсовых, которые проводятся либо в актовом зале, либо в лекционной аудитории, всегда есть возможность чем-то заняться, потому что народу много и руководители обычно хорошо видят только тех, кто сидит в первых нескольких рядах. Если сидеть подальше, то можно и почитать, и поговорить шепотом, и поиграть во что-нибудь. Конечно, не в карты и не в шахматы, а в какую-то игру, для которой можно использовать тетради. Но это всё. Больше никакой возможности развлечься не было. На камерных собраниях, например учебной группы или отдела в учреждении, все на виду, так что послаблений быть не может.

Далее Галия объяснила причину выставления каждой карточки, кроме дисциплинарных. Во время чтения доклада нельзя поднимать руку и перебивать выступающего. И, конечно же, ни в коем случае нельзя обращаться к представителю райкома или горкома со словами: «Как вам не стыдно?» Этого нельзя говорить вообще никому, кто выше по статусу, даже если он младше по возрасту.

Разобрав каждую конкретную ошибку, Галия подвела итог:

— После первых двух опытов вам должно стать понятным, что комсомольское собрание нужно готовить. Нельзя пускать дело на самотек, иначе и получается как сегодня, когда в нужный момент не оказалось выступающих. Комсоргу следует позаботиться об этом заранее и убедиться, что они скажут то что нужно. Для обычных рядовых собраний можно сильно не стараться, но если на повестку дня вынесено персональное дело, готовиться нужно как следует, потому что на персональные дела всегда приходят надзирающие из вышестоящих организаций. И если собрание посвящено, например, отчетному докладу о работе комсомольской организации за прошедший год, тоже должно быть как минимум два человека, которые выйдут и что-то скажут, дополнят, например, или покритикуют. Но в правильных выражениях и с правильными интонациями. Такие собрания назывались отчетно-перевыборными, руководитель комсомольской организации докладывал о проделанной работе, а комсомольцы принимали решение, одобрить ли работу и выбрать ли этого человека на новый срок. Тут уж без выступающих никак не обойтись, непременно нужно, чтобы два-три человека высказались либо насчет того, какой этот комсомольский лидер хороший, либо покритиковали его. Присутствующим задается вопрос, чью кандидатуру они предлагают обсудить, и нужно, чтобы из зала поступило как минимум два предложения: одно — переизбрать прежнего вожака, второе — выбрать кого-то другого. Второго предложения может и не быть, это желательно для протокола, но не обязательно. А вот первое предложение необходимо обеспечить, а все остальные могут тут же зашуметь: «Согласны, согласны». Потом голосуют. Голосуют, как вы понимаете, тоже правильно. В любом случае большинство голосов наберет тот, кого рекомендовал и поддерживает райком.

— И для чего вся эта шняга? — подал голос неугомонный Тимур. — Зачем выступающие, если вы сами говорите, что правила жесткие? Вот сегодня, например, мы должны были осудить Дуню, чтобы все было по правилам. Зачем обязательно кому-то выступать, если изначально известно, что мы должны осудить? Чё-то я не вкуриваю этот момент.

— Потому что нужно создать видимость демократии, — усмехнулся Артем. — Это тоже правило такое.

— А что будет, если я его нарушу?

— Ходил бы на занятия к Галине Александровне — знал бы, — сердито откликнулся маркетолог. — Теперь только время из-за тебя теряем.

— Мне тоже непонятно, — сказала вдруг Марина.

— И мне...

Естественно! Разве могла Наташа не поддержать подругу?

Разбор ошибок превратился в небольшую лекцию, которую все участники прослушали с неослабевающим вниманием. Закончив с базовой информацией, Галия призналась, что в реальной жизни все было не так ужасно, как на только что прошедшем собрании.

— Зачем же вы заставляете нас поступать так, как не поступали в реальной жизни? — спросил Сергей.

Вечно во всем сомневающийся, недоверчивый и подозрительный юноша... Наверное, ему тяжело жить, не то что всегда веселому, не обидчивому и оптимистичному хипстеру Тимуру.

— Мы умышленно повышаем концентрацию всего того, что составляло повседневную жизнь в те годы, чтобы вы смогли, образно выражаясь, сразу приобрести и надеть костюм, который конструировался годами. На самом деле можно было пройти весь комсомольский возраст и ни разу не попасть на заслушивание персонального дела, а у нас с вами таких дел будет целых шесть за короткий период. Это вынужденная условность.

Расходились наши молодые участники заметно поскучневшими. Да и немудрено. Тяжело им, привыкшим к свободе и виртуальной анонимности, примеривать на себя жизнь, в которой не существует понятия приватности, зато кругом сплошные правила и ограничения.

* * *

Стоя перед «комсомольским собранием» и слушая выступления, изобличающие ее аморальную сущность, Дуня вдруг поймала себя на мысли: «Это же не про меня. Все эти слова не имеют ко мне никакого отношения. Это говорится про кого-то другого, носящего такую же фамилию, как я. Но не про меня». Ей на мгновение показалось, что вокруг нее сформировался прозрачный кокон, сквозь который не проникают ни оскорбления, ни клевета, ни демагогические выпады. И сразу стало легко и почти весело.

После собрания она попыталась вспомнить это ощущение, вернуть его себе, снова оказаться внутри кокона, и тогда никакие слова Дениса ее не тронут, не оцарапают. Но ощущение почему-то не возвращалось. Дуня решила посоветоваться с Ириной, и та порекомендовала ей постараться как можно лучше сохранить в памяти обстановку собрания.

— Когда почувствуешь, что нужен кокон, — сразу вспоминай, как тебя опускали, вспоминай Полину, Виссариона, а главное — вспоминай свои мысли. Первое время потребуется усилие, но потом будешь закутываться в кокон уже автоматически.

— Точно? — недоверчиво переспросила Дуня.

— Гарантирую. Почти у всех актеров, например, есть такие приемы, чтобы вовремя заплакать. Или, наоборот, искренне, от души расхохотаться.

— И у тебя?

— И у меня. Конечно, для всего требуется навык, а для формирования навыка нужны тренировки, но если не лениться, то все получится.

В этот день Дуня больше ни разу не вышла из квартиры, пропустила ужин, отказалась от принесенных Ириной из буфета бутербродов.

— Ты и на обед не ходила, и в ужин не поела, — беспокоилась Ирина. — Так нельзя, Дунечка, ты скоро прозрачной станешь. И ты парню своему обещала не пропускать, забыла?

Да, она же обещала Ромке честно съедать завтраки, обеды и ужины... Но в голове засело непонятно откуда взявшееся странное ощущение, что если она, Дуня, съест хоть крошку, если сделает хотя бы один шаг за дверь квартиры, то тем самым нарушит хрупкий баланс, благодаря которому может появиться спасительный кокон. Она должна сидеть неподвижно или лежать, тогда крошечный зародыш этого волшебного кокона сохранится у нее внутри и, быть может, прорастет, окрепнет.

Ей пришлось сделать заметное усилие, чтобы стряхнуть с себя наваждение.

— Ира, тебе не кажется, что я головой тронулась? — тихо спросила Дуня.

— Кажется, — сердито отозвалась Ирина, наливая в чашки чай. — И будет казаться до тех пор, пока ты не поешь. Давай-ка заканчивай валять дурака, поднимайся с дивана и садись к столу. Я тебя покормлю и выйду прогуляться. Меня сейчас в столовой Артем озадачил вопросом о вчерашней пьесе, мы договорились с ним после ужина пройтись до озера и обсудить. Кстати, вопрос любопытный. Может, пойдешь с нами?

— Нет, я дома побуду.

Превозмогая страх, почти граничащий с паникой, Дуня откусила и прожевала первый кусок. Сделала глоток чаю, откусила снова. Жевала, глотала и прислушивалась к себе. Зародыш кокона ощущался голубым прозрачным шариком, сделанным из чего-то мягкого, этот шарик словно висел где-то чуть ниже гортани и слегка вибрировал. Вот уже два бутерброда съедены, а шарик, кажется, никуда не пропал. «Ну и чего я распсиховалась? — сказала сама себе Дуня. — Ем — и ничего. Ира же сказала, что можно натренироваться. Если у других получается, то и я смогу».

Она добросовестно съела все, что принесла куратор. Но из квартиры все-таки не вышла до самого утра, когда пришлось идти на завтрак, а потом на обсуждение пьесы «Старик».

* * *

Роль комсорга далась Наташе тяжело, и после собрания она чувствовала себя отвратительно грязной и подлой. Неужели в те времена, которые казались ей честными и красивыми, нужно было непременно проходить через такое? Неужели каждый должен был так себя вести? Неужели это и есть та самая игра по правилам, о которой все время твердят дядя Назар и Галина Александровна? Правда, Галина сказала, что можно было пройти весь комсомольский возраст и ни разу не попасть на подобное омерзительное судилище, но все равно... Все равно были игры и были правила, и нужно было притворяться и лицемерить. Выходит, зря Наташа так тосковала по тому времени, мечтала о нем, рвалась туда. Сегодня вокруг куча всяких глупостей и маразмов, которые ее бесят и не дают дышать, но хотя бы нет правил и нет притворства. Сегодня все честно, сегодня свобода. Правда, честность эта все время почему-то оборачивается хамством и злобностью, достаточно почитать комментарии к любому посту, чтобы увидеть, как люди, прячущиеся за аватаркой с безликой картинкой вместо фотографии, брызжут ядом и оскорбляют друг друга, не выбирая выражений. Получается, отсутствие анонимности, как раньше, давило людей и заставляло быть такими, какими они на самом деле не являлись, а нынешняя возможность скрыть свое лицо и свою личность выпускает наружу самое худшее, самое грязное и низкое, что есть в человеке. С одной стороны, лживо и прилично, с другой — честно и мерзко. И что лучше? Что правильнее?

Нигде ей, Наташе, нет места, ни там, ни здесь.

Она бездумно слонялась по квартире, не зная, куда себя приткнуть. Маринка исчезла сразу после собрания, наверное, опять вынашивает очередной план и пытается его осуществить. Она вообще в последнее время отстранилась от подруги, вчера на чтение пьесы не пришла, а ведь было так здорово! Конечно, хорошо, что она не жужжит над ухом, мешая читать и заставляя все время оценивать ее внешний вид и участвовать в глупых надоевших разговорах о том, как она «сделает американца», но почему-то немного обидно. И странно. И еще Наташе очень не понравилось, что Маринка проголосовала на собрании за исключение Евдокии из комсомола. Да, игра, да, все понарошку, да, правила, но... Как-то это нечестно. Нечисто. Настоящая Маринка никогда не думала так, как думала «комсомолка Марина». Ведь Сергей воздержался, а Тим и вовсе рискнул проголосовать «против», а она... Зачем? Наташа голосовала «за», потому что так было написано в ее шпаргалке, ей по роли положено, таково правило. Была бы ее воля, она ни за что не подняла бы руку, постаралась бы спасти Евдокию от позора. Маринка могла хотя бы попытаться, как это сделал Сергей. Но она и не попыталась.

А что было бы, интересно, если бы Наташа сделала не так, как написано в шпаргалке?

Она открыла свою тетрадь на первой странице, нашла телефон Назара Захаровича, позвонила. Длинные гудки, никто не подходит. Скорее всего, сидит, как обычно, у Ричарда, обсуждают собрание. Кому бы еще позвонить? Галине Александровне? Начало шестого, у нее лекция, и там, как обычно, Артем. Удобно ли зайти посреди занятия? Наверное, нет. Вилен? Если у Ричарда собрались, но он тоже наверняка там. И Семен. Надежда Павловна занята, готовит ужин, ей не до разговоров. Остаются артисты.

У Ирины телефон был занят, а вот Старуха ответила на звонок сразу.

— Конечно, деточка, заходи, поговорим, — тут же разрешила Полина Викторовна. — А хочешь — выйдем пройдемся, пока дождь не начался.

Наташа бросила взгляд на небо за окном. Да, серенькое, низкое, но темных набухших водой туч пока не видно. С чего Старуха взяла, что будет дождь?

— Я головой чувствую, — засмеялась Полина. — Вернее, затылком. Примерно за час до дождя или снегопада начинает ужасно ломить затылок. Так что, пойдем?

С советской обувью Наташа так и не подружилась, несмотря на привезенные с собой стельки, и первая мысль о прогулке вызвала у нее отторжение, но уже через секунду она вспомнила о теннисных тапочках, в которых ходила в первый день отборочного тура. Впоследствии она ни разу больше их не надевала, хотела, чтобы Сергей видел ее в туфельках, но сейчас эти тапочки могут оказаться весьма кстати.

— Кофточку возьми, — строго сказала Полина Викторовна, — на улице заметно похолодало.

Кофточку... Вот же!.. В нормальной жизни Наташа накинула бы яркую ветровку поверх футболки, а тут приходится напяливать на себя какую-то идиотскую старушечью кофточку, которая совсем не катит с деревянными жесткими джинсами. Если б хотя бы длинный кардиган, а то кофточка, короткая, чуть ниже талии, на мелких безликих пуговках, и сидит плохо, а выглядит еще хуже. Да ладно, сейчас главное — разобраться с собственными мыслями.

Они прошли по пустой улице, на которой стоял их дом, завернули за угол и оказались в оживленной части поселка.

— Так о чем ты хотела поговорить?

— Я хотела спросить, что было бы, если бы я сегодня на собрании не проголосовала за исключение Евдокии. Ведь я могла проголосовать «против»? Или хотя бы воздержаться могла? Или это против правил?

— Это против правил, — усмехнулась Полина Викторовна. — Но ты, конечно, могла. Запретить тебе невозможно.

— И что было бы?

— Евдокию все равно исключили бы, потому что «за» подано большинство голосов. Ирочка, Артем и твоя подружка Марина. Сергей воздержался, «против» были бы вы с Тимуром, то есть меньшинство. Так что твой подвиг никого не спас бы. Евдокию исключат, а у тебя будут проблемы.

— Какие?

— Такие же, как у Евдокии примерно. Сначала тебя вызовут на заседание комитета комсомола института и будут песочить в хвост и в гриву, обвинять во всех смертных грехах, и в итоге окажется, что ты даже хуже, чем Евдокия, раз покрываешь предателя Родины. Тебе вынесут выговор с занесением в учетную карточку и тут же назначат собрание, на котором объявят обо всех твоих прегрешениях и выберут нового комсорга. Ты попадешь на карандаш в райкоме комсомола, ты испортишь себе репутацию, и все это в конечном итоге отразится на твоем распределении. Можешь считать, что тебе сильно повезет, если на курсовом или общеинститутском комсомольском собрании не будут заслушивать твое персональное дело. Будешь стоять, как сегодня Евдокия стояла, а тебя будут поливать помоями. Хочешь?

— Не хочу.

— Тогда голосуй как положено.

— А что такое распределение?

— Тебя государство пять лет бесплатно учило в вузе, за это ты должна отдать долг, отработать три года по полученной специальности там, куда тебя направят, то есть распределят. Это может быть вполне приличное место в твоем родном городе, а может оказаться и должность в жуткой дыре за тысячи километров от дома.

— А если я не захочу туда ехать?

— Деточка, забудь слово «хочу», если мы говорим о тех временах, — засмеялась актриса. — Это сейчас вы имеете возможность хотеть или не хотеть. При советской власти люди были должны и обязаны, других глаголов не существовало. Если ты на комиссии по распределению посмеешь сказать, что не хочешь ехать, к примеру, в деревню за Урал, тебе сначала прочтут лекцию о том, как советская власть тебе все дала бесплатно и ты обязана отработать, а если ты не хочешь отрабатывать и отдавать долг государству, то ты недостойна называться советским человеком, а потом направят в такую же деревню, только еще дальше. Но могут сделать и по-другому.

— Как? — с любопытством спросила Наташа.

— Видишь ли, они так хитро все придумали, чтобы комиссия по распределению была до госэкзаменов. И если ты на комиссии повела себя неправильно, у них были все возможности завалить тебя на госах. Тогда ты получаешь не диплом, а справку о прохождении обучения в данном вузе. Диплом есть гарантия государства, что ты овладела знаниями и навыками, достаточными для работы по специальности. Нет диплома — нет гарантий. Без диплома ты — никто. Зато можешь не ехать куда тебя посылают, будешь искать работу самостоятельно. Только кто тебя возьмет, если диплома нет? Остается путь в уборщицы или в дворники. Устраивает такой вариант?

Наташа в ужасе помотала головой.

— Тогда голосуй как положено.

Полина Викторовна внезапно остановилась, зажмурилась и принялась массировать пальцами затылок.

— Вам плохо? — испугалась Наташа.

— Ничего, пройдет.

Актриса подняла голову, посмотрела на небо.

— Сейчас начнется, минут через пять. Спазм ужасный. Давай возвращаться.

Наташа послушно развернулась, они зашагали по направлению к дому.

— Может, к доктору зайдете? — предложила Наташа, когда они подошли к подъезду.

Ей очень не понравилось сильно побледневшее, с отливом в синеву, лицо Полины Викторовны.

— Пожалуй, — согласилась актриса. — Пусть укольчик сделает.

Ливень обрушился на поселок, как только за ними закрылась дверь подъезда.

— Успели, — удовлетворенно заметила Полина и нажала кнопку звонка на двери временного медпункта на первом этаже.

Доктор открыл сразу же, Наташа вошла следом за актрисой и, к своему огромному удивлению, увидела Маринку. Подруга сидела на смотровой кушетке, одна нога забинтована от щиколотки до бедра.

— Нога так болит, встать не могу, — проныла Маринка. — Эдуард Константинович эластичный бинт наложил, сказал, что растяжение. Вот сижу, жду, когда боль немножко успокоится, а то до квартиры не дойти, больно ужасно.

— Это опасно? — с тревогой спросила Наташа.

— Да нет, просто сильная боль. Пройдет.

Наташа оглянулась на доктора и Полину. Актриса уже сидела, закатав рукав и приготовив руку для инъекции, Эдуард Константинович набирал в шприц препарат из ампулы.

— Что ж ты меня не позвала? — упрекнула Наташа подругу. — Я бы помогла дойти до квартиры. Сидишь тут, доктору мешаешь.

— Ничего-ничего, — отозвался Качурин, — Марина не мешает, наоборот, скрашивает скучное одиночество, у меня ведь работы не много, у вас подобрался на редкость здоровый коллектив.

Он почему-то усмехнулся и ловко ввел иглу шприца в вену.

— Семен с давлением по два раза в день прибегает, а у Виссариона Иннокентьевича со спиной проблемы, вот, пожалуй, и все мои пациенты. Ну и вы, Полина Викторовна, заглядываете уже во второй раз, как дело к дождю. Кстати, Наталья, хотел вас попросить...

Наташа даже вздрогнула от неожиданности. О чем ее может попросить Эдуард Константинович?

— Я слышу, как Надежда Павловна подкашливает, и мне это не очень нравится. У нее на кухне жарко, постоянно включены плиты и духовки, она то и дело открывает окна и устраивает сквозняк... Одним словом, я обеспокоен. Я пытался с ней поговорить, но она отмахивается и уверяет, что все в порядке. А я слышу, что не в порядке. Скажем, так: трахеит я уже слышу. Нужно не допустить бронхита и предотвратить пневмонию. Попытайтесь уговорить свою наставницу, чтобы она приходила ко мне каждый день. Желательно утром и вечером. Всего на пару минут, я много времени не отниму, только послушаю фонендоскопом. Мучить не буду, больно не сделаю, обещаю.

Он внезапно улыбнулся, и Наташе показалось, что эта улыбка как будто долетела до Маринки и отразилась от нее вспышкой радости.

*Когда внезапно возникает еще неясный голос труб,*
*Слова, как ястребы ночные, срываются с горячих губ...*

Значит, вот как это бывает... Вот о чем эта песня... А Наташа почему-то раньше думала, что она о военных музыкантах. Смешно!

Полина Викторовна тоже улыбалась, совсем незаметно, одними краешками губ. Маринка светилась от счастья.

А Наташе было грустно.

\* \* \*

На ужин в столовую Маринка явилась сильно хромая, в сопровождении доктора, который заботливо поддерживал ее под локоть. Наташа после возвращения с прогулки в обществе Полины Викторовны пришла на кухню помочь Надежде: сидеть дома одной не хотелось, скучно. Увидев хромающую подругу, подбежала, чтобы помочь, принесла ей поднос с едой, села напротив. Доктор, проводив пациентку до стола, прошел в дальнюю комнату, где обслуживали организаторов и сотрудников.

— Что с ногой-то? — обеспокоенно спросила Наташа. — Где ты ее растянула? Из окна прыгала, что ли?

Маринка молча жевала тефтели с макаронами, и лицо у нее было странным и каким-то чужим, а взгляд — растерянным и одновременно счастливым. Такой Маринки Наташа никогда не видела за все годы, что они были знакомы. Значит, Наташе не показалось там, в медпункте, когда Эдуард Константинович улыбнулся. Маринка влюбилась. Господи! Что же теперь будет?!

— Мариш, — строго заговорила Наташа, — я все понимаю, но ты мне скажи, нога и в самом деле болит? Или ты это придумала, чтобы был повод зайти в медпункт? Если придумала, то и на здоровье, флаг тебе в руки, но если ты действительно потянула мышцу и тебе больно, то я должна точно знать, чем тебе помочь.

Глаза подруги смотрели мимо Наташи и, казалось, никак не могли сфокусироваться ни на одном объекте.

— Почему ты мне ничего не сказала? — продолжала допытываться Наташа. — Вы из очереди тогда ушли вместе, я заметила, но промолчала. Вчера на чтение пьесы ты не пришла и ничего не объяснила. А сегодня нога. Ежу понятно, что ты на доктора запала и проводишь с ним время, но почему мне-то ничего не сказала? Я что, чужая тебе? Посторонняя?

Маринка отодвинула тарелку с недоеденными макаронами, залпом выпила бледно-розовый компот, медленно обернулась, долго смотрела на открытую дверь, ведущую в «зал для руководства», откуда как раз выходила Надежда Павловна с пустым подносом. После чего так же медленно повернулась к Наташе.

— Я ничего не понимаю, Натка, — в ее голосе звучало не то удивление, не то страх. — Я не запала на Эдика. Помнишь того красавчика Виталика, с которым я в прошлом году мутила? Вот на него я запала тогда, это точно. И на Стаса запала. И на Воскобойникова из параллельного класса, помнишь?

Наташа кивнула.

— На них на всех я действительно западала. А тут... Я не знаю. Это что-то совсем другое. Я не понимаю... Я как будто сама не своя. Какая-то одуревшая, обалдевшая, пришибленная, ничего не соображаю. Со мной такого никогда раньше не было.

— Но сегодня на комсомольском собрании ты была нормальной! И вчера на обсуждении тоже выступала как обычно.

— Это потом случилось, потом... — бормотала Маринка как в бреду. — После собрания уже. Я спускалась по лестнице, а Эдик поднимался мне навстречу, и я вдруг оступилась и чуть не упала, он меня подхватил, и вот... Как будто разорвалось что-то в груди... Или в голове... Я не знаю, не понимаю... Я тогда сказала первое, что в голову пришло, про ногу придумала, лишь бы он не ушел никуда, лишь бы находиться рядом с ним... Мы из очереди тогда вместе ушли, ты правильно сказала, и вчера, когда вы пьесу слушали, я тоже с ним была, но ты не подумай, ничего такого не было, мы просто болтали... Сначала у него в медпункте сидели, он меня чаем поил, потом, когда у вас чтение началось, мы с ним вместе ужинать ходили в столовую... Но я ничего такого не чувствовала, просто приятный дядька, с ним интересно... А сегодня накрыло... Вдруг...

Только этого не хватало! Любовь любовью, а дело-то нужно делать! Завтра утром обсуждение «Старика», а Маринка, небось, даже не прочитала. Не сможет ничего толкового сказать и вылетит из квеста за невыполнение задания. Тогда и Наташе придется уезжать вместе с подругой, не бросать же ее в беде. А уезжать совсем не хочется.

— Ты пьесу, которую задали, прочитала? — спросила она требовательно.

Маринка отрицательно покачала головой.

— Но хотя бы пыталась?

— Пыталась. Но я не могу сосредоточиться, я все время о нем думаю.

— А он о тебе?

— Что? — не поняла Маринка.

— Он о тебе думает? Он вообще что-нибудь говорил на эту тему?

— Нет. Но мне кажется, что он тоже... В общем, я не знаю. Не понимаю.

— Все с тобой ясно.

Наташа решительно отодвинула стул и встала.

— Ты куда? — испуганно спросила Маринка.

— Сиди спокойно, я сейчас приду.

Она заглянула в дальнюю комнату, где Эдуард Константинович ужинал в полном одиночестве: сегодня он пришел раньше всех, остальные обычно подтягивались после восьми вечера. Увидев Наташу, он положил приборы на края тарелки и выжидающе уставился на девушку.

— Да? Вы что-то хотели?

— Эдуард Константинович, у Марины так сильно болит нога, что она плохо соображает, не может думать, а ей нужно до завтра прочитать пьесу. Если она не прочитает и не выступит на обсуждении, будет считаться, что она не выполнила задание, и ее могут отчислить. Вы врач, вы же можете сделать что-нибудь, чтобы она пришла в сознание, правда?

Он смотрел насмешливо и одновременно ласково. Во всяком случае, так показалось Наташе.

— Конечно, Наталья, я вас понял. Я все сделаю. Обещаю вам, что пьеса будет прочитана и завтра ваша подруга будет как новенькая.

— И еще...

Вообще-то она сомневалась, нужно ли это говорить, но на войне, как написано в умных книгах, все средства хороши.

— Полине Викторовне нездоровится, вы же сами видели, вы ей укол делали, а у них квартира однокомнатная. Там тесно, а Маринка...

— Я вас очень хорошо понял, — мягко перебил ее Качурин. — Не переживайте, Наталья, все будет в порядке. И не забудьте о моей просьбе насчет Надежды Павловны.

— Да-да, — заторопилась Наташа, — я с ней уже поговорила, она отказывается, но мне кажется, если я еще чуть-чуть нажму — она согласится. Я тоже обратила внимание, что она кашляет.

— Вы уж нажмите, сделайте одолжение.

Он не улыбнулся, просто взял в руки нож и вилку и снова принялся за еду. «Доктор пообещал, что завтра утром Маринка будет как новенькая. Значит, он знает, что про ногу она наврала, иначе не стал бы так уверенно обещать. Но если знает и все равно наложил бинт, и проводил ее в столовую, под ручку держал, то получается... Ну да, именно это и получается. Выходит, у этой игры тоже есть правила. Маринке не о чем беспокоиться», — думала Наташа, возвращаясь к столу, за которым сидела подруга.

Маринка смотрела на нее больными от тревоги глазами.

— Зачем ты туда ходила? Что ты ему сказала?

Наташа от ответов уклонилась и сразу перешла к делу.

— Значит, так: сейчас я поднимаюсь в твою квартиру, беру твою книгу, приношу сюда, а когда Эдуард Константинович закончит ужинать, вы с ним вместе возвращаетесь в медпункт. Он дает тебе обезболивающее, и ты читаешь пьесу. Если ты к завтрашнему утру не возьмешь себя в руки и будешь на обсуждении сидеть дохлой рыбой, как сейчас, и нести всякую пургу, то я не знаю, что будет. Ты все поняла?

— Что ты ему сказала? — тупо твердила Маринка, не сводя глаз с подруги. — А он что тебе сказал?

— Сиди и жди, — твердо повторила Наташа и ушла на третий этаж, где временно обитали Маринка и Полина Викторовна.

Полина вопросов не задавала, с усмешкой покачала головой, выслушав Наташино робкое блеянье насчет того, что сильно болит нога и трудно подниматься со второго этажа на третий, но книгу сразу принесла.

— Деточка, запомни: я — актриса, и я очень хорошо вижу, когда человек хромает, потому что больно, а когда изображает хромоту. Знаешь, сколько я хромых переиграла за свою жизнь? Да я только в роли Луизы де Лавальер пять лет на сцену выходила, когда моложенькой была. Так что сказок мне рассказывать не надо. Марине скажи, что в час ночи я лягу спать, и пусть не шумит, если придет позже.

— Хорошо, спасибо, — смущенно пробормотала Наташа и юркнула за дверь.

В столовой она обнаружила Маринку в обществе Тимура и Сергея, которые тоже пришли поужинать и увидели девушку с забинтованной ногой. Молодые люди участливо расспрашивали ее о травме и давали советы. Когда они отошли, чтобы взять на кухне еду, Наташа сердито заговорила:

— Я не понимаю, как так можно! Эдуард знает, что ты притворяешься, Полина знает. Я бы сгорела со стыда, если бы вот так врала в глаза и знала, что все понимают, что я вру.

— Эдик знает? — беспомощно переспросила Маринка. — Это ты ему сказала? Ты меня слила?

— Да не говорила я ничего! Он сам догадался, он же не слепой, он все-таки врач. А ты — самоуверенная дура, если думаешь, что можешь на раз-два обмануть опытного врача и опытную актрису. Как ты теперь будешь им в глаза смотреть?

— Не знаю... Мне все равно.

Доктор Качурин вышел из дальней комнаты и направился к их столу, громко говоря:

— Пациент, будьте любезны пройти на осмотр и перевязку.

Он заботливо и ловко помог Маринке подняться и повел ее к выходу. Ни дать ни взять врач, искренне желающий облегчить страдания больного. «Неужели вся жизнь во все времена состоит из обмана и игр по правилам? — думала Наташа, глядя им вслед. — Неужели нигде нет такой жизни, в которой все просто, прямо, честно и без притворства?»

* * *

Артем добросовестно старался проанализировать свои впечатления от комсомольского собрания, но перед глазами все время стояла Ирина. Ее профиль на фоне окна, чуть склоненная голова, слегка шевелящиеся губы. Окно распахнуто, и ветер то и дело касается ее волос, словно перебирая пряди. Округлые плечи обтянуты скромной простой белой блузкой рубашечного покроя. У кого-то из классиков была героиня с красивыми плечами... У Толстого, кажется... Или у Штильмарка в «Наследнике из Калькутты»... Хотя Штильмарк ни разу не классик... Но книга была суперская, Артем запоем прочел ее лет в восемь или девять. Про любовь ему в том возрасте было еще не интересно, поэтому из всей романтической линии романа он запомнил только слова о том, что какая-то девушка стала при гостях играть на арфе, чтобы продемонстрировать красивые плечи, и он тогда не понял, как это и зачем нужно.

Мысль о возможности близких и тем более интимных отношений с Ириной Артем отмел сразу. Он прекрасно понимал расклад и трезво оценивал самого себя. Для двух-трехразового секса есть девочки и дамочки на сайтах знакомств, а отношения — это совсем другое дело. Это серьезно. Это ответственно. И не надо путать одно с другим.

Но смотреть на Ирину, слушать ее голос, да просто пребывать в одном помещении и дышать одним воздухом — наслаждение, и он хочет получить этого наслаждения как можно больше, пока они находятся рядом, в поселке на берегу озера. Только вот никак не придумать, чем привлечь эту женщину, чем оправдать свое присутствие там, где она. «Ну так что, Фадеев, — сказал Артем самому себе, — ты маркетолог или кто? Изучи потребителя и придумай, как можно продать ему твой товар».

Товар, прямо скажем, не первосортный. Рост чуть ниже среднего, телосложение субтильное, а в одежде на пару размеров больше вид, наверное, даже не забавный, а откровенно смешной. Улыбка, как считает мама, некрасивая, зубы кривоватые, черты лица — совсем не фонтан. Волосы вроде ничего, но уже появились ранние высокие залысины. Проявляющихся ярко и вовне талантов нет, он не поет, не танцует, не играет на музыкальных инструментах, не умеет показывать фокусы, ничего такого. Чутье к словам и умение формулировать — не те дарования, которыми можно привлечь красивую женщину. Что остается?

Если с товаром не получается, придется идти от потребителя. Здесь, кстати, имеется небольшая засада с терминологией. Большинство маркетологов исходят из того, что потребитель — тот, кто потребляет, то есть потенциальный покупатель, и совсем забывают об этимологии слова. Потребитель потребляет только потому, что у него есть некоторая потребность. А вот про потребности почему-то думают намного реже, больше стараются заставить потребителя купить предлагаемый товар, иными словами, «потребитель» равен «покупателю», хотя на самом деле потребитель — это человек, который чего-то хочет. В этом суть. Из этого и надо исходить.

Чего хочет Ирина? Может быть, она хочет, наряду со многим, чего-то такого, что Артем Фадеев вполне в состоянии ей предложить?

Что ж, попытка не пытка. Артем спустился с третьего этажа на второй и нажал кнопку дверного звонка. Ирина открыла сразу же, словно стояла прямо под дверью.

— А я в столовую собралась, на ужин, — сказала она. — Ты к Дуне?

— Нет, я к вам. Но если вы собрались на ужин, то, может, вместе пойдем?

— Очень романтично, — засмеялась актриса. — Кавалер приглашает даму на ужин в советской столовке. Пойдем, отчего ж не пойти.

— А Дуня?

— Она не в настроении, устала, все-таки персональное дело, сам понимаешь, приятного мало. Пусть полежит, я ей что-нибудь из буфета принесу.

В столовой Артем взял блинчики с мясом и винегрет, Ирина ограничилась двумя салатиками: один капустный, другой помидорно-огуречный.

— Я хотел спросить о вчерашней пьесе, — начал он. — Если бы вам предложили роль Девицы, как бы вы ее сыграли?

— Зависит от режиссера. Как он скажет, так и сыграю.

— А если бы вы сами были режиссером этого спектакля и захотели бы сыграть Девицу? Вчера я слушал, как вы с Гримо читаете, и все пытался представить себе: какая она? Вроде каждого персонажа более или менее представил, а с Девицей полный затык. То ли она очень умная и ловко притворяется глупой, то ли в самом деле недалекая и жадная. Она красивая? Или уродливая? История с гибелью ее ребенка — правда? Или ложь? И если правда, то Девица действительно не виновата? Или она сама хотела, чтобы ребенок умер? Или вообще все это выдумала, чтобы разжалобить? И зачем Старик таскает ее за собой? Если он терпит ее общество, значит, она ему зачем-то нужна, удовлетворяет какую-то его потребность, но какую?

Ирина слушала его удивленно, но отвечать начала с удовольствием.

— Если бы меня утвердили на роль Девицы, то ответ на твой последний вопрос был бы однозначным, — она лукаво улыбнулась.

— Это да, — кивнул Артем, — согласен. С вашей внешностью... Никому бы и в голову не пришло задаваться вопросом, зачем вы нужны Старику, и так понятно. Но тогда возникает другой вопрос: зачем такой роскошной красавице это жуткое чмо Старик? Только из-за денег, которые он собирается оттяпать у Мастакова? Или могла быть еще какая-то причина?

Ирина слегка нахмурилась.

— Это ты мне сейчас комплимент сказал? Или что?

— Я просто констатирую факт: вы красивая женщина с пышными формами, вы невероятно привлекательны, женственны и сексуальны, и если вы выйдете на сцену в роли Девицы, то либо получится, что Старик — ваш любовник, и вы с ним спите, либо нужно дополнительно показывать, что он идиот и импотент, потому что из текста это никак не вытекает. Я прав? Или я чего-то не понимаю в режиссуре?

Она расхохоталась, но тут же совершенно по-детски испуганно оглянулась и машинально прикрыла рот ладонью.

— Извини... Извини, Артем, но в режиссуре ты действительно разбираешься мало, это все-таки не твоя профессия. Давай для начала попробуем представить себе, откуда вообще взялась эта Девица, где она родилась, в какой семье выросла, как ее воспитывали, то есть нарисуем всю ее жизнь до того момента, как она познакомилась со Стариком. Тогда нам будет более понятно, зачем они нужны друг другу.

— Давайте, — с готовностью отозвался он.

— И ты готов пригласить даму на прогулку?

— Всегда!

— Договорились. Через полчаса жди меня внизу. Сейчас возьму в буфете что-нибудь для Дуни, накормлю ее и пойдем.

Артем был доволен. Всего одним вопросом ему удалось нащупать целых две потребности Ирины. Она начинала как театральная актриса, хотела служить театру, а в итоге снимается в дешевых пошлых сериалах. Говорить о кино и съемках ей скучно, потому что этого и так навалом в ее жизни, а вот говорить о театре — совсем другое дело. Ирина — актриса с большим опытом, и совершенно естественно, что ей хотелось бы этим опытом делиться, передавать его кому-то. Но кому? На съемочной площадке при работе «с колес» никого не интересует ее опыт театральной актрисы, а если у нее есть подруги не из артистической среды, то им интереснее слушать сплетни про киноактеров, мелькающих сегодня на экранах, а не курс лекций о работе над ролью.

И еще нужны «качели». В каждом человеке живут взрослый и ребенок. При взаимодействии двух человек на самом деле взаимодействуют четыре субличности. Может ли «взрослый», живущий в Артеме, нормально общаться со «взрослым» Ирины? Вряд ли. Он слишком мало ее знает. Кроме того, его «взрослый» на полтора десятка лет моложе, у него меньше опыта, меньше знания жизни, и он просто не интересен «взрослому» Ирины. А вот «ребенок» Артема, пытливый, любопытный, стремящийся к знаниям, задающий множество вопросов, даст ей возможность насладиться ролью

Мастера, передающего знания. В то же время «взрослый» Артема наверняка может чем-то порадовать «ребенка», живущего в Ирине.

Он бросил взгляд на актрису, которая, стоя возле стола, выполняющего функцию буфетного прилавка, накладывала на тарелку бутерброды для Евдокии.

— Возьми еще парочку с ветчиной, — уговаривала ее Надежда Павловна, — ветчина вкусная, свежая, Юра только сегодня привез.

— Дуня столько не съест.

— Сама съешь! Вкусные же!

— А мне нельзя, Надежда Павловна, вы же знаете.

Ей нельзя? Артем улыбнулся. Кажется, он знает, чем можно порадовать ребенка.

# Записки
## молодого учителя
## «СТАРИК»

К этой пьесе я возвращался множество раз, уже, кажется, наизусть выучил. Она меня сразила наповал. Но произошло это не сразу, не при первом прочтении. В шестнадцать лет я не увидел ничего, кроме лихо закрученной интриги, тайны, и мне, десятикласснику, было безумно интересно узнать, чем же все закончится и как разрешится ситуация. Второй раз я перечитал пьесу «Старик» на третьем курсе и с той поры обращался к ней постоянно. Скажу сразу: с учениками я ее обсуждать не стал бы, хотя в ней, безусловно, есть о чем поговорить. Но разве они поймут суть слов Старика о том, что Христос страдал за нарушение древнего закона? Древний закон гласил: око за око, зуб за зуб, то есть за зло воздавать той же мерой, в какой причинен ущерб. А Иисус велел воздавать за зло добром. Он посягнул на нерушимость закона и за это принужден был страдать. Что толку обсуждать с подростками этот пассаж Старика, если они не знают Священного Писания (да и я сам его не знаю), не держали в руках Библию, а про Иисуса слышали только, что он, равно как и всё, что связано с религией и церковью, — олицетворение пережитков прошлого?

Не стану лукавить. Я побоялся бы обсуждать эту пьесу с детьми, потому что велик риск увлечься и сказать на уроке больше, чем нужно. Почему? Потому что пьеса на самом деле о нашей сегодняшней жизни, хотя написана еще до революции, в 1915 году. Это великое (хотя и небольшое по объему) произведение о Шантаже. Именно так, с заглавной буквы. Об угрозах, о запугивании, об унизительном страхе огласки или лишения материальных благ, о мерзостном потирании ручками от радости, когда знание чужого секрета дает тебе власть над человеком и возможность получить свою выгоду. Шантаж многолик и всесилен, любые советы и правила о том, как не поддаваться ему, как противодействовать, бессмысленны, они не работают. Есть только одно средство: не давать повода. Как говорится в старой английской поговорке, жить надо так, чтобы не было страшно подарить своего попугая самой большой сплетнице города. Но к тому времени, когда мы осознаем справедливость этой пословицы, мы успеваем наделать столько чудовищных глупостей, что в наших руках не остается ни единого средства, при помощи которого можно было бы противостоять шантажу. Но это, конечно, только в чистой теории, незамутненной практикой. А что же на практике?

А на практике нас сегодня шантажирует система. У Шантажа (того самого, с заглавной буквы) есть две разновидности. Первая: дай или сделай, иначе я про тебя расскажу. Вторая: дай или сделай, иначе не получишь от меня благ. Первая разновидность — ретроспективная, и именно ее обычно называют шантажом, вторая — перспективная, ее, как правило, именуют угрозой или запугиванием, но по своей сути она является все тем же шантажом. И если с первой разновидностью еще можно справляться, ведя идеальный образ жизни, то против второй — как против лома, приемов нет. Мы все — униженные жертвы шантажа. Мы живем с ним, живем в нем, живем под его гнетом. Но вернемся собственно к Горькому.

Спектр вариантов Шантажа в пьесе «Старик» широк и разнообразен. Рассмотрим их поближе.

Второе действие начинается сценой Якова и Каменщика Никиты. Яков дурачится, он вообще любит шутки и розыгрыши, и его разговор с Никитой — не более чем демонстрация Павлу и Тане своей способности «испугать кого угодно». «Я, брат, такое про тебя знаю...» — строго говорит он Никите и требует, чтобы тот вспомнил, чем занимался в марте 1903 года, то есть (с учетом времени написания пьесы) лет десять назад. Никита напряженно вспоминает, вспомнить точно, конечно, не может, но поскольку жизнь вел, судя по всему, честную и чистую, то уже через несколько реплик соображает, что это розыгрыш. И облегченно вздыхает: «Поди ты к богу! Я думал — взаправду что-нибудь». А Яков торжествует и похваляется: «Я могу испугать кого хотите! Любому человеку уставлюсь в глаза и начну: «А что я про вас знаю, что слышал!» Конечно, я ни черта не знаю, но человек обязательно испугается — ведь у каждого есть что-нибудь, что он скрывает, ну а я веду себя так, будто мне все тайны известны!» Как мне это напоминает манеру некоторых наших активистов...

Спустя некоторое сценическое время Яков пытается проделать тот же фокус с появившимся невесть откуда неким Стариком, не то странником, не то паломником. Старик, однако, не испугался и шутка не удалась, но почему? Потому, что есть оружие против шантажа? Отнюдь. Яков потерпел неудачу просто потому, что Старик точно знает: он в этих местах впервые, и знать молодой человек ничего о нем не может ни при каких условиях. Иными словами, он не боится не потому, что чист и праведен, а исключительно в силу логики и знания жизни.

А вот и такая картинка: все тот же Яков беседует со своим дядюшкой Харитоновым. Харитонов заставляет племянника сделать предложение Тане, падчерице Мастакова, Яков пытается объяснить, что Таня им не интересуется, не силой же ее под венец тащить, на что Харитонов на голубом глазу отвечает: «А хотя бы насильно? Девицы смелость любят. Болван!» Яков огрызается: «Попробуйте — женитесь на ней сами!» И вот тут Харитонов прибегает к шантажу: «Цыц! С кем говоришь? Вот как я вылечу в трубу да останешься ты нищим...» Вроде бы человек стремится устроить выгодный брак племянника, чтобы подстраховать его на тот случай, если бизнес дядюшки рухнет, да? А вот и нет! Вспомните-ка, что говорит Харитонов в первом действии: «Человек я неказистый, женщины меня иначе как за деньги — не любят, жить мне скушно, вот я и пью, играю... Торной дорогой всяк пройдет, а я люблю — по жердочке, над омутом, чтобы подо мной гнулось да качалось, чтобы каждую минуту думать: устоишь, Яким, али сверзишься? Вот оно в чем удовольствие жизни!» И в свете этих слов реплики Харитонова в разговоре с племянником приобретают совершенно определенный смысл: не можешь увлечь Таню романтически — возьми девку силой, тогда у нее выхода не будет, кроме как под венец, а не сумеешь — так я все свои деньги проиграю, пропью и на срамных баб растрачу, и ничего тебе не достанется в наследство. Чем не шантаж? И еще какой! Тот самый, перспективный: сделай, иначе не получишь благ.

Но Харитонов не был бы Харитоновым, если бы не использовал и другой вариант шантажа. Узнав неприятную правду об отчиме Тани, своем, между прочим, друге и куме Мастакове, он советует племяннику: «Теперь, по случаю срама, приданого можно взять гораздо больше — понял?» Иными словами, угрожай Мастакову оглаской — и он станет более щедрым, выдавая падчерицу замуж.

Линия «Старик — Мастаков» разворачивает перед нами картину шантажа классического, ретроспективного. Оказывается, Мастаков, состоятельный купец, построивший и завод, и ремесленное училище и начинающий новое строительство, когда-то очень давно был осужден за убийство: будучи рекрутом, напился вместе с солдатами, участвовал в пьяной драке, ничего не помнит, но когда выяснилось, что после драки остался труп, бесхитростный юный пьяный парнишка показался полиции самой доступной мишенью. Его и привлекли, даже разбираться не стали — он ли убил, не он ли... Присудили четыре года каторги. Отсидев два года и пять месяцев, Мастаков с каторги сбежал, взял себе другое имя, выправил документы и ведет спокойную праведную жизнь, женился на женщине с двумя детьми, овдовел, детей этих вырастил как родных, зарабатывает много и много же тратит на нужды общества (завод заводом, а со здания ремесленного училища никаких дивидендов не получишь, как ни тужься). А загадочный Старик, как выяснилось, был на каторге вместе с Мастаковым, отбыл свой срок полностью и теперь разыскал старого знакомца. Зачем? Вот это и есть самое любопытное. Чего хочет Старик? Денег за молчание? Нет. Работы, крыши над головой? Тоже нет. Тогда чего же? Этот вопрос неоднократно задает Старику и сам Мастаков, и его любимая женщина Софья Марковна, но ответ получают далеко не сразу. Старик, как выясняется, хочет, чтобы Мастаков мучился страхом. Страдал. Старик считает, что если Мастаков (но это сейчас он Мастаков, по новым документам, а раньше был Гусевым) не отбыл свой срок на каторге до конца, сбежал, облегчил себе жизнь, то теперь должен как бы отдать долг и пережить страдания, от которых он себя когда-то незаконно избавил. «Ну, предашь ты меня суду, разоришь мою жизнь, — какая в этом польза тебе?» — в отчаянии спрашивает Мастаков, а Старик отвечает: «Мое дело». «Зачем бежал? Зачем страдания не принял?» — «Жить хотел я, работать». — «Страдание святее работы», — строго произносит Старик, и Мастаков восклицает: «Зачем оно? Какая от него польза? Кому? Кому? Ну, говори, дьявол!» Вот тут-то Старику бы и дать ответ на вопрос, мучающий многих философов и ученых: для чего человеку даются страдания? Должен ли человек идти им навстречу или имеет право уклоняться от них, избегать? Но ответа у него нет, как нет и никакой собственной философии, на неудобный вопрос ему сказать совершенно нечего, поэтому он меняет тему и переходит в наступление: «Не лайся, я смолоду облаян! Ты у меня весь в горсти, как воробей пойман». Излюбленный прием демагогов. Интересно, почему, читая Горького, я так часто перескакиваю мыслями на наши комсомольские собрания? Между прочим, никакой собственной философии у Старика и в самом деле нет, это он только вид делает, что борется за некую идею справедливого страдания, а сам-то своей помощнице Девице обещает, что после встречи с Мастаковым они «большими кораблями отсюда поплывут». Так что все многозначительные и псевдовысокодуховные уклонения Старика от ответа — не более чем обычное манипулирование с целью выколотить побольше денег.

Софья Марковна пытается внести свою лепту и найти какие-то аргументы, чтобы утихомирить злобного Старика. Если вы страдали несправедливо, говорит она, то зачем же, чувствуя неправду страдания, увеличивать его для других? Ответ Старика краток и решителен: коли я — в горе, то ему (то есть Мастакову-Гусеву) — вдвое. Другой аргумент Софьи, весьма, кстати, убедительный: «Вы не тому мстите, кто исказил вашу жизнь, не тому!» Ответ? А вот он, в очень современном духе: «Мне виноватых искать некогда... А Гусев — он вот где у меня, как воробей зажат. Он своего сроку-страдания не дотерпел — почему? Я — дотерпел до конца. Судья ли я для него? Законный, непощадный судья. Вы меня замучили, а хотите мириться? Нет мира вам и не будет!» Опять демагогия, опять газетные статьи и комсомольские собрания... Преследуют они меня, не отпускают, не дают покоя...

Вместе со Стариком ходит некая Девица, тоже якобы безвинно осужденная за детоубийство и отбывшая каторгу. Старик уверен в ее преданности и абсолютной послушности, управляемости и использует в своих интересах. Но Девица тоже не промах, быстро находит собственную выгоду и сначала выклянчивает у Софьи Марковны одежду и обувь в обмен на обещание убедить Старика отступиться от задуманного и уйти, а потом выходит с предложением уже к самому Старику, своему вроде как благодетелю: «У тебя сила на них, вот ты бы велел хозяйскому-то сыну замуж меня взять... Я бы с ним жила, а ты — при нас. Я тебя не обижу...» Ну что ж, этого следовало ожидать, шантаж действительно сила. Но крайне любопытно другое: вот эти последние слова реплики Девицы. «Я тебя не обижу...» Так говорит только тот, кто знает и чувствует свою силу, тому, кто заведомо более слаб. Каково же на самом деле распределение ролей в этой странной парочке — Старик и Девица?

Старик ведет себя так, словно был безвинно осужден и принял незаслуженное страдание. А между тем на вопрос Софьи Марковны, за что судили Старика, Мастаков объясняет: «За насилие над несовершеннолетней». Вот так! Насильник-педофил считает, что он вправе требовать правосудия для человека, чья вина в убийстве более чем сомнительна и ничем не доказана. Интересно, каким образом Горькому удалось предвидеть, что спустя несколько десятилетий на нашу страну обрушится любитель юных дев Берия вместе с репрессиями, доносами, арестами и лагерями «без права переписки»? У него было невероятное чутье? Или он точно уловил одну из составляющих русского национального характера, которая всегда проявится в той или иной форме, независимо от строя и режима? Нет-нет-нет, об этом ни слова, ни слова...

И еще одна реплика Старика будоражит во мне ненужные и опасные ассоциации: «Ты — года гнездо каменное строил себе, а я — в один день все твое строение нарушил!.. Кто сильнее — ты, богач, аль я — бездомный бродяга, кто?» До основанья, а затем... Но — молчание.

Мастаков честно рассказывает Харитонову о своей проблеме со Стариком, надеясь на дружескую поддержку. Софье Марковне он тоже говорит все без утайки и сразу. Но проблема не решается, да и не может решиться, и Мастаков совершает самоубийство. Софья готова помогать любимому, она собирается завтра с утра ехать в город к знакомому прокурору, чтобы хлопотать о Мастакове, просить... Харитонов никакой помощи не предлагает, более того, на вопросы Мастакова: «Можно меня простить? Веришь ты в невиновность мою?» отвечает: «Если бы я решал... Простить... я же ничего не знаю, не понимаю! И, главное, не я тут решаю, а множество людей! Газеты, знаешь... Ежели одному простить — все взвоют: а мы? Вот в чем дело! ...Все заорут: и нас простите... Тогда такая юрунда начнется...» Истинное лицо истинного друга.

Старик и Мастаков поселились в моей душе и разговаривают, без конца разговаривают, и я порой перестаю понимать, кто из них прав. Сегодня мне кажется, что один, завтра — что другой, послезавтра... Я запутался, измучился, эта пьеса придавила меня каменной глыбой. «Христос за чужие грехи отстрадал, а ты за свой — не всхотел...» — «Я жил доброй жизнью в эти годы...» — «Ишь ты что! Нет, Гусев, это не годится! Эдак-то всякий бы наделал мерзостей земных да в добрую жизнь и спрятался. Это — не закон! А кто страдать будет, а? Сам Исус Христос страдал, древний закон нарушив. Закон был — око за око, а Христос повелел платить добром за зло... А чего мне надо — сам догадайся. Ведь я одинаковых костей с тобою, однако я двенадцать лет муки мученской честно-смиренно отстрадал, а ты — отрекся закона...»

Узнав о том, что Мастаков застрелился, Старик называет его глупым, хитрым и трусливым. Каждый раз, когда я читаю эти строки, мне кажется, что Старик разговаривает со мной. Или не Старик, а сам Горький? Или еще кто-то, умный и могущественный? Впрочем, Старика вряд ли можно назвать умным и могущественным. Если в первых сценах он появляется горделивым

носителем высшей правды, то в самом конце он — всего
лишь испуганный суетливый старикашка, понявший,
что его план оказался ущербным и не сработал, и теперь
нужно уносить ноги подальше отсюда. «Уходить надо,
изобьют! В город надо. Там — не найдут». И подгоняет
замешкавшуюся Девицу: «Живее ты!» И через несколько
реплик: «Там дыра есть в заборе, мы с тобой в дыру...»
Вот так. Входил королем и высшим судией и постыдно,
трусливо смывается через дыру в заборе. Означает ли
эта аллегория, что идея любой кары, любого возмездия
изначально обречена на провал? Хотел ли Горький
сказать этой пьесой, что один человек не может судить
и осуждать других людей? Я не знаю. Читая «Старика»,
я перестаю понимать жизнь, которой живу. Жизнь,
которой живем мы все.

Когда-нибудь я сойду с ума от этих двоих, напьюсь до
беспамятства и... Что? Как Мастаков? Как Фома Гордеев?
Как Суслов из «Дачников»? Любви последней не получилось... Кто я? Что я? Где я, на каком я свете? Услышу ли
я когда-нибудь такие же слова, какие говорит Мастакову
Софья Марковна в конце второго действия? Нет, не услышу, потому что нет рядом со мной такого человека.
Скучно, тошно... Любимые слова Горького. И мои.

Вот еще вспомнил: Таня странно напоминает мне
Фому Гордеева, Власа, Ольгу Алексеевну, Людмилу
и даже Юлию Филипповну... Наверное, я схожу с ума.
Или уже сошел...

\* \* \*

На скане видно, что рукописный текст закончился
в верхней четверти тетрадной страницы, а все свободное пространство на этой странице занято теми
самыми рисунками: четыре поясных наброска военных

в старинных мундирах и многочисленные маленькие фигурки солдатиков.

Сегодняшнее обсуждение меня порадовало. Особенно доволен остался я выступлением Артема, который при разборе «Дачников» был немногословен и рассеян, и мне показалось, что наша затея ему изрядно прискучила. Оказалось, я не ошибся: в тот же день ближе к вечеру Назар сказал, что Артем искал Юру, чтобы попросить купить ему билет на самолет. Я огорчился, но до конца дня никакой новой информации не поступило, а вчера утром Артем как ни в чем не бывало явился на «комсомольское собрание», и я понял, что паренек изменил свое решение.

Ближе всех к Володе Лагутину оказался сегодня Сергей, подробно рассказывавший о шантаже. Парень был, вне всяких сомнений, в очень плохом настроении, говорил зло и яростно, но при этом продуманно и четко. Наверное, на личном фронте нелады, а может быть, поссорился с кем-то из ребят или со своим куратором Гримо. Хотя как можно поссориться с Гримо — я представить не сумел, как ни старался. Вот если бы мне сказали, что кто-то поссорился с Полиной, я бы не удивился, но Виссарион... Да он само добродушие и покладистость!

Марина, как обычно, рассуждала о романтических перипетиях; на этот раз ее заинтересовал любовный треугольник «Мастаков — Софья Марковна — Павел, пасынок Мастакова», хотя когда дошло до обсуждения «Записок» и до вопроса Володи о том, кем является Девица для Старика, Марина тоже включилась активно и с удовольствием. Ну и, конечно же, наша Марина, желая, по-видимому, произвести хорошее впечатление, горячо спорила с высказываниями Девицы о том, что «все добры по нужде, а по своей воле — звери» и что «все хороши, когда просят». Досталось по этому поводу и Старику, наставляющему Девицу: «Ласкам ихним не верь. Всяк милостив будет, коли его за горло взять». Одним словом, сегодня эта хорошенькая юная девочка изо всех сил старалась доказать, что верит в доброе начало в людях, в их благородство и ум. За все дни квеста такое проявилось с ее стороны впервые.

Смешной очкарик Тимур со своей постоянной радостной улыбкой на лице говорил о Захаровне; эта старая служанка показалась ему самым ярким персонажем во всей пьесе. Сергей тоже обратил на нее внимание:

— За мягким говорком, улыбочками и прибаутками скрывается человек, готовый пойти на убийство. И ведь для всех это оказалось полной неожиданностью, никто даже предположить не мог, что эта бабка имеет второе лицо.

Евдокия сделала акцент на проблеме прошлого и на возможности исправлять ошибки, говорила об этом подробно, остановилась на противоположных позициях Мастакова и Харитонова. Если Мастаков считает, что «прошлое не должно касаться нас», то его друг утверждает: «Наше прошлое — не деготь на воротах, его не выскоблишь...»

Наташа, в отличие от других участников, остановилась на Тане, падчерице Мастакова. Когда она начала говорить, я был уверен, что речь пойдет об ухаживаниях Якова и об открытом стремлении Харитонова женить на девушке своего беспутного племянника. Мне казалось, что ее внимание обязательно окажется привлечено циничными высказываниями Якова, пропагандирующего законный брак как дверь, открывающую путь к безудержному распутству: «Теперь вы девица и стеснены в симпатиях ваших... А будете дамой — оцените свою свободу, — вон как Софья Марковна живет! У нее роман за романом».

Однако эту реплику отметила как раз Марина, а Наташа отметила совсем другое: Таня мается от скуки, но даже это не заставляет ее принять ухаживания Якова.

— Таня говорит: «Мне иногда так скучно бывает, что даже несчастия хочется». А чуть позже брат ей замечает: «Ведь ты не живешь, а дремлешь».

Она вдруг остановилась, словно растерялась, и умолкла.

— Чем вам понравились эти моменты? — спросил Вилен, делая пометку в тексте пьесы.

— Ничем... Они мне не понравились... Я не знаю... Вы же просили отмечать, если что-то зацепит. Вот это меня зацепило, а почему — не знаю, — тихо ответила девушка.

Снова помолчала и вдруг заговорила более уверенно:

— Я только сейчас обратила внимание, что здесь Таня скучает, а в «Мещанах» тоже Татьяна, тоже дочка хозяина дома и тоже скучает. Это случайно так получилось? Или для Горького скучающая Таня означает что-то важное?

Все дружно уставились на Галию, но ответа у нее не было.

— Горький часто использовал одни и те же имена и фамилии в разных произведениях, но причина мне неизвестна. Например, тот же Мастаков имеется не только в «Старике», но и в «Чудаках». Богомолов, Сомов — эти фамилии тоже использованы как минимум дважды, можно еще примеры поискать.

— Наверное, у него с фантазией было плохо, — весело предположил хипстер-очкарик.

— Зато у тебя хорошо, — сердито откликнулся Сергей. — Раз ты такой умный, давай-ка расскажи, что означает последняя фраза в «Записках».

*«Таня странно напоминает мне Фому Гордеева, Власа, Ольгу Алексеевну, Людмилу и даже Юлию Филипповну...»*

Участники зашелестели переворачиваемыми листами распечаток. Я замер. Этот вопрос казался и мне, и Вилену необычайно важным, но я планировал задать его значительно позже, после того как мы отработаем «Фому Гордеева» и первый вариант «Вассы». Влас, Юлия и Ольга Алексеевна — персонажи «Дачников», мы о них говорили только позавчера, и, по идее, в памяти ребят все должно быть еще свежо. Но, наверное, без Фомы и Людмилы картина получается неполной.

— На сегодня умных больше нет, — спокойно заключил Артем минут через пять, когда стало понятно, что интерпретировать последнюю фразу Лагутина о «Старике» не смог никто.

Ну что ж, сегодня герои дня — Сергей и Наташа, им Вилен уделит особое внимание, когда будет проводить свое ежедневное тестирование.

* * *

Сергей, как и все, листал толстый том с пьесами Горького в поисках реплик Юлии Филипповны из «Дачников», и вдруг глаза его выхватили строки, которые прошли полностью мимо его сознания, когда он читал в первый раз. Это был диалог Власа и Калерии из тех же «Дачников». «Твердо стоять на ногах — это значит стоять по колени в грязи», — утверждает Калерия, сестра адвоката Басова, молодая поэтесса. Влас пытается ее поддеть: «А вы бы желали утвердиться на воздухе? Вам бы только чистоту шлейфа и души сохранить? Но кому, зачем нужны вы, чистенькие, холодненькие?» — «Я себе нужна!» — уверенно отвечает Калерия. «Заблуждение! — говорит ей Влас. — И себе вы не нужны...»

На какое-то время Сергей отключился и утратил нить общего обсуждения. Его словно парализовало на несколько секунд. Это же о нем написано! Это слова, обращенные к нему, Сергею Гребеневу. Он хотел сохранить себя в чистоте и не совершать сомнительных поступков? Заботился о шлейфе, надеялся утвердиться на воздухе? Остаться чистеньким, но при этом стать холодненьким? А нужен ли он себе, такой холодненький, стерильненький, воздушненький? И вообще, нужен ли он хоть кому-нибудь? Конечно, осознавать собственную чистоту приятно, никто не спорит, но если он хочет твердо стоять на ногах, то придется смириться с тем, что стоять придется в грязи.

С трудом дождавшись конца обсуждения, Сергей кинулся к себе на третий этаж. Гримо расхаживал по квартире с раскрытой книгой в руках и вслух декламировал:

— «Ты думаешь, молчание — ложь?» — «А что же? Конечно — ложь».

Увидев Сергея, он остановился, опустил книгу.

— Ну как, внучок? Обглодали косточки «Старику»? А я, видишь, готовлюсь, Ричард сказал, что следующая пьеса у вас будет «Последние», так я решил разок для себя вслух прочесть, вроде как прогон устроил. Ирочку уже позвал, она готова. Полине предлагал, но она почему-то отказалась, а жаль, на три голоса красивее вышло бы. Или вы больше не хотите домашний театр? Не понравилось?

— Очень понравилось, очень, — торопливо проговорил Сергей. — Вы извините, мне нужно срочно позвонить.

— Кому, позволь полюбопытствовать?

— Бабушке. Матери отчима.

— А-а, — протянул Гримо, — ну звони-звони, не буду мешать.

«Молчание — ложь, — твердил себе Сергей, роясь в карманах брюк, которые носил в первые дни, в поисках бумажки с номерами телефонов. — Молчание — ложь, возможно, даже худшая ложь, более трусливая и мерзкая, чем ложь вербализованная. Весь мир сговорился против меня, из каждой щели на меня сыплются намеки и упреки, в каждом услышанном слове, в каждой прочитанной фразе я слышу обвинения в трусости и слабости... А может, у Владимира Лагутина было точно так же, когда он писал свои "Записки"?»

Бумажка, наконец, нашлась. «Только бы она не уехала на дачу, только бы никуда не ушла... Черт, как люди жили без мобильников? А если что-то действительно срочное? Как человека искать, чтобы поговорить? Где его искать?»

Но бабушка, на его счастье, оказалась дома.

— Я смотрю, ты с матерью и сестрой окончательно горшки побил, — заметила бабушка. — Даже не звонишь им. Гена беспокоится. Или ты с ним тоже разгавкался?

— Ба, выслушай меня, — начал Сергей решительно.

Что-что, а слушать бабушка умела. Говорил Сергей долго и удивлялся, что стыд за мать и Олеську, который сжигал и съедал его изнутри так долго, почему-то совсем не мешал рассказывать и даже почти не ощущался.

— Я считаю, что нужно обзвонить всех друзей Гены и предупредить их. И друзей, и коллег, в общем, всех. Может, даже соседей по дому. Пусть все знают, что если пойдут слухи и разговоры, то это вранье матери, — закончил он излагать свой план.

Бабушка молчала, но Сергей слышал ее неровное дыхание.

— Вот, стало быть, в чем фишка, — произнесла она наконец. — Понятно. А я-то все в толк не могла взять, как это из моего умного и справедливого мальчика получилось такое чудовище. А мне не сказал ничего... Выходит, боялся, что я поверю не ему, а твоей матери. Жаль, что мой сын такого низкого мнения обо мне. Впрочем, что ж, ночная кукушка всегда дневную перекукует, это старая истина.

— Я приеду. Возьму билет на завтра и вернусь. Сразу к тебе...

— Зачем, Сереженька? Я все поняла и отлично справлюсь сама.

— Но ты сделаешь так, как я сказал? Позвонишь всем, предупредишь?

— Я подумаю.

— О чем думать, ба? Моя мать и моя сестра шантажируют твоего сына, они готовы в тюрьму его отправить, чтобы заставить обобрать тебя. Ты сама говорила, что всё, что у тебя есть, это память о годах, прожитых с дедом, и ты готова допустить, чтобы эти вещи, эта память, все это досталось человеку, который может так поступить? Ты этого хочешь?

— Конечно, этого я не хочу. Но ты не должен ввязываться. Я сама все сделаю. И не таким способом, как ты предлагаешь, а другим.

— Каким? Что можно еще придумать? Я не вижу вариантов.

— Это потому, что ты финансист, Сереженька, а я физик-ядерщик и, между прочим, доктор наук, — усмехнулась бабушка. — У нас с тобой мышление разное. Не забывай, что я — далеко не первая супруга твоего деда, так что ресурс у меня неплохой.

— Что ты задумала?

— Пока не скажу. Узнаешь позже, когда я все продумаю и со всеми переговорю. Продиктуй-ка мне номер своего телефона на всякий случай. И не пропадай, сам звони. Гене скажу, что ты в порядке. Сереженька...

— Да?

— Как же ты, мальчик?

Если до этого голос бабушки был деловым и почти металлическим, то теперь сделался теплым и заботливым.

— Ведь это твоя мама. И твоя сестра. Они тебе родные, кровные, а я — по сути, чужая. Я бы поняла, если бы ты их защищал. Но ты решил защищать меня.

— Ты не чужая, — возразил Сергей, — Гена меня усыновил, я ношу его фамилию, все эти десять лет он был мне настоящим отцом, а ты — настоящей бабушкой. И деда я очень любил, ты же знаешь.

— Знаю, мальчик мой, знаю. Но ведь и маму ты любил. И Олесю. Ты сделал очень трудный выбор, Сереженька, и я понимаю, как тебе больно. Поэтому и спрашиваю: как ты?

— Ну а как тут выбирать, ба?! — Он и сам не заметил, что повысил голос. — Как? Смотреть, как родной по крови человек совершает подлость по отношению к тому, кто по крови не родной? Смотреть, молчать и терпеть? Вас этому советская власть научила, что ли?

Бабушка выдержала паузу.

— Вон как ты заговорил... Любопытная у вас там затея. Жаль, что вступительные экзамены на носу, а я председатель приемной комиссии, иначе приехала бы посмотреть и послушать, чему вас там учат. А теперь послушай меня, мальчик. Ты — консультант по инвестициям, и твой привычный способ мышления — выбирать между хорошим и лучшим. Куда выгоднее вложить, где меньше рисков, где больше прибыль. А сейчас тебе пришлось выбирать между плохим и очень плохим. Отдать на растерзание меня, а то и Гену, или предать мать и сестру. Ни в одном из этих выборов ты не выигрываешь, и любой из них дается тебе с кровью и грязью. Я ценю это, поверь. Понимаю и ценю. Спасибо тебе, я сделаю все, что нужно, до истечения шести месяцев время еще есть, я все успею. Если тебе нужна моя поддержка...

— Ничего, ба, я сам учусь стоять на ногах.

— То есть?

— Да это Горький написал: «Твердо стоять на ногах — это значит стоять по колени в грязи». Я-то все пытался стоять на чистом асфальте или на свежей травке, ну на крайняк на паркете, думал, что получится. Но не получилось, пришлось смириться с тем, что под ногами грязи по колено. И насчет поддержки он тоже классно сказал, что умение жить — это умение жить без помощи и поддержки. Так что учусь теперь.

Сергей вдруг понял, что улыбается.

— Горький? — удивилась бабушка. — А ты что же, помнишь Горького еще со школьных времен? Вот не ожидала! Мне казалось, ты литературу вообще не жаловал. Я и сама не помню уже, где он это сказал.

— В «Дачниках». Мы это в школе не проходили.

— Неужели сам прочитал? С чего бы вдруг? Ты ведь до чтения не охотник.

— Здесь заставили.

— Очень любопытная у вас там затея... — задумчиво повторила бабушка. — И кому ж такое в голову пришло?

— Ба, не поверишь: американскому переводчику.

— А-а, ну тогда все ясно. Мультилингвы — они такие.

— Ты о чем? — озадаченно спросил Сергей.

— У профессиональных переводчиков, свободно владеющих несколькими языками, формируется совершенно особое мышление, потому что строй и фонетика каждого языка по-своему влияют на процессы, происходящие в мозге.

— Это верно, — усмехнулся он, — Уайли действительно производит впечатление странноватого старичка.

— Кто?! Как ты сказал?

— Ричард Уайли, переводчик этот, организатор нашего квеста.

Бабушка расхохоталась, басовито и тяжело.

— Миллионер, живущий в Голландии?

— Ну да, — растерялся Сергей. — А откуда ты...

— Сереженька, Дик Уайли — самый крутой переводчик с русского на английский материалов по физике, уж поверь мне, он переводил две монографии твоего деда и даже один мой доклад на симпозиуме в Сингапуре. Подумать только, как тесен мир...

Сергей повеселел.

— Так что, можно передать привет от тебя?

— Конечно, можно, но вряд ли он меня вспомнит. Он столько этих докладов перевел... Деда, может быть, и вспомнит, хотя лет двадцать уже прошло, но все-таки монография — это серьезно, тем более не одна, а две, а меня забыл давным-давно.

Когда Сергей вернулся в комнату, где актер продолжал свой «прогон», Виссарион оживленно заговорил об авторских ремарках и о том, нужно ли строго их соблюдать или можно позволять себе некоторые вольности. Сергей, все еще погруженный в отголоски разговора с бабушкой, сперва даже ничего не понял.

— Вот тебе пример. — Гримо раскрыл заложенную пальцем книгу. — Разговаривают муж и жена. Муж спрашивает: «Послушай, Соня, разве я злой человек?» Жена отвечает: «Не знаю...» Муж: «Прожив со мною двадцать семь лет?» А перед этими словами стоит ремарка «усмехаясь».

Надо же! Он-то, Сергей, полагал, что его ситуация уникальна и только он один на всем белом свете такой лопух, что не сумел за двадцать пять лет разглядеть собственную мать, а оказывается, об этом даже книги писали.

— И что? — осторожно спросил он.

— А то, что ему, мужу этому, кажется смешным и нелепым, что можно прожить с человеком двадцать семь лет и не понять, злой он или нет. Из этого следует вывод — какой?

— И какой же?

— Он считает свою жену глупой. Так оно и есть, конечно, исходя из всего текста пьесы. Он постоянно шпыняет жену, упрекает в том, что она плохо воспитала детей, не обращает внимания на ее жалобы, одним словом, всячески дает ей понять, что она ничтожество и полная дура и ни на что не годится. А вот если не обращать внимания на ремарку «усмехаясь», то эти слова можно произнести, скажем, с горечью, и тогда в образе мужа добавятся новые краски. Ну как же так, жена прожила со мной под одной крышей целых двадцать семь лет, мы вместе вырастили пятерых детей, а она до такой степени не обращала на меня внимания, до такой степени безразлична ко мне, что даже не потрудилась за четверть века составить хотя бы минимальное представление обо мне и моем характере. Понимаешь разницу?

Сергею стало интересно. А в самом деле, он ведь никогда не обращал внимания на эти ремарки, написанные курсивом и в скобках. Неужели всего одно короткое слово может повлечь за собой столько смыслов?

— А как еще можно сказать?

— Да как угодно! Можно — весело, и тогда получится, что муж вообще не придает большого значения ни своему вопросу, ни ответу жены, воспринимает все как шутку, легкую болтовню. Можно сказать с выраженной злостью, и у нас будет муж, который бесится от того, что утрачивает контроль над близкими и над всей жизнью семьи. Он-то думал, что он тут царь и бог и все ему в рот смотрят и в попу дуют, а его, оказывается, и не замечают, и даже не пытаются понять, какой он человек. Да масса вариантов!

— А как вы будете сегодня читать? Вы уже решили?

— Ну и вопросы у тебя, внучок, — рассмеялся Гримо. — Наша задача — донести до вас текст Горького, как он написан, поэтому читать мы с Ирочкой будем строго по авторским ремаркам. Хотя была бы моя воля да времени чуток побольше, мы бы вам такой спектакль забабахали! Горький собственную пьесу не узнал бы, наверное. Ты с бабушкой-то поговорил? Дома все в порядке?

— Да, — рассеянно ответил Сергей, — все нормально. Прикиньте, моя бабушка, оказывается, знакома с Ричардом. И мой покойный дед его знал.

— Ого! — воскликнул Гримо, почему-то обрадовавшись. — Так ты у нас теперь блатной, получается? Будешь пользоваться знакомством?

— Да ну вас, скажете тоже... Бабушка уверена, что Ричард ее даже и не помнит.

— А кто у нас бабушка? — живо поинтересовался Гримо.

— Физик-ядерщик. Ричард несколько лет назад переводил ее доклад на симпозиуме в Сингапуре.

— Предупреждать надо!

— О чем?

Гримо посмотрел на него не то осуждающе, не то с сожалением.

— Молодежь... Киноклассику надо знать! Охтиньки-мамоньки, и что из вас вырастет? Ну ладно, книг вы не читаете и про драматурга Евгения Шварца не слыхали, но хотя бы кино смотрите!

— Да какое кино-то? — раздраженно спросил Сергей.

Вот уже второй человек за последние полчаса с упреком и даже как будто насмешкой говорит о том, что он сам и его ровесники не читают книг. И чего эти старики так прицепились к книгам? Можно подумать, в них вся мудрость жизни. Все, что нужно, можно за три минуты выяснить при помощи интернета, а не тратить часы и целые дни на тупое чтение словесного поноса, вылавливая крупицы полезного знания.

— «Обыкновенное чудо», как раз в конце семидесятых сняли, так что диск у кого-нибудь наверняка есть, — пояснил Гримо. — Ладно, внучок, иди, не отвлекай дедушку, дедушке работать нужно.

Хлопнула дверь соседней квартиры, где обитали Артем и его куратор психолог Вилен. «Блин, мы же с Артемом после занятий всегда вместе идем на перекур, — с тревожной досадой подумал Сергей, — а сегодня я сорвался как угорелый, бросил его, даже не предупредил». Он выскочил на лестницу и на площадке между этажами увидел закуривающего Артема.

— Ты куда сбежал-то? — спросил тот. — Что-то случилось?

— Надо было срочно позвонить.

— А-а... А я сейчас к Галине на лекцию пойду.

Сергей спустился к нему, встал рядом, достал сигареты.

— Все говорят, что ты хорошо чувствуешь слово, — начал он нерешительно.

— Ну?

— «Чистенький и холодненький». Что в голову приходит?

— Лягушка, — мгновенно отреагировал Артем. — Она, как известно, холоднокровная, а поскольку много времени находится в воде, то стопудово чистая. Болото, конечно, это не речная проточная вода, но все равно грязь отмывается. А зачем тебе?

Сергей пожал плечами. Объяснять не хотелось.

— Да так, вспомнил из «Дачников»... Ты на чтение придешь сегодня после ужина? Там Гримо и Ира уже готовятся.

— Обязательно. Кстати, давай зайдем ко мне, стулья возьмем, а то не хватит.

— В прошлый раз хватило.

— Сегодня народу будет больше, Марина сказала, что придет, и вроде даже доктор наш заинтересовался, и Юра говорил, что хотел бы послушать. Так что три стула надо добавить на всякий случай.

— Ладно, не вопрос. Гримо порадуется, он любит публику.

Значит, лягушка... Малоприятно. Но это, увы, правда. Он, Сергей Гребенев, пытался жить лягушкой и не париться. Не получилось. Что ж, будем учиться жить иначе, как все. В грязи по колено.

* * *

В «Записках молодого учителя» по поводу пьесы «Последние» Владимир Лагутин высказался кратко и определенно: «прозорливые зарисовки сегодняшнего дня». Текст был длинным и довольно путаным, Володя перескакивал с одного на другое, то и дело возвращаясь к оборванным ранее мыслям. Больше всего его интересовали вопросы взяток, о которых в пьесе постоянно идет речь («без взяток не работает машина нашей жизни»), а также тематика освобождения от уголовной ответственности в связи с болезнью. Иван Коломийцев, глава семьи, негодует, что человека, осмелившегося стрелять в него, выпускают из тюрьмы, потому что он заболел нервным расстройством: «Убийцам — мирволят, потому что у них, видите ли, слабые нервы! И называют это — конституцией! Как жить, спрашиваю я вас, как жить?» И уже в следующем действии все тот же Иван Коломийцев в разговоре со своим зятем просит его оказать услугу одному знакомому купцу: «У него в тюрьме племянник, за какие-то брошюры, знакомства... Нужно дать этому племяннику свидетельство о болезни, чтобы его выпустили... Я его знаю, славный парень!» После чего следовали пространные рассуждения о двойных стандартах, существующих в советском обществе, и о лицемерной морали, которую проповедуют Лагутины-старшие и все их окружение. Особое внимание внутри этих рассуждений Владимир уделил реплике Якова, родного брата Ивана Коломийцева: «Всё против человека в нашем обществе, вот что я хотел сказать! Невозможно быть самим собой...»

Старший сын Ивана и Софьи Коломийцевых, Александр, которого пристраивают на работу в полицию, ибо его низкие моральные качества востребованы только на этой службе, больше он ни к чему не способен, требует у матери денег на то, чтобы «угостить товарищей, отпраздновать свое вступление в их среду», а когда Софья отказывает и говорит, что денег нет, сын настаивает: «Но вы должны понять, что не могу же я брать взятки с первых дней службы!.. Вы обязаны избавить меня от этой необходимости, а не толкать к ней...» Этот изысканный аргумент побудил автора «Записок» снова вернуться к теме повального взяточничества в России как до революции, так и после нее, а потом углубиться в обсуждение обычая «проставляться» при поступлении на работу, при увольнении, при уходе в отпуск и по возвращении из него, при получении премии, новой должности и по всяким другим поводам, не говоря уж о дне рождения.

Третьим пунктом, на котором остановился Володя, был, как и в случае с пьесой «Старик», шантаж. Однако если в «Старике» ситуации шантажа была посвящена вся пьеса целиком и это оправдывало повышенное внимание Владимира к данной теме, то в «Последних» шантаж выражен всего в одной фразе: «Или ты сознаешься в своей ошибке, или я расскажу о тебе Петру и Вере», — говорит Софья своему мужу. Ошибка, конечно, серьезная: став жертвой нападения, Иван на следствии опознал того, кто стрелял в него. Якобы опознал. На самом деле он не разглядел стрелявшего и не запомнил его, но указал на молодого человека, которого привели для опознания просто потому, что «должен же кто-нибудь быть наказан», и теперь этому человеку грозят суд и каторга. Владимир длинно и не очень логично пытался доказать, что в данном случае угроза для Ивана ничтожна, ведь он не считается с мнением своих детей, не видит в них личностей, достойных уважения, поэтому совершенно не должен бояться, что жена расскажет о его ошибке Петру и Вере, то есть даже не старшим детям, а самым младшим. Разве такой тип, как Иван Коломийцев, станет считаться с младшими детьми, которым далеко до совершеннолетия?

Вообще из всех персонажей пьесы Володю Лагутина больше всего интересовал именно Иван, и даже не он сам, а отношение к нему членов семьи. Самому подробному обсуждению подверглись взгляды шестнадцатилетней Веры, которая полагает, что раз отец командует людьми, выполняет функцию начальника на своей службе, то он по определению не может быть ни плохим человеком, ни слабым, ни глупым, а также речь Петра: «Разве дети для того, чтобы стыдиться своих отцов? Разве они для того, чтобы оправдывать и защищать все, что сделано их родителями? Мы хотим знать, что вы делаете, мы хотим понимать это, на нас ложатся ваши ошибки!» Пожалуй, именно эта часть «Записок» наиболее ярко показывает, как трудно было Владимиру смириться с родителями и насколько невозможно для него было соглашаться с ними. «Мой отец, — писал он, — руководит огромным числом людей, и это лишает меня права считать его глупым и недалеким человеком. Но если он умен и порядочен, то как может он не видеть того, что происходит на самом деле? А если он все видит и понимает, то почему, почему требует, чтобы я оправдывал и защищал это мракобесие? Почему молчит сам и требует того же от своих детей?»

Интересно, как в семье Ульяны Кречетовой и Николая и Зинаиды Лагутиных мог появиться такой мальчик, как Володя? Ульяна Макаровна, ее дочь и зять — образцы идеальной адаптации к существующим условиям, люди, полностью принявшие правила игры и обернувшие эти правила к собственной пользе. Они всем довольны, их все устраивает. Почему же Владимир не перенял у них эту способность? Почему не сумел приспособиться и гармонично влиться в общую массу? Может быть, дело в Оливере Линтоне, за которого вышла замуж Мардж Уайли, в его нежелании мириться с социальной несправедливостью? Сын Оливера и Мардж, Майкл Линтон, тоже не принял правил игры американского среднего класса и рванул в далекую неизвестную страну помогать налаживать новую жизнь, другую, отличную от той, которая была бы уготована ему на родине. И как знать, чего больше было в этом поступке: истинной жажды социальной справедливости или того самого желания вырваться, все равно куда, но вырваться. Уж не эту ли черту унаследовал Володя от своих предков — прадеда и деда? Уж не эта ли особенность вела его по жизни, несмотря на все титанические усилия, которые прикладывали Зина и ее муж к тому, чтобы сформировать из сына хорошо адаптированного советского человека? Если так, то, пожалуй, затея Джонатана Уайли действительно не лишена смысла.

По мере написания Записок о «Последних» Владимир, что очевидно, пьянел все больше и больше и под конец окончательно ушел от текста пьесы и переключился на тему «дороги, которые мы выбираем». Он даже забыл о своей выдуманной роли Учителя и обошел полным молчанием возможности разговора с учениками о поднятых в пьесе проблемах.

Мои молодые помощники и в этот раз почти ни в чем с Володей не совпали. Самый жгучий интерес вызвал вопрос об отцовстве: от кого же Софья родила дочь Любу, от мужа или от его брата Якова? Иван подозревает, что дочь может быть не его, причем подозревает это давно, с самого рождения Любы, и подозрений своих от жены не скрывает. Яков вроде бы тоже знает, что вполне может быть отцом девушки. А вот Софья... Знает ли она точно, от кого из двоих была беременна? И как эта двусмысленная ситуация отразилась на отношении к Любе и на атмосфере в семье в целом?

На вопрос о взятках обратил внимание только Тимур, но в совершенно ином контексте. Его, выросшего во времена тотального взяточничества, ничуть не покоробили слова Леща, мужа старшей дочери супругов Коломийцевых: «Александр может получить должность помощника пристава, но это будет стоить пятьсот рублей», зато изрядно позабавила история с получением этих денег от Якова и частичным их присвоением. Яков, брат Ивана, состоятельный человек, он дает деньги на взятку для трудоустройства племянника, и уже через секунду мизансцена меняется, и выясняется, что из этих пятисот рублей на собственно взятку чиновнику пойдет всего триста, а двести Лещ и его жена оставляют себе.

— Эта парочка развела дядю, как лоха последнего, — оживленно говорил Тимур. — Причем ладно бы еще, если бы это Лещ придумал. Но придумала-то Надежда, она же дочь Ивана, родная племянница Якова! Она прямо так и говорит: «Купишь мне крест из гранат, помнишь, ты обещал? Ты должен подарить мне этот крест, ведь план — мой!» Вот не понимаю, кем вообще надо быть, чтобы так разводить близкую родню. А вообще вся семейка постоянно доит дядю Якова, и мне непонятно, какого черта он это терпит. Послал бы их всех подальше и денег бы не давал.

— Как у тебя все просто, — ответила Евдокия. — Он немолодой, очень больной, и он всю жизнь любил Софью. Ну как он их пошлет? Ему важно жить рядом с ними, в семье, около женщины, которую он любит, около Любы, которая, возможно, его родная дочь. Нет, почему Яков все это терпел, мне более или менее понятно.

— Да там все терпят, так или иначе, — добавил Сергей. — И Софья терпит мужа, сцепив зубы. Помните, как она рассказывает про карточные игры Ивана, про бесчисленных любовниц, про то, что он развратил старшего сына, приучив его к безделью, игре и пьянству, про то, что Иван, будучи пьяным, уронил маленькую Любу и она осталась горбатой... А потом спрашивает: «А почему я не умела помешать этому? Как я могла допустить?»

Мне показалось, что при этих словах голос у Сергея не то дрогнул, не то зазвенел.

Марина снова говорила о своем. В этот раз ее внимание привлекла Надежда, старшая дочь Коломийцева, та самая, которая подбила своего муженька Леща на, как выразился бородатый Тимур, «развод лоха». Марину зацепили две реплики Надежды, одна — о том, что, имея красивое тело, скучать не приходится, вторая же о том, что муж — все равно кто — нужен только для того, чтобы иметь любовников. То же самое Горький устами Харитонова говорил и в «Старике», и это дало Марине возможность развернуть слабо и неумело аргументированную, но весьма пламенную речь, суть которой вкратце сводилась к следующему: мужчины часто плохо думают о женщинах, но женщины в этом сами виноваты.

Артем подробно остановился на горбунье Любе и на ее монологе «Мы лежим на дороге людей, как обломки какого-то старого, тяжелого здания, может быть — тюрьмы...» Ну, разумеется, разве он мог пройти мимо еще одного любимого образа и слова! Скука, тоска, теперь вот и разруха с обломками обрисовалась.

Наташа тоже много говорила о Любе, но сильнее всего ее задели слова, сказанные вовсе не Любой, а ее младшим братом Петром, когда он объясняет матери, почему больше не пойдет к человеку, которого любил, уважал и считал очень умным: «Там — строго! Там от человека требуют такую массу разных вещей: понимания жизни, уважения к людям и прочее, а я... как пустой чемодан. Меня по ошибке взяли в дорогу, забыв наполнить необходимыми для путешествия вещами...»

— Наверное, я не права, но мне почему-то показалось, — она робко подняла на меня свои огромные синие глаза, — что это сказано обо мне и вообще обо всех нас. Мы все как пустые чемоданы, нас забыли наполнить необходимым для жизни.

— Э, Наталья, я ведь и обидеться могу, — сердито возразил Тимур. — Я не чувствую себя чемоданом, ни пустым, ни набитым. Ты, пожалуйста, не обобщай.

— Да уж, подруга, это ты хватила через край, — согласился Артем. — Такие слова точно не про меня.

Неожиданно Наташу поддержала Евдокия:

— Не будьте так уверены в себе. Мы никогда на самом деле не знаем, что у нас внутри и какое оно. Нам только кажется, что у нас есть и силы, и ум, и понимание жизни, и уважение к другим людям, а когда все это вдруг понадобится, выясняется, что ничего нет. Открываешь чемодан, а там — пусто, одна цветная обертка от жвачки болтается.

— Или не пусто, но лежит что-то совсем другое, о чем ты даже и не подозревал, — добавил Сергей. — Такое... неожиданное.

По тому, как вспыхнуло лицо Марины, я догадался, что она согласна с Сергеем. Видимо, девушка тоже открыла в себе что-то новое, чего она никак не ожидала.

* * *

С четвертого этажа на второй Дуня слетела как на крыльях. Впервые за долгие месяцы она почувствовала нечто, отдаленно похожее на прилив энергии.

— Ириша, у нас завтра свободный день! — радостно возвестила она.

— Совсем-совсем свободный?

— Не совсем, задали две пьесы прочитать, но зато занятий не будет. Как ты думаешь, вы с Гримо сможете две пьесы сыграть за один день?

— Да легко! А какие?

— «Васса Железнова». И еще одна, тоже «Васса Железнова», но в другой редакции.

— Ого! Должно получиться интересно. Виссариону уже сказали?

— Не знаю. Наверное, Сережа скажет.

Ирина тут же позвонила Виссариону Иннокентьевичу, а через несколько минут убежала к нему на третий этаж на, как она сама выразилась, творческое совещание. Оставшись одна, Дуня начала прикидывать, как можно приятно провести остаток дня, но ничего в голову не приходило. Сходить к Вилену, попросить что-нибудь почитать, например какой-нибудь старый детектив? Или посмотреть старую телепередачу? Она не спеша перебрала диски, но фильмы ее не воодушевили, вот разве что мультики... Очень хотелось поговорить с Ромкой, но время для звонка неподходящее, ему обычно удобно разговаривать по телефону только поздно вечером, почти ночью, да и то не всегда. Ира ушла. Марина — неинтересная. Наташа — славная, но Дуне почему-то показалось, что эта девушка ее избегает. Тимур — совсем мальчишка, с ним, как и с Мариной, говорить не о чем. Сергей — умный, но какой-то напряженный и враждебный. Вот разве что Артем... Но Артему гораздо интереснее со старшими, с теми, кто может дать новую информацию, он и к Галине Александровне каждый день ходит. Дуня один раз сходила на лекцию и решила, что больше не пойдет, хотя рассказывала профессор увлекательно. Может, зря она решила не посещать эти занятия? Надо же, как интересно устроена голова! Еще вчера Дуня определенно ощущала, что самое ценное для нее — возможность побыть одной, помолчать, посидеть в тишине, без напряжения и страха перед внезапным звонком или сообщением. А сегодня ей уже кажется, что она и на лекцию к Галине Александровне сходила бы с удовольствием.

Она посмотрела на часы: половина пятого. Может, и вправду, сходить? Все равно делать больше нечего, Ира занята, если идти гулять, то с кем-то другим, но никого другого, кроме Иры или, в крайнем случае, дяди Назара, Дуне не хотелось бы видеть в качестве своего спутника-куратора на прогулке. Чем же заняться? Куда себя девать?

Нет, не пойдет она на лекцию, лучше отправится в магазин, купит продукты и приготовит какой-нибудь невероятный ужин. Для Иры — диетическое, для себя — неправильное, но вкусное. И еще можно испечь ореховое печенье с изюмом и принести завтра Гримо и Ирине в виде благодарности актерам за спектакль. А что? Неплохая идея! Что нужно для печенья? Мука, яйца, сахар, грецкие орехи, изюм. Все это наверняка было в советских магазинах, ведь такое печенье ее, Дуню, научила печь мама, а маму — бабушка, та самая, которая так любила фильм «Евдокия». Значит, все это можно было купить без проблем. Правда, придется пережить ситуацию магазина, но это ничего. И потом, Ира и Полина Викторовна всегда играют по-разному, у них бывают не только злые и хамоватые продавщицы, но и молчаливые, а один раз Дуне повезло, продавщица оказалась спокойной и приветливой. Это было как раз в тот день, когда Ира в очередной раз попыталась уклониться от ужина, а Дуня решила накормить ее совершенно безвредным с точки зрения калорий зеленым салатом и побежала в «магазин». Позвали Полину Викторовну, та явилась, улыбаясь, называла Дуню «деточкой», позволила выбрать самую симпатичную зелень и даже дала несколько советов касательно малокалорийной заправки для салата с учетом имеющегося ассортимента продуктов. Может быть, сегодня тоже повезет и Полина придет изображать продавщицу в хорошем настроении. Вот если бы Ира... Но она ушла к Гримо и просидит у него, наверное, до самого вечера. Только бы в столовую ужинать с ним не отправилась, а то все Дунины старания пропадут зазря. Наверное, нужно предупредить, что она собирается готовить дома.

Выяснилось, однако, что грецкие орехи нужно покупать на рынке, в магазинах они не продавались, во всяком случае, в Москве, да и изюм тоже бывал на прилавках далеко не всегда. А поскольку рынки по вечерам не работали, то получалось, что с печеньем Дуня пролетела. Полина Викторовна сегодня надела маску холодного высокомерия, не называла Дуню «деточкой», а обращалась к ней «девушка» и на «вы».

— Девушка, выбирайте товар быстрее, не спите на ходу, вы всех задерживаете!

Пока Дуня судорожно перебирала в памяти рецепты печенья попроще, чтобы обойтись имеющимися в магазине продуктами, дверь распахнулась, и появился Артем.

— Успел! Мне сказали, что Полина Викторовна на второй этаж пошла, я так и понял, что вы здесь торгуете. Конфеток полкило насыпьте, пожалуйста.

Полина улыбнулась неожиданно приветливо.

— Каких вам, молодой человек?

— А какие есть?

— Карамель «Сказка» есть, свеженькая. Будете брать?

— Давайте!

Полина свернула кулек из толстой серой бумаги и стала насыпать в него карамельки.

— А я смотрю — дело к вечеру, а вы не идете, думаю, уж не заболел ли мой постоянный покупатель, — ласково приговаривала она. — Вы же каждый день приходите...

— Что, правда? — удивилась Дуня. — Ты каждый день продукты покупаешь?

— Конфеты, — пояснил Артем. — Я к Галине без конфет не прихожу, грызу их во время лекции, привычка такая. Ну и опыта набираюсь, каждый день с продавцами общаюсь, учусь адаптироваться.

— И как? — поинтересовалась она. — Получается?

— Вроде да. Видишь, удалось добиться, чтобы по крайней мере один продавец встречал меня как родного и не грубил. Если честно, то в первые три дня было очень страшно сюда приходить, а потом как-то пообвыкся. Иду, знаю, что с распростертыми объятиями меня здесь никто не встретит, и еще спасибо, если не наорут, но воспринимаю как данность, которую нельзя избежать. Галина говорит, что у нас тут все специально гипертрофировано, чтобы нам жизнь медом не казалась, а на самом-то деле нормальные вменяемые продавщицы довольно часто попадались. А ты чего ходить на лекции перестала? Один раз пришла — и всё. Зря. Там много интересного. Вчера, например, про товарный дефицит, спекуляцию и подпольные цеха говорили. Сегодня Галина обещала про «Березки» и «Альбатросы» рассказать.

— Березки и альбатросы? — недоумевающе повторила Дуня. — Про природу?

— Так назывались магазины, в которых торговали за валюту или валютные сертификаты, — неожиданно сказала Полина обычным голосом. — Интереснейшее было явление на нашем советском рынке.

— Ага! — Артем схватил кулек с конфетами. — Спасибо, побежал, опаздываю!

Дуня наконец определилась с набором продуктов, сложила покупки в уродливую хозяйственную сумку (Ира сказала, что их называли кошелками) и вернулась в квартиру. Перед самым выходом из магазина она вдруг остановилась и обернулась к Полине.

— Полина Викторовна, а почему вы не участвуете в чтениях? Вам неинтересно? Ира сказала, что вас приглашали, но вы отказались.

Что-то неуловимое промелькнуло в глазах актрисы, то ли насмешка, то ли сарказм.

— Не хочу провоцировать свару. Два актера легко могут между собой договориться, особенно когда такая большая разница в возрасте и опыте, как у Ирочки и Виссариона. Один автоматически становится ведущим, второй — ведомым. Если актеров больше двух, то все становится сложнее, как и в любом коллективе. А мы с Виссарионом примерно одного возраста, и профессиональный стаж у нас одинаково большой. Понимаешь, о чем я?

— Да... Кажется, понимаю, — ответила Дуня не вполне, впрочем, уверенно.

Когда-то, еще до того, как в ее жизни появился Денис, она часто ходила с Ромкой в кафе или рестораны, но не для того чтобы провести время или поесть. Совсем не для этого. Ромка называл это «практическими занятиями». Его более опытный коллега Антон Сташис учил Ромку наблюдать за поведением людей, анализировать увиденное, делать выводы, а Роман потом ходил в разные публичные места и тренировался, наблюдал, обсуждал с Дуней, если она сидела рядом. Дуне было интересно, и она училась вместе с ним, хотя в ее жизни такие умения требовались редко: коллектив на работе небольшой, новые люди почти не появляются, с клиентами Дуня не контактирует. Теперь же, оказавшись в поселке, в расселенном доме, на этом странном квесте, ей было к чему приложить свои знания, жаль только, что не хватает сил даже на то, чтобы испытывать интерес хоть к кому-нибудь. Но все равно кое-что она заметила. И сегодня во время обсуждения реплики о пустом чемодане почувствовала, что очень хочет обсудить свою мысль с Романом. Да и сейчас... Полина выдвинула вполне весомый аргумент о нежелании провоцировать напряжение между сотрудниками. Но Дуня видела, что дело не только в этом. Что-то неуловимое происходило между Полиной и Гримо. И это «что-то» вроде бы никак не мешало им играть свои роли на комсомольских собраниях, потому что роли четко прописаны, позиции обозначены, и, в конце концов, это их работа, она оплачивается. А чтение пьес находится за рамками оплаченных обязанностей.

Она неторопливо, тщательно, с удовольствием приготовила два отдельных блюда для Ирины и для себя, испекла простенькое, но очень вкусное лимонное печенье, постирала в тазике нижнее белье и блузку, критически осмотрела постельное белье и пришла к выводу, что его пора менять. Стиральной машины не было ни в одной из квартир: если малогабаритную бытовую технику, кухонную или, скажем, утюг и пылесос, Юра сумел раздобыть, то со стиральными машинами старых моделей все оказалось намного сложнее. Дуня таких машин не застала и в глаза их не видела, но вроде бы у них было два шланга, один надевался на кран, второй цеплялся на край ванны. Через первый шланг заливалась вода, через второй сливалась. Переключать режимы «стирка, полоскание, отжим, слив» приходилось вручную. Одним словом, машин таких в нужном количестве Юре найти не удалось, по крайней мере тех, которые находились бы в рабочем состоянии. Поэтому всех предупредили, что мелкая стирка — руками, а постельное белье не стираем вообще, просто меняем на чистое, комплектов Юра закупил достаточно, должно хватить на всех, даже если менять каждые три дня.

Просто удивительно, сколько домашней работы можно при желании найти в маленькой однокомнатной квартирке, где проживают две взрослые, аккуратные и вполне сознательные женщины, не мусорящие и не оставляющие после себя грязь! Здесь почистить, там протереть, это сложить, это разложить... Еще окна помыть не мешало бы... И плафоны на светильниках в комнате и, особенно, в кухне...

Время пролетело незаметно, и когда вернулась Ирина, оказалось, что уже почти девять вечера. Они поужинали, и Дуня с удивлением отметила, что ест с удовольствием и аппетитом.

— Тебе звонили несколько раз, — сообщила она. — Вот, я на бумажке все записала.

Ирина быстро просмотрела список и кивнула.

— Спасибо, Дуняшка. Сейчас всем начну перезванивать. Это надолго, так что если тебе нужно кому-то позвонить — звони сейчас, а то я телефон часа на полтора займу, если не больше.

— Ничего, я потом, — улыбнулась Дуня. — Ромка поздно приходит, сейчас его наверняка еще дома нет.

Она старательно мыла посуду и думала о том, как расскажет Ромке о своем маленьком открытии. Оказывается, все уже было. Было множество раз. Со множеством людей. Ничего нового под луной. Вот их собрали со всей страны, шесть человек, таких разных, не знакомых друг с другом, дали прочитать один и тот же текст, и все шестеро прочли его по-разному. А если учесть «Записки» Владимира Лагутина, то не шестеро, а семеро. Но это не самое интересное. Самое интересное в другом. Они прочли всего несколько произведений одного и того же автора, и оказалось, что каждое из этих произведений чем-то откликнулось в каждом из них. Каждый увидел что-то такое, что созвучно лично с ним, с его жизнью, с его ситуацией. Что это означает? Что никто из нас не уникален в полной мере. Если бы они прочли не пять произведений, а пятьсот, то наверняка нашлись бы не только отдельные схожие мысли или черты характера, а личности и судьбы целиком. То, что волнует нас сегодня, волновало людей и сто, и сто пятьдесят лет назад, и двести. Такие же поводы для страдания. Такие же поводы для радости. Такие же обиды, разочарования, восторги, конфликты... Все то же самое, только в другом технологическом антураже.

Интересно, что Ромка скажет на это? Согласится? Или будет возражать?

* * *

Когда накануне Сергей зашел к Артему за стульями, ему на глаза попался том Горького, точно такой же, какой раздали всем участникам. Книга почему-то лежала в прихожей на маленьком столике рядом с телефоном.

— Твоя? — спросил Сергей, указывая на сборник пьес. — В прихожей читаешь, как бедный родственник, которого дальше порога не пускают?

— Не моя, Вилена. Моя в комнате.

Сергей и сам не понимал, зачем взял в руки книгу и открыл. Поля были испещрены пометками «М», «А», «Т», «Е», «ЗМУ», «Н», «С». Причем пометки эти сделаны разными цветами, кое-где виднелись вопросительные и восклицательные знаки, а некоторые места отчеркнуты одинарными и двойными вертикальными линиями. «Наверное, Вилен прямо в книге размечает, кто из нас о чем говорил, — подумал он. — Ему так удобнее работать. Буквы — это наши имена, а «ЗМУ» — «Записки молодого учителя». Ну да, все правильно, я именно об этом говорил, когда обсуждали «Старика». А вот это...

Нет, этого я не говорил. Этой реплики я и не заметил...» Он открыл книгу в другом месте, ближе к концу, и там тоже обнаружил многочисленные пометки, правда, сделанные только одним цветом. А вот текст был совсем незнакомым. И имена персонажей совсем новые. Как же так? Эту пьесу еще не обсуждали, а Вилен уже расставил пометки?

— Ты чего застрял? — послышался из комнаты недовольный голос Артема. — Мне одному три стула не унести. Иди, помогай.

Сергей захлопнул книгу, чувствуя, как на него снова накатывает неуправляемая волна подозрительности. Что происходит? Почему пометки расставлены там, где их пока еще не должно быть? Неужели он был прав и весь этот квест — обман, а на самом деле здесь происходит что-то совсем другое, какой-то опасный психологический эксперимент или вообще что-то незаконное? Никому нельзя верить, никому!

Настроение испортилось мгновенно, хотя еще несколько минут назад он так радовался, что поговорил с бабушкой, все ей рассказал и бабушка не ругала его за длительное молчание, не упрекала, не поносила разными бранными словами его мать и сестру, зато сказала, что сама найдет решение и придумает, как выйти из ситуации, чтобы не пострадал Гена. Еще несколько минут назад Сергею казалось, что жизнь налаживается, а теперь он снова чувствовал себя обманутым и преданным.

Артем убежал на лекцию к Галине, Гримо по-прежнему расхаживал по квартире и что-то бубнил, глядя в книгу, то повышая голос, то понижая, добавляя то печали, то веселья. Хорошо, что у них теперь целых три комнаты, и Сергей может закрыться у себя. Конечно, не слышать — не получится, но хотя бы не видеть.

До ужина он просидел в своей комнате, а когда явился в столовую, увидел Артема и Тимура за одним столом. Артем быстро, почти не пережевывая, поглощал рыжего цвета еду, состоящую из риса с кусочками мяса, под названием «плов узбекский», Тимур же сидел рядом с ним над опустевшей тарелкой и что-то говорил, судя по всему задавал вопросы, на которые Артем отвечал односложно и с видимой неохотой. Сергей принес поднос, подсел к ним. Хоть они с Артемом и не близкие друзья, не получилось между ними той дружбы, которая виделась Сергею из далека дачного поселка, но выручать товарища надо.

— Тим, на спектакль придешь? — спросил он.

— Ну а то!

— А чего сидишь ровно? Фотик твой где? Начало через десять минут, опоздаешь — не пустим. Никто тебе дверь открывать не кинется, когда актеры начнут читать. Ты на часы-то смотреть не забывай, — строго произнес Сергей.

Тимур тут же сорвался с места.

— Посуду за собой убери! — крикнул ему вслед Сергей. — Говорят, у нищих слуг нет!

— Вот спасибо, — пробормотал Артем с набитым ртом, когда Тимур скрылся в проеме двери. — Поесть не даст спокойно этот балабол, лезет с вопросами. Чего он к нам прицепился? Пусть лучше за девчонками бегает, они у нас вон какие — одна краше другой.

Сергей тоже взял плов, хотя у Надежды Павловны была еще какая-то рыба, но очень уж невыразительно она выглядела. Поковыряв вилкой в тарелке, он спросил о том, что мучило его последние два часа:

— Не знаешь, что означают пометки на полях в книге Вилена? Я видел, пометки стоят не только на тех пьесах, которые мы уже прошли, но и на тех, которые мы еще не прорабатывали.

— Знаю, — спокойно кивнул Артем. — Вилен читает то, что не проработано, и расставляет метки в тех местах, которые, как ему кажется, каждый из нас должен будет выделить. А потом, во время обсуждений, помечает другим цветом то, о чем мы на самом деле говорим. И сравнивает, угадал или нет. Если кого-то из нас он полностью угадал, значит, его психодиагностические методики работают хорошо. Если не угадал, значит, при интерпретировании результатов тестирования нужно делать какие-то поправки. Вот эти поправки он и разрабатывает.

— То есть получается, что мы для него — подопытные кролики?

Артем поморщился.

— Ну перестань, Серега. Ты прямо параноик какой-то, нельзя так. Психодиагностика — это такая наука, которая не может быть построена на чистой теории, ей необходим эмпирический материал, и чем его больше, тем точнее получаются выводы. А как эмпирику собирать? Только на живых людях, больше никак. Чего ты сразу кидаешься во всех смертных грехах людей подозревать?

— Если Вилен, допустим, меня полностью угадал, это означает, что он видит меня насквозь? — зло ответил Сергей. — А меня кто-нибудь спросил, хочу ли я, чтобы посторонний человек видел меня насквозь? Может, я не хочу этого. Не хочу стоять голым на всеобщем обозрении.

— Не кипятись ты, — миролюбиво сказал Артем. — Во-первых, на всеобщем обозрении никто стоять не будет, потому что Вилен не собирается свои результаты обсуждать публично, он их использует только для работы. Во-вторых, он пока еще никого из нас полностью не угадал. Я у него каждый день спрашиваю.

— Я уеду, — в голосе Сергея зазвучала решимость. — Почему я должен верить тебе или Вилену? Мне это все не нравится, я чувствую, что нас обманывают, и участвовать в этом не желаю. Хрен с ними, с деньгами, перебьюсь без них, у бабки перекантуюсь на крайняк. Завтра же уеду, с меня довольно.

— Чудной ты...

Артем пожал плечами, выражая полное безразличие.

— Зачем уезжать-то? Интересно же! Никто тебя не обманывает. Никто не хочет тебе плохого, поверь мне. Между прочим, можем параллельно с Виленом то же самое делать, любопытно, что у нас получится.

— Что — то же самое?

— Да разметки эти. Будем слушать пьесу и прикидывать, кто из ребят на что отреагирует, на чем внимание остановит. А завтра сравним, угадали или нет. Молодого учителя, кстати, тоже можно попробовать спрогнозировать, мы же его записок в части этой пьесы не читали.

— Думаешь? — с сомнением спросил Сергей.

Враждебная подозрительность слегка притихла. Может, он и в самом деле погорячился с выводами?

— Ну, попробовать-то в любом случае можно. Чем плохо? Развлечение, опять же, и для развития мозгов полезно.

Всё это происходило вчера, перед тем как Гримо и Ирина прочли им пьесу «Последние». После чтения Артем и Сергей закрылись в комнате и до глубокой ночи отчаянно спорили, соотнося те или иные моменты в пьесе с характерами и образом мысли других участников и Владимира Лагутина.

Сегодня же, во время обсуждения, они то и дело переглядывались и хихикали или разочарованно вздыхали.

Затея оказалась и в самом деле увлекательной. А вот результат получился удручающим.

— Слушай, — озадаченно проговорил Сергей, когда после обсуждения они вышли на улицу на перекур, — складывается впечатление, что мы с тобой ни фига не разбираемся в людях. Мы почти ничего не угадали. Это мы с тобой такие тупые, получается?

— Не, мы не тупые, мы такие же, как все. Никто в людях не разбирается на самом деле. Даже Вилен — и тот на сто процентов не угадывает, а он все-таки профессионал в этом деле. Если бы Уайли мог сам разобраться, он бы наш квест не устраивал.

Сергей задумался, затушил докуренную сигарету.

— И все-таки... Если мы до такой степени ничего не понимаем в других людях, не видим их, не чувствуем, как же мы живем? Как мы коммуницируем? Как строим отношения? Не понимаю.

— Вот так и живем, — усмехнулся Артем. — Тычем пальцем в небо, а потом страшно удивляемся, что не попали куда надо. Думаешь, откуда все эти ссоры, конфликты между людьми, недоразумения, разочарования? Оттуда. От незнания и непонимания. Возьмем самый простой пример: наш балабол Тим. Мы с тобой вчера, когда текст размечали, оба были уверены, что он про старую Федосью будет говорить, про ее прибауточки и поговорочки.

— Ну да, — кивнул Сергей.

Он хорошо помнил, что накануне вечером, когда они прикидывали реакцию других участников на пьесу, Тимур оказался единственным, по поводу кого их мнения совпали сразу и полностью. А Тимур о Федосье вообще не упомянул, зато говорил про «развод лоха». Вот и пойми... Тимур казался им обоим таким примитивным, таким поверхностным и предсказуемым! Всегда веселый, энергичный, постоянно шутит, на уме одни только фотографии и мечты о будущих лайках, которые соберут его посты о квесте. А у него в голове, оказывается, есть много такого, что им было не видно со стороны.

— Или возьмем Наташу, — продолжал Артем. — Я думал, она про горбатую Любу будет петь, типа какая она несчастная, а ты со мной спорил и утверждал, что Наташа зациклится на Якове, который из всех персонажей самый приличный, а его все юзают в хвост и в гриву.

— Да, тут мы с тобой пролетели по полной, — согласился Сергей. — Наташа говорила про пустой чемодан.

— Ну, в этом случае я не удивлен. Наташа очень непростая девчонка, было бы странно, если бы мы ее полностью угадали. Вот Маринка — она попроще намного, но даже и с ней мы с тобой попали только один раз, на том разговоре о любовниках замужних женщин. Но хотя бы один раз-то мы попали! — Артем ободряюще хлопнул Сергея по коленке. — Значит, мы не безнадежны. Если будем продолжать тренироваться, то кое-чему научимся.

— Дуню тоже не угадали, — сокрушенно вздохнул Сергей. — Она вообще какая-то непонятная.

— Запал на нее, что ли? Хочешь замутить?

— Да нет... Были такие мысли в самом начале, это правда. Потом передумал.

— Чего так? Симпатичная девчонка. И умная.

— Не знаю. От нее холодом тянет. Как будто вокруг нее какая-то ледяная стена.

— Ага, — хмыкнул Артем, — Спящая красавица в хрустальном гробу, на цепях качается.

— Мертвая царевна, — машинально поправил его Сергей.

— Почему?

— Потому что «гроб качается хрустальный» — это у Пушкина в «Сказке о мертвой царевне и семи богатырях». А Спящая красавица — это про веретено. Царевна яблоком отравилась, а красавица веретеном укололась.

— Ну ты даешь! Ты что, Пушкина помнишь?

— Только то, что Олеське, сестре, в детстве читал. Мать работала много, ее почти никогда дома не было, сеструха полностью на мне, вот и приходилось... Сказки там всякие, стишки, детские книжки... По сто раз одно и то же читал, ей нравилось, вот и запомнил. А то, что в школе проходили, сразу забыл. Слушай, может, прошвырнемся вечером по поселку, девок снимем, развлечемся?

— И куда мы их приведем? — скептически осведомился Артем. — Ко мне? Или к тебе?

— Да, неудобняк... А может, у них хата есть?

— Может. Только тогда вопрос: куда нам своих надзирателей девать? Ты сам прикинь: мы с девицами развлекаемся, а Гримо или Вилен под окном стоят... Красота!

— А если Юру попросить? Он вроде нормальный мужик, понимающий. Мне кажется, он и сам с удовольствием закрутил бы с какой-нибудь местной красоткой, нет?

— Тогда придется и Тима с собой тащить, он же наверняка увяжется за нами. И что это получится? Тупая пьянка и групповуха во главе с завхозом? И потом, что мы можем девчонкам предложить? В бар нельзя, хорошую выпивку нельзя, в городе в клубешнике зависнуть тоже нельзя, да и выглядим мы... Кому мы тут нужны с нашими куцыми возможностями? Не мороженым же на лавочке угощать.

— Да, — снова пришлось согласиться Сергею, — это я неудачно придумал. Ну ладно, будем здесь отсиживать свою каторгу. К Галине пойдешь сегодня?

— Обязательно. А пойдем вместе? Интересно ведь!

— Не, не пойду. Иди один. Мне это всё не надо.

— Ну и зря! Лучше получать информацию, чем попусту груши околачивать.

Из подъезда вышел переводчик Семен. Под белоснежной футболкой отчетливо проступали жирные складки на животе и боках, лицо озабоченное, в руке мобильник.

— Сеанс связи? — весело спросил его Артем. — Идете в поле?

— Да, нужно позвонить. Заодно и в магазин заскочу, надо кое-что купить. Кстати, молодые люди, если вам нужно в торговую точку, пользуйтесь случаем, могу сопроводить.

— Нам вроде ничего не нужно, — откликнулся Сергей. — Во всяком случае, из того, что вы разрешаете.

— Как? — Артем вскочил и дернул Сергея за руку. — А пиво? Я сейчас к Галине пойду, а ты сгоняй за пивом, запасись, чтоб на сегодня хватило и на завтра. Мы с тобой сегодня после ужина обе пьесы глазами пробежим и сделаем первые прикидки, а завтра, после прослушивания, поработаем начисто. Под пиво — самое оно будет!

Чего это он так раскомандовался? Самый крутой, что ли? Сергей собрался было ответить резкостью, но вместо этого почему-то послушно встал, полез в карман, проверил, есть ли с собой деньги.

— А в чем нести? — спросил он. — Надо домой сбегать, взять какую-нибудь тару.

Семен нетерпеливо махнул рукой.

— Некогда ждать. Ладно, в магазине пакет возьмешь на кассе, я разрешаю. Ну? Ты идешь?

— Иду.

Сергей поплелся следом за переводчиком, кляня себя за бесхребетность, из-за которой он не смог ни отказать, ни настоять на своем. А может, отказывать не очень-то и хотелось? Разве плохо вечером, закрывшись в комнате вдвоем с Артемом, выпить пива, закусывая солеными черными сухариками? Правда, покупать в магазине сухарики в пакетиках нельзя, но Гримо сказал, что все нормальные люди раньше сами сушили черный хлеб в духовке. Порезать на маленькие кубики, присыпать солью, и к вечеру закуска к пиву будет готова.

Переводчик начал названивать по телефону уже на полпути к магазину. Сергей старался не слушать, о чем он говорит, но все равно уши, отравленные подозрительностью, невольно улавливали обрывки разговоров. Сперва Семен кому-то обещал, что освободится максимум через две недели и всё сделает. Потом он выяснял у другого абонента что-то насчет машины, пробега, наличия проблем с запчастями и стоимости. «Машину собрался покупать, — понял Сергей. — Прикидывает, хватит ли ему того, что заплатит Уайли».

У входа в супермаркет Семен остановился.

— Иди, я тебя здесь подожду.

— А вы? Вы же говорили, что вам нужно что-то купить... — растерялся Сергей.

— Мне в аптеку нужно. Иди, покупай пиво, я пока позвоню. Все помнишь? Не перепутаешь, какую марку можно покупать?

— Да помню я...

Пиво, которое разрешалось пить, было невкусным и Сергею совершенно не нравилось. Разве можно сравнить его с тем пивом, которое он пил в Чехии, куда ездил со своей девушкой? И в Лондоне пиво было отличным! Да, совсем недавно были времена, когда он мог себе позволить такую поездку, а теперь вот торчит в зачуханном поселке, потому что нечем платить за съемное жилье. Быстро все меняется в жизни... Но что ж поделать, нельзя — значит нельзя. Рисковать не хочет-ся, а то выпрут. Впрочем, после вчерашнего разговора с бабушкой страх оказаться отчисленным из квеста стал неизмеримо меньше. Бабушка не сердится на него, она все поняла, и если внук окажется у ее порога, не выгонит. Может, все-таки рискнуть и купить что-нибудь более приличное? «А как же Артем? — пронеслось в го-лове. — Он не хочет нарушать, ему важно полностью погрузиться в ту обстановку. С другой стороны, важны запреты, идеология, правила. Какая разница, какое пиво мы пьем? Чуть лучше, чуть хуже... Мы же прави-ла соблюдаем, запреты не нарушаем, интернетом не пользуемся, на мобильники никому не звоним. Пиво — простительно. Сухарики я сам насушу, а пиво уж пусть будет хорошее, хоть какое-то удовольствие получим. Да и не узнает никто. Мы никому не скажем, а банки спрячем, Гримо мою комнату обыскивать не станет».

Он бросил в тележку три упаковки чешского баноч-ного пива и две буханки черного хлеба, расплатился на кассе, сложил все в два пакета и вышел на улицу. Семен, отойдя метров на двадцать в сторону, все еще разговаривал по телефону, и лицо его теперь было вовсе не озабоченным, а, наоборот, мягким и даже каким-то умильным, что ли. «Как будто с любимым ребенком разговаривает», — подумал Сергей, подходя к переводчику.

— Мне пора, пока, — быстро проговорил тот и сунул телефон в карман джинсов.

Бросив взгляд на содержимое пакетов, Семен нео-добрительно покачал головой.

— Вам же сказали: пиво только бутылочное. Зачем ты купил баночное?

— А что, баночного совсем не было? — не поверил Сергей.

— Было. На валюту. Или у спекулянтов. В обычных магазинах пиво продавалось только в бутылках.

— Ну, давайте считать, что я купил пиво у спекулянта. Или на валюту.

— На валюту? — рассмеялся переводчик. — Сесть решил? Или у тебя папа вернулся из загранкомандировки и ему зарплату выдали валютными чеками?

— Но разве это нереально? — упрямился Сергей. — Если кто-то в принципе мог, то почему я не могу?

— Ладно, будем считать, что ты принадлежишь к прослойке золотой молодежи. Так и быть, шум поднимать не буду, но тебе лучше запастись железными аргументами на тот случай, если кто-то узнает. Ты бы хоть бутылочное взял, все-таки не так заметно. А то баночное... Барство это, сударь мой!

Они дошли до аптеки, и теперь уже Сергей стоял на улице и курил, а Семен покупал какие-то таблетки, при этом продолжая разговаривать по телефону, потому что единственным покупателем, кроме него, в этой аптеке оказалась какая-то совсем старая и, по-видимому, бестолковая и глуховатая бабуська, которая задавала провизору множество вопросов. Выйдя из аптеки, Семен заявил, что ему нужно быстро ответить на срочное письмо, и для этого необходимо зайти в кафе, где есть вай-фай, но Сергею туда нельзя, то есть можно, конечно, но не сразу, ибо — «очередь».

— Будешь ждать? Или проводить тебя до дома?

— Что я, маленький? — буркнул Сергей. — Сам дойду.

— Да кто бы сомневался! Но не положено. Увидят, что ты без сопровождения разгуливаешь, да еще запрещенный продукт прикупил, — будет скандал. И мне голову оторвут, и тебе. Так что решай.

— А вы надолго?

— Минут десять-пятнадцать.

— Подожду. Вот там скамейка есть, я посижу.

Начал накрапывать дождик, и мысль о скамейке пришлось оставить. Сергей встал под козырек над входом в кафе, где Семен, уютно расположившись за столиком с чашкой чаю, тыкал пальцем в клавиатуру смартфона и при этом каждую секунду недовольно морщился. «Конечно, — насмешливо подумал Сергей, — пальцы толстые, квадратики букв маленькие, попадает не туда. Привык, наверное, к нормальному компу. Будет сто лет ковыряться с одним письмом». Семен отправил письмо и снова принялся звонить. Прошло уже не 10–15 минут, как было обещано, а добрых полчаса. Сергей начал было злиться, но разговор закончился довольно быстро, переводчик расплатился и вышел на улицу.

Подходя к дому, они увидели Тимура, сидящего на том месте, которое Сергей и Артем определили для себя в качестве «курилки». Даже выпросили у Надежды Павловны пустую стеклянную банку для окурков, поскольку урны рядом с подъездом не было.

— Тим, ты чего тут? — удивился Сергей. — Ты ж не куришь.

— Да я так... — Бородатый Тимур смешался. — Просто сижу. Дома скучно, все разбрелись, поговорить не с кем, заняться нечем. Тоска зеленая. Печатать смысла нет — пленку еще не отщелкал. А ты в магаз ходил? Чего купил? Покажи!

— Не твое дело, — буркнул Сергей.

— А Галина рассказывала, что раньше было принято в сумки друг другу заглядывать и спрашивать, где брали, если что-то дефицитное, — упрямо требовал Тимур. — Ну покажи! Жалко тебе, что ли? Чего ты как неродной?

Сергей покрепче сжал пакеты, радуясь, что они плотные и непрозрачные и снаружи невозможно с точностью определить, что находится внутри. У Тима язык без костей, увидит хорошее баночное пиво — и через пять минут все будут об этом знать.

— Пиво купил. И хлеб. Сухари буду делать.

— А-а... Не, пиво отстойное, я один раз попробовал, больше не хочу. На фига ты это пойло покупаешь? Его же пить невозможно.

— Мне нравится, — как можно равнодушнее ответил Сергей. — С солеными сухариками нормально прокатит.

Он открыл дверь подъезда и шагнул внутрь, надеясь, что Тим отвяжется, но очкарик потянулся за ним следом.

— А как ты сухарики делаешь? Покажешь?

Только этого не хватало! В квартире нужно будет сразу же пронести пакеты с пивом в свою комнату и спрятать в шкаф или еще куда-нибудь, чтобы не бросались в глаза, и никакие свидетели при этом не требуются.

Они уже дошли до третьего этажа и остановились перед квартирой Гримо и Сергея, когда пришла спасительная мысль.

— Ладно, покажу. Тащи свой фотик, увековечишь процесс.

— Точно! — обрадованно воскликнул Тимур и помчался на четвертый этаж, где находилась его квартира.

Сергей оставил входную дверь открытой и, стоя в прихожей, быстро огляделся. Из большой комнаты доносились голоса Гримо и Ирины. Хорошо, что Гримо взял себе дальнюю комнатку, пройти в которую можно было только через большую комнату, а «внучку» уступил ту, вход в которую был из коридора. «Ты живешь над магазином, — приговаривал актер, — а я — над начальственным рестораном». Стараясь не шуметь, Сергей юркнул к себе, быстро затолкал пакеты под диван и вышел с двумя буханками хлеба в руках.

— А мы, видишь, к завтрашним чтениям готовимся, — загудел Гримо, увидев его. — Завтра целых две пьесы вам представим. Одну до обеда, вторую после ужина. Ты зачем столько хлеба притащил? Куда нам две буханки?

— Хочу сухариков насушить.

— А сумеешь? — недоверчиво спросил Гримо.

— Попробую. Вы ж говорили, что ничего сложного.

— Ну, дерзай, внучок, дерзай. Не отвлекай дедушку. И дверь прикрой.

Тимур явился, когда Сергей, стараясь не громыхать, вытаскивал противни из духовки, и сразу принялся щелкать камерой.

— Фартук повяжи! И большой нож возьми! — командовал он. — Да не так! Держи нож на виду, чтобы видно было, он должен стать центром всей композиции. Буханку подвинь!

— Не ори ты, — сердито зашипел Сергей. — Мешаешь. В комнате Гримо с Ирой репетируют.

Тимур тут же перешел на шепот.

— Прикольно! Как думаешь, можно их сфотать? А то у меня с самих чтений фоток полно, а с репетиций — ни одной нету.

— Не лезь. Они просили не беспокоить.

— Жалко... Ладно, потом что-нибудь придумаю.

Сергей зажег газ для нагрева духовки и принялся резать хлеб мелкими кубиками. Получалось плохо, хлеб был свежим, мягким, и вместо аккуратных кубиков из-под ножа выходило не пойми что.

— Я режу, ты раскладываешь по противню, в один слой, — приказал он Тимуру. — Пусть от тебя хоть какая-то польза будет.

Когда оба противня заполнились, Сергей посыпал хлеб солью и сунул в духовку.

— И теперь чего? — спросил фотограф.

— Ничего. Теперь ждать.

— Долго?

— Прилично.

— Тогда я пойду пока, что ли, — нерешительно произнес Тимур. — Чего тут высиживать? Я попозже еще заскочу, готовый продукт зафотаю, ладно?

— Иди-иди, — кивнул Сергей, доставая веник и совок, чтобы подмести пол, усеянный крошками и кусочками хлеба, свалившимися с разделочной доски. — Дверь захлопни за собой.

* * *

Этот мобильник Тимур увидел сразу, едва вошел в прихожую квартиры на третьем этаже. Телефон торчал из нагрудного кармана куртки, судя по цвету и фасону принадлежавшей Виссариону Иннокентьевичу. Тимур осторожно вытащил его, нажал кнопку. Не запаролен, включается сразу. Батарея наполовину заряжена. Сеть не ловит, но это и понятно. Модель, конечно, отстойная, ей лет пять-семь как минимум, но в данном случае это значения не имеет.

Сидя под распахнутыми окнами Галины Александровны, Тимур дежурно, без всякого интереса прислушивался к ее рассказу о коммунальных квартирах. Он не подслушивал и не караулил, просто ему совершенно нечем было заняться. Завтра обсуждения не будет, можно ничего не читать, народ разбрелся кто куда, Юра уехал в город, и Тимур с недоумением почувствовал, что ему некуда себя приткнуть. И фотографировать нечего. Был бы интернет — столько всего интересного можно было бы придумать! Наверняка в Сети уже выложили последнюю серию восьмого сезона американского сериала, который Тимуру так нравится. Трансляция в Штатах шла всю зиму и весну, в России переводили и выкладывали по одной серии в неделю, и Тимур терпел, не смотрел, ждал, когда появится весь сезон целиком, чтобы одним махом получить удовольствие от просмотра двадцати двух серий подряд, не изнуряя себя мучительными догадками о том, что же там дальше... Невозможно представить, как люди жили без интернета, чем себя развлекали, как время проводили.

В квартире Галины прозвенел звонок, оказалось, что пришел Вилен, принес какие-то бумаги, узнал, о чем лекция, и живо подключился, начал рассуждать о каких-то границах, которые тогда не существовали, то есть они на самом деле существуют всегда и всюду, но в советском обществе их не признавали и с ними не считались, и это калечило психику многих людей... В общем, какая-то лабуда. Но Артем, похоже, понимал, о чем речь, и ему было очень интересно, он задавал много вопросов. Потом разговор как-то незаметно свернул с темы границ на тему враждебности и подозрительности, и Артем сказал, что Серега чуть было не решил уехать, когда узнал, что психолог пытается что-то там прогнозировать.

— Если бы он свалил, я бы тоже смотался отсюда. Все-таки Сережка чаще всех нас совпадает с Молодым учителем, и если в квесте есть движуха, то только благодаря ему. А без него ничего не получится, мы никуда не продвинемся, так что и для меня пользы не будет.

— Но он же передумал? — встревоженным голосом спросил Вилен. — Или еще не окончательно?

— Думает пока, — неопределенно ответил Артем.

Тимур замер и собрался уже встать и подойти поближе к окну, чтобы не пропустить ни одного слова из такого важного разговора, но в этот момент заметил приближающихся Сергея и толстого переводчика Семена. Пришлось остаться на прежнем месте и изо всех сил делать вид, что он так просто, погулять вышел.

За Сергеем он увязался без всякой задней мысли, просто от нечего делать. Звонить насчет Артема он собирался попозже, когда Юра, как обычно, пойдет помогать Надежде Павловне. На то, чтобы добежать до расположенного неподалеку автомата, позвонить и вернуться, требовалось не больше десяти минут, а телефонную карту Тимур заблаговременно приобрел и тщательно спрятал. Когда Юра помогает Надежде убирать и закрывать столовую, он не прерывается и не уходит, так что отсутствия Тимура он не заметит. Этот фокус фотограф-любитель проделывал уже дважды и пока ни разу не попался, но понимал, что риск остается, и немалый: даже если сам куратор не узнает об отсутствии подопечного, всегда есть опасность нарваться на кого-то другого из участников или сотрудников. Если на лестнице, то не страшно, всегда можно соврать, мол, иду в столовую, или в общую квартиру, или в медпункт к доктору, или в гости к кому-то. А вот если на улице... Но пока что судьба Тимура хранила.

Он и сегодня намеревался сбегать к автомату после десяти вечера, но вдруг увидел этот телефон... Теперь все мысли крутились только вокруг него. А что, если взять этот телефон и сбегать быстренько позвонить? Получится еще быстрее, чем с автоматом. До автомата бежать метров 200—250, а для того чтобы позвонить с мобильника, достаточно отойти от дома метров на 20. Выскочить, пулей домчаться до соседнего дома, тоже расселенного, заскочить в подъезд, позвонить и вернуться. Даже если кто-то заметит Тимура, то это будет так близко от дома, что вполне можно отбрехаться, дескать, ни в магазин, ни в другие места не ходил, просто вышел ноги размять и воздуха глотнуть.

Он наблюдал, как Сергей нарезает хлеб, фотографировал, раскладывал нарезанные кусочки на противни, снова фотографировал, а сам все думал про этот телефон... И решился в тот момент, когда понял, что Сергей не собирается выходить из кухни, чтобы проводить гостя. Серега на кухне подметает, Гримо и Ира в комнате за закрытой дверью. Черт, до чего велик соблазн! Ведь Виссарион гарантированно ничего не заметит, в доме мобильники не работают и ими никто не пользуется, берут только тогда, когда собираются выходить, а Гримо в ближайшее время совершенно точно никуда не уйдет.

Тимур выхватил из кармана висящей на вешалке куртки телефон и выскочил из квартиры. Меньше чем через минуту он уже стоял в подъезде соседнего дома и набирал номер, глядя в цифры на обрывке листка. Если карту он хранил в квартире и доставал только при необходимости, то листок с номером телефона всегда носил в кармане. Мало ли что? А вдруг Юра найдет? Карта сама по себе — не криминал, тем более если хранится дома и тебя не застукали в тот момент, когда ты засовываешь ее в автомат. А вот номер телефона придется объяснять. Что это за номер такой хитрый? Почему на него нельзя позвонить с домашнего телефона? Потому, что это номер мобильного? Нарушение. Исключение из квеста. Невыполнение задания. Пролет с деньгами. А деньги очень неплохие и совсем не лишние, особенно если учесть, что по размеру сумма сопоставима с той, которую обещали заплатить за квест.

«Аппарат абонента выключен...» — равнодушно сообщил механический женский голос. Не повезло. Значит, придется вечером действовать по обычной схеме: бегом до автомата и назад. Тимур удалил информацию о своем звонке и только тут подумал о том, как будет возвращать телефон на место. Почему-то раньше ему это в голову не приходило. Когда телефона не было в руках, самым главным казалось именно раздобыть его. Когда взял аппарат в руки, главным стала казаться возможность позвонить и не попасться. Ну вот, он позвонил. И не попался. Уже стоит на лестнице перед своей квартирой, и вдруг обнаруживается, что самое трудное — впереди.

Нужно придумать, как снова остаться одному в прихожей Серегиной квартиры хотя бы на три секунды. Решение нашлось быстро и выглядело изящным. Серега сказал, что сухарики будут готовы не скоро. Допустим, через час. Понятно, что Тимур не будет торчать все это время дома с камерой наперевес. Через час или чуть больше Тимур позвонит в дверь и спросит, на какой стадии процесс. Серега ответит, что все готово и можно снимать. Тимур скажет, что сбегает домой за камерой, и попросит не закрывать дверь, ведь он вернется через полминуты. А когда вернется, все будет точно так же, как было в первый раз, и он сможет спокойно засунуть телефон в карман Виссарионовой куртки, где ему и положено находиться. Все просто.

Но все пошло наперекосяк. Когда Тимуру открыли дверь, оказалось, что все трое — Гримо, Ира и Серега — мечутся по квартире в поисках мобильника.

— Он должен быть в кармане куртки, — твердил Виссарион Иннокентьевич, — дома я им не пользуюсь, поэтому из кармана не вынимаю, он мне бывает нужен только на улице. А в куртке его нет.

Сердце у Тимура упало.

— Может, вы его на улице и потеряли? — дрогнувшим голосом предположил он. — Выронили из кармана и не заметили.

— Да не выронил я! Я точно помню, что, когда утром пришел с прогулки, вынул телефон и посмотрел, сколько зарядки осталось и не пора ли заряжать. Я даже помню, сколько процентов оставалось: шестьдесят четыре! И это было сегодня утром! Больше я никуда не выходил. И когда Ирочка пришла, телефон был, был! Она видела!

— Надо у всех спросить, не пропало ли что-то, — озабоченно сказал Сергей. — Домофона нет, в подъезд доступ свободный, кто угодно мог зайти, ворье всякое... Если кто-то оставил дверь не запертой, то бери — не хочу.

Эту мысль Тимур подхватил с воодушевлением и выразил готовность немедленно начать звонить во все квартиры и спрашивать, все ли в порядке и не обнаружилось ли каких пропаж.

— Хорошо, что я сейчас хватился, — продолжал сетовать Гримо. — Хотел Ирочке пару фотографий показать, полез в карман — а телефона нет.

Ирина не склонна была подозревать кражу и предлагала более тщательно поискать в квартире. Такой вариант Тимура тоже вполне устраивал, поскольку давал возможность в ходе поисков «неожиданно обнаружить» мобильник. Он уже справился с первым стрессом и был уверен, что у него все получится.

Но почему-то всё время кто-нибудь оказывался рядом, совсем близко. И ничего не получалось. Тимур считал, что три комнаты, кухня и санузел — вполне достаточное пространство, чтобы четыре человека не сталкивались постоянно лбами и не дышали друг другу в затылок. И еще казалось, что вытащить из кармана мобилу, сунуть куда-нибудь, а потом «найти» — это же так просто! Ну вообще, раз плюнуть.

А ничего не выходило...

Он нервничал все сильнее, телефон жег тело через ткань брюк из какой-то синтетики, и хотелось как можно быстрее от него избавиться. Вот почему так всегда получается: когда боишься чего-то и думаешь, что не сможешь, все выходит легко и безболезненно, а когда уверен, что сделаешь запросто, постоянно натыкаешься на препятствия?

Наконец Тимуру показалось, что наступил подходящий момент, на него никто не смотрит, он потянулся к карману, но тут заговорил Сергей:

— Надо сузить круг поиска, а то мы мечемся как-то бестолково, друг за другом перепроверяем. Виссарион Иннокентьевич, вспоминайте как можно точнее, когда вы в последний раз видели свой телефон.

— Когда Ирочка пришла, — уверенно ответил Гримо. — Она сказала, что завтра нужно будет читать оба варианта «Вассы». Второй вариант мы, актеры, хорошо знаем, его в советское время много ставили, а первый вариант ставили очень мало, я его совсем не знаю. Но у меня есть старый приятель, который работает в Малом театре, там как раз первый вариант ставили, и я решил ему позвонить, ну, просто так, мало ли, вдруг там подводные камни какие-то есть в пьесе. Или у режиссера какое-то интересное видение, может, находки, новые решения. Достал телефон, посмотрел номер, переписал на бумажку, позвонил, поговорил. Потом мы с Ирочкой сели репетировать. Да вот же она, бумажка эта!

Ирина подтвердила, что все так и было.

— Мы все время сидели в этой комнате, выходили только в туалет, — сказала она. — Даже чай не пили.

— И в свою спальню не заходили? — уточнил Сергей.

— Нет. Ни к себе, ни в твою комнату, ни на кухню.

— Понятно. Санузел мы уже раз пять осмотрели, да там и искать особо негде. Значит, начинаем все дружно искать телефон здесь. Вы могли переписать номер и здесь где-нибудь бросить.

Теперь все толклись на одном пятачке, и осуществить задуманное стало совсем трудно.

— Внучок, а не ты ли телефончик-то взял? — вдруг спросил Гримо, вперив в Сергея взгляд, исполненный подозрительности.

Сергей в первую секунду оторопел, поэтому, видимо, его ответ прозвучал не слишком уверенно.

— Да вы что, Виссарион Иннокентьевич?

— А что? Думаешь, я не замечал, какими глазами ты на телефон мой смотрел, когда я с улицы приходил? Я все вижу, все замечаю.

— Как вам не стыдно?! Я что, вор, по-вашему? Да как вы можете! — возмутился Сергей.

— Правда, Виссарион, нехорошо, — вступилась Ирина. — Ну что вы, в самом деле? Нам здесь еще работать и работать, и что же это получится, если мы начнем друг друга подозревать, к тому же бездоказательно?

— Бездоказательно? А если мы сейчас все вместе пойдем в комнату к моему внучку Сереженьке да поищем там как следует, а?

Гримо распалялся все больше и больше.

— То-то он так ловко нас только одной комнатой ограничил, — продолжал актер, постепенно возвышая голос. — Мы здесь до морковкина заговенья искать будем.

Тимур видел, как в глазах Сергея загорелся злой холодный огонь.

— Да пожалуйста, — тихо и медленно процедил он. — Идите в мою комнату, ищите, хоть все переверните. Баночное пиво найдете, это правда. А телефон я не брал. Идите, обыскивайте, если не верите.

И Тимур не выдержал. Нервы сдали. Мозг отказывался просчитывать варианты.

— Это я взял телефон, — в отчаянии выкрикнул он и вытащил из кармана злосчастный мобильник.

Сразу стало очень тихо. Все замерли.

— Мне нужно было позвонить, честное слово, очень нужно было. Вопрос жизни и смерти, — торопливо заговорил Тимур.

— Почему с домашнего не позвонил? — спросил Гримо, успокоившись так же мгновенно, как вспыхнул.

— Так вы же проверяете, Юра каждый день на телефонный узел ездит, а мне на мобильный надо было звонить... Простите меня, пожалуйста.

— Ладно, — вздохнул актер, — я прощу. А внучок — не знаю. Ты как, внучок, простишь?

— Еще чего, — зло огрызнулся Сергей. — По его милости сначала мы тут всем скопом корячились, всю квартиру облазили, во всех углах носом пыль собирали, а потом мне еще пришлось выслушать, что я вор. Ради какого такого вопроса жизни и смерти я должен был это терпеть? У меня, может, тоже вопрос жизни и смерти был, когда я вчера звонил, но я же не нарушил ничего, и если бы мне по стационарному не ответили, на мобильный звонить не стал бы. Не собираюсь за чужие грехи выслушивать обвинения в воровстве.

— Вы не понимаете... — начал Тимур.

— А ты нам объясни, — вкрадчиво посоветовал Гримо.

— Я не могу. Я обещал ничего не говорить.

— У-у, — протянул Гримо. — Тогда беру свои слова назад. Ты, мой дорогой, можешь делать что хочешь, но других не подставляй. Мы тут не от хорошей жизни собрались, у всех свои обстоятельства, всем заработать нужно, и никто не хочет, чтобы его выкинули без оплаты. К сотрудникам требования такие же, как к участникам, нам много чего разрешено, в отличие от вас, но вступать с вами в сговор и покрывать ваши нарушения нам запрещено. Поймают — выдворят и денег не дадут. Не знаю, как Ирочка, а лично я на такое не подписывался. А ты, дружочек, похоже, еще и в аферу какую-то влез. Нет, как хотите, а я звоню Назару, пусть разбирается с тобой.

— Но вы же можете никому не говорить, — жалобно проговорил Тимур. — Никто и не узнает. Я же извинился.

Гримо посмотрел на него насмешливо и с упреком.

— Нас слишком много, целых трое. Эти детские штучки насчет «никому не говорить» проходят только с одним человеком, да и то не всегда. А уж с тремя... Нет, не получится. Нас трое, да ты сам — четвертый, кто-нибудь обязательно проколется, проговорится, и нас всех накажут, не тебя одного. На себя посмотри, дорогой мой: ты — лицо максимально заинтересованное, а и то раскололся, как гнилой орех, как только что-то пошло не так.

Сергей угрюмо молчал, но по его лицу было видно, что он полностью согласен со своим куратором. Ира смотрела сочувственно, но в то же время неодобрительно. Тимуру до этого момента даже в голову не приходило, что сотрудникам деньги нужны точно так же, как и участникам квеста. А может быть, даже больше, ведь у молодых обычно есть родители, которые помогут, если что, а у стариков родителей нет, им приходится надеяться только на самих себя. Если Гримо сказал правду, и у всех сотрудников есть свои причины и материальные стимулы участвовать в этой работе, то понятно, что никто из них не захочет рисковать ради Тимура. Почему-то он считал, что при нарушениях рискует только он сам. А тут вон что выходит... Рискует не только тот, кто нарушил правило, но и тот, кто об этом узнал и скрыл. И Юра, получается, тоже рисковал, когда скрыл, что Тимур звонил ему на мобильник. С чего он решил, что для сотрудников не предусмотрено понятие «нарушение»? Почему был уверен, что им не грозит увольнение? Идиот!

А Гримо тем временем уже звонил по телефону:

— Назарушка, у нас тут ЧП образовалось... ага, районного масштаба... ну, ждем, ждем.

# Записки
## молодого учителя
### «ВАССА ЖЕЛЕЗНОВА»
*Часть первая*

Впервые в жизни бабуля меня удивила. К сожалению, понял это я далеко не сразу, а когда понял — стало поздно: к тому времени, когда я взялся за свои «Записки», наша Ульяна Макаровна уже умерла и спросить было не у кого.

Пьесу Горького «Васса Железнова» я читал, еще лежа в постели: врачи разрешили мне вставать только на несколько минут, опасались за сердце. Бабушка регулярно заходила в мою комнату, проведывала, проверяла, чем я занят, контролировала прием таблеток и микстур, предлагала попить чайку с лимоном и с вкусным пирожком. Методы контроля у нее были простыми и жесткими, она, не говоря ни слова, вырывала из моих рук книгу и смотрела сперва на обложку, потом читала открытую страницу. Когда в ее руках оказался 17-й том собрания сочинений Горького, раскрытый на втором акте «Вассы», бабушка не пробежала глазами пару абзацев, как обычно, а читала долго и даже перелистнула страницу. Потом вернула мне книгу и странно усмехнулась:

— Не то читаешь, Володенька.

Про «Дело Артамоновых» мы с ней уже поговорили, и я слишком хорошо помнил ее ответ, чтобы обольщаться новыми иллюзиями. «Не то» наверняка в ее устах означало «не про революцию и не про торжество социализма». Но про социализм в «Вассе» как раз было, пусть и немного, и Рашель, жена сына Вассы, вполне отчетливо рисовала перспективы гибели капиталисти-

171

ческого строя и торжества рабочего движения. Почему же «не то»? Может, бабуле не понравилось, что по всей пьесе разбросаны намеки на растление несовершеннолетних? Да что там намеки — прямым текстом сказано, что муж Вассы находится под следствием за это безобразие, ему грозят суд и каторга, и Васса в первом действии уговаривает его добровольно покончить с собой. Мне, десятикласснику, тема казалась довольно щекотливой, и я был уверен, что бабушка именно по этой причине недовольна моим выбором чтения.

— Это ты про мужа Вассы Борисовны? — Я нагло уставился в выцветшие старческие глаза за толстыми стеклами очков. — Про его преступление?

Предыдущий разговор с бабушкой о Горьком меня обидел и расстроил, и теперь во мне взыграло подростковое глупое желание поставить ее в тупик и заставить смутиться, растеряться, не зная, что и как ответить ей, старой коммунистке, мне, юному комсомольцу.

— Почему Борисовны? — непонятно ответила бабушка. — Она Петровна, а память мне никогда не изменяла. И Захар Иванович никакого преступления не совершал, ну, разве что банкротился не по закону, но это было лет за тридцать до событий.

— Захар Иванович? Это еще кто? В пьесе нет никакого Захара Ивановича.

Бабушка почему-то вздохнула и странно улыбнулась.

— Вот я и говорю, не то читаешь, Володя. Это не та «Васса». И если уж на то пошло, это вообще не «Васса», а что-то совсем другое. Дешевая подделка. Настоящая «Васса», первая-то, была куда как глубже и драматичнее, там такой клубок страстей и страданий... Там крепкая заварка была, настоящий чифирь, а тут — разбавленный чаек. Ты таблетки выпил?

— Выпил, — нетерпеливо ответил я.

Мне хотелось, чтобы бабушка поскорее покинула мою комнату и оставила меня одного: не терпелось узнать, чем закончится лихая вечеринка, устроенная Прохором, и выйдут ли в конце концов наружу страшные преступления, совершившиеся в доме Железновых. Сам ли отравился муж Вассы Борисовны или ему кто-то помог? И если помогли, то кто именно, сама Васса или горничная Лиза? И что на самом деле случилось потом с этой Лизой? Сама она повесилась или, опять же, ей поспособствовали? Меня, как любого подростка, обожающего детективы, мучил вопрос: если Лизу убили, то за что? За то, что отравила хозяина по наущению хозяйки? Или за то, что знала точно: Васса Железнова всыпала ядовитый порошок в чай мужу, чтобы не допустить позора и огласки? Терзаемый щедро рассыпанными по тексту загадками и недомолвками, я пропустил сказанное бабушкой мимо ушей.

— Чайку принести тебе? — заботливо спросила она.

— Не хочу, — отмахнулся я.

— Ну ладно. Захочешь чаю — покричи мне, я принесу.

И уже в дверях вдруг обернулась и бросила:

— Заварки захочешь — скажи, у меня есть.

Этих последних слов я уже как бы не слышал, впившись глазами в текст Горького. Именно «как бы», потому что спустя несколько лет, когда я взялся за «Записки», я снова начал перечитывать пьесы и вдруг вспомнил этот разговор, весь, целиком. «Там — крепкая заварка, настоящий чифирь, а тут — разбавленный чаек». Ох, не так проста и прямолинейна была Ульяна Макаровна Кречетова, как я считал, будучи школьником! «Заварка», стало быть, у нее где-то была...

Пришлось дожидаться момента, когда никого нет дома, и перешерстить все книжные полки, шкафы и стеллажи, а их в нашей квартире было немало. Родители имели возможность приобретать книги по «белому списку», поэтому дефицитных изданий, которые невозможно купить в магазине, у нас стояло множество. Да еще бабуля, имевшая во времена своей партийной карьеры весьма широкие возможности, любила собрания сочинений классиков, томов эдак по двадцать.

Поиски увенчались успехом. Книги в одном из шкафов стояли в два ряда, и вот в одном из таких вторых рядов я нашел одинокий томик из собрания сочинений Горького, изданного в конце двадцатых годов. В этом томике и оказалась пьеса под названием «Васса Железнова (Мать)», написанная в 1910 году. А та «Васса», которой я взахлеб зачитывался в десятом классе, датирована 1935 годом...

Томик был сильно истрепан, страницы пожелтели, и видно было, что читана книга многократно. Я унес его в свою комнату и в тот же вечер прочитал пьесу. После чего перечитал второй вариант, 1935 года, уверенный, что память меня подвела и я, вероятно, многое забыл. Не может же быть, чтобы пьеса, которую считали слегка подредактированной, на деле оказалась совсем другим произведением! Оказалось — нет, ничего я не забыл. Да, права была Ульяна Макаровна, вторая «Васса» не имела ничего общего с первой, кроме имени заглавной героини (да и то с другим отчеством) и трех строчек из монолога Людмилы о работе Вассы в саду. Ну, и основной мотив действий Вассы, не то Петровны, не то Борисовны, остался прежним: нужно добиться, чтобы было кому передать дело, которому Васса и ее муж отдали десятилетия своей жизни, не допустить, чтобы дело развалилось и погибло. Но в этом как раз ничего нового не было, такой мотив вообще, видимо, сильно интересовал Алексея Максимовича и прописан во многих произведениях, в том числе и в «Деле Артамоновых». А «дело» у Вассы Петровны-Борисовны тоже разное: в первом варианте — заводы по переработке торфа и изготовлению кирпича и изразцов, во втором — речные перевозки. И семьи в пьесах разные: в первом варианте у Вассы Петровны трое детей — два сына и дочь, все взрослые, от двадцати четырех до тридцати лет, и, соответственно, две снохи и зять, а также трое внуков, у Вассы же Борисовны один сын, живущий со своей женой за границей и в пьесе участия не принимающий, один внук — ребенок сына, и две дочки, обе совсем молоденькие, шестнадцать и восемнадцать лет. У Вассы Петровны муж вполне приличный, ничем особо омерзительным себя не замарал, у Вассы Борисовны муж попался на педофилии. Одним словом, все в этих пьесах разное, повторяются только некоторые имена, что, кстати, меня изрядно удивило: зачем нужно было их использовать для совсем других персонажей? Например, в первой пьесе Прохор — брат мужа, Захара Ивановича, во второй он уже брат самой Вассы. Людмила и Наталья — жены сыновей Вассы Петровны, а у Вассы Борисовны они — дочки. Анна в более раннем варианте — старшая дочь, в позднем варианте — помощница Вассы, Анна Онашенкова. Ну и для чего всё это? Я не понял. У автора не хватило фантазии, он не знает других женских и мужских имен? Впрочем, мотивы Алексея Максимовича меня в тот момент не заинтересовали, гораздо более важным показалась сама пьеса в ее первом варианте.

И я, как обычно в последние месяцы, принялся мечтать, как подавал бы обе пьесы своим ученикам-десятиклассникам, если бы мне дали возможность стать учителем литературы, а не пытались бы вырастить из меня дипломатического работника с возможностями выезда в капстраны.

В учебнике литературы, который я сохранил еще со школьных времен, о пьесе «Васса Железнова» не сказано ни слова почему-то. Как будто такой пьесы не было вообще. Этот факт меня удивил еще тогда, когда я проходил Горького по программе. Теперь же, когда я узнал, что пьес было две и история создания второго варианта более чем невнятная, мне стало ясно, что лучше было совсем не упоминать о них в учебнике во избежание лишних и неудобных вопросов со стороны подростков. Хотя, возможно, авторы учебника руководствовались совсем другими соображениями. В этом случае мне очень хотелось бы узнать, какими именно.

В том собрании сочинений Горького, которое стоит у нас дома, почти каждый том сопровождается статьей литературоведа, анализирующей входящие в конкретный том произведения. Есть такая статья и в 17-м томе, и я не без трепета решил поинтересоваться, что же там написано про «Вассу». Первый же абзац поверг меня в ступор. Речь шла, конечно же, о втором варианте, написанном в 1935 году: «Васса рассказывает, что всю жизнь работала «детей ради», ради наследников, которым собирается передать свое дело, а наследников-то и не оказывается. Они — либо физические, либо моральные уроды, потерявшие желание и даже способность продолжать дело отцов». О ком речь? О социалисте Федоре и его жене Рашели, сыне и снохе Вассы, которые эмигрировали за границу, чтобы избежать ареста за революционную деятельность? Это они, по мнению литературного критика, физические и моральные уроды? Крайне маловероятно, иначе статью бы не включили в собрание сочинений, а автор давно уже потел бы на нарах. Тогда о ком? О шестнадцатилетней Людочке, девочке со странностями и явным отставанием в развитии? О восемнадцатилетней Наташе — начинающей алкоголичке? Да, обе не очень-то здоровы, но странно было бы предполагать, что Васса Борисовна вообще хоть каким-то образом рассчитывала на девочек как на продолжателей «дела». Тогда что литературовед имел в виду? Да ясно что! Он с удовольствием прочитал первый вариант, по которому у Вассы (правда, еще пока Петровны) двое сыновей, и именно на них она и рассчитывала как на достойных наследников. А сыновья-то не удались, оба не хотят жить в родном городе, оба стремятся уехать и оба не имеют ни малейшего желания заниматься «делом». Кстати, именно в первом варианте один из сыновей Вассы имеет физическое уродство, то самое, о котором писал автор статьи. Бедный литературовед! Все смешалось у него в голове... Писал о втором варианте, а перед глазами стоял первый. Но никто, по-видимому, этого не заметил.

Я предложил бы ребятам прочесть обе пьесы подряд, как это сделал и я сам, и в первую очередь расписать сходство и различие детективной составляющей. Безусловно, кто кого и за что убил — далеко не самое главное в этих пьесах, но я, недавний школьник, хорошо понимаю, чем можно зацепить внимание подростка. Детективы любят все, а вот читать их имеют возможность далеко не все, это как раз та литература, которая является областью товарного дефицита, и именно детектив может стать той приманкой, благодаря которой шестнадцатилетние ребята обратят внимание на действительно интересное произведение. После того как ученики расскажут мне, что в обоих вариантах по два убийства, при этом одно — отравление, а второе — непонятно какое, но инсценированное под самоповешение, я спрошу: заметил ли кто-нибудь пораненную и забинтованную руку Михаила, управляющего Вассы Петровны? Уверен, что не заметит никто. А ведь это важно для ответа на вопрос: кто убил Прохора? Горничная Липа, которую этот самый Михаил шантажом заставил передозировать сердечный препарат для больного Прохора? Или сын Вассы, Павел, которому очень ловко внушили, что «дядю Прохора нельзя дразнить и раздражать, он может разволноваться и умереть»? Или тот же Павел, но уже не умышленно дерзкими речами, а ударом ногой в грудь в пылу ссоры? Или все-таки Михаил, помогавший уносить обессилевшего от сердечного приступа Прохора в спальню и вернувшийся с перебинтованной рукой и сообщением о том, что Прохор скончался?

Такие же вопросы я поставлю и по второму варианту «Вассы». Почему внезапно умер Сергей Железнов, никогда ничем не болевший и славившийся отменным здоровьем? От предложения Вассы Борисовны «принять порошок и избавить семью от позора» капитан Железнов отказывается категорически и уходит в свою комнату. А через очень короткое время горничная Лиза вбегает к Вассе с криком: «Сергей Петрович скончался!» Коробочка с ядовитым порошком, как нам говорит автор пьесы, находится в кармане у Вассы Борисовны, и при разговоре с мужем Васса ее не вынимает и мужу не отдает, поскольку решать вопрос в добровольном порядке он все равно отказывается. Так от чего же умер Железнов, а? Сам по себе? Или ему подали чаю, предварительно всыпав в чашку порошочек? И если так, то кто всыпал? Сама Васса Борисовна собственной царственной ручкой? Или шантажом заставила сделать это горничную Лизу? Кстати, основание шантажа горничной в обеих пьесах одно и то же, но с нюансами: в первом варианте Лиза когда-то забеременела от сына Вассы Петровны, Семена, родила и убила младенца, во втором варианте отцом ребенка является другой персонаж, ибо сын Вассы Борисовны давно живет в Швейцарии, а при ней в доме — одни дочки. Так что человеком, соблазнившим горничную, Горький назначил Прохора Борисовича, родного брата хозяйки.

И еще отметил бы любопытный момент из ранней «Вассы» — ситуацию с завещанием давно и тяжко болеющего Захара Ивановича Железнова, мужа главной героини. Васса Петровна часто и настойчиво интересуется то у управляющего, то у священника, подписал ли ее муж духовную. Ответы она всегда получает отрицательные, мол, не подписал. А после смерти мужа объявляет сыновьям, что их покойный отец завещание все-таки оставил, и всё отходит ей, Вассе Петровне, а не делится между сыновьями, как полагалось бы при наследовании по закону. Ну, подписал — и подписал, ладно. Но вот сцена, в которой дочь Анна сообщает матери, что дядя Прохор нашел своего внебрачного сына и пишет ему письма, зовет к себе, вроде собирается его усыновить и сделать своим наследником, а это значит, что после смерти Прохора этот сын войдет в дело Железновых. Васса просит не отправлять письма и проследить, чтобы Прохор еще кого-нибудь не попросил сходить на почту. Анна возражает, мол, Прохор может велеть отправить письма заказными, и тогда нужно будет показать ему квитанции с почты, а где их взять, если письма на самом деле не отправлены? На что Васса Петровна ничтоже сумняшеся отмахивается, дескать, подумаешь, большое дело, в конторе на старой квитанции имя и адрес перепишем да штемпель проставим, всегда так делали, проблем не будет. Всегда так делали? Вот это уже интересно! И ситуация с невесть когда подписанным завещанием сразу приобретает совсем иную окраску. Любопытно, кто-нибудь из моих учеников обратил бы внимание на такую закавыку?

И вот после того как ученики мои полностью включатся в детективный анализ и глаза их загорятся, я смогу начать разговор уже о серьезных вещах. О том, что каждый человек имеет право прожить такую жизнь, как он сам хочет, а не такую, какую для него нарисовали в своих мечтах родители. Но безгранично ли это право? Разумеется, дети будут утверждать, что право это безгранично и безусловно. Тогда я предложу им подумать о том, как больно и обидно может стать родителям, которые всю жизнь свою, все силы, все здоровье положили на строительство и укрепление «дела», а теперь «дело» может рухнуть, потому что дети не хотят его принимать на свои плечи. И как тут быть? На чьей стороне правда? Что важнее: построить собственную жизнь или отдать долг родителям, не обидеть их, не разочаровать? В той или иной форме этот вопрос присутствует почти во всех произведениях Горького, и если бы мне довелось преподавать литературу в старших классах школы, мне пришлось бы ставить его перед учениками постоянно. Ведь этот вопрос необыкновенно важен именно в десятом, выпускном, классе, когда делается окончательный выбор: в какой институт поступать, какую профессию выбирать... Вот что по-настоящему важно, а вовсе не «дело буржуазии», за которое якобы борется Васса, и не то «дело пролетарской борьбы», ради которого ее сноха Рашель готова была бы отказаться от материнства. Вообще в литературоведческой статье слишком, на мой взгляд, много внимания уделено противостоянию Вассы и Рашели, которые, по мнению автора той статьи, олицетворяют две силы: старую буржуазную и новую революционную. Никакой такой Рашели в первом варианте нет. И если не прочесть оригинальный текст пьесы, а ориентироваться только на статью, то может сложиться впечатление, что вся пьеса целиком состоит из конфликта Вассы Борисовны с приехавшей из Швейцарии Рашелью, которая хочет забрать у свекрови пятилетнего внука. Дискуссия о внуке плавно перетекает в дискуссию о скором и неизбежном конце старых порядков и столь же скорой победе порядков новых, основанных на власти рабочих и пролетариата. Сильных убедительных аргументов у Рашели нет, в ее речах слышны одни лозунги, а Васса ей не верит и насмехается. В статье же пишется исключительно о том, что Васса практически сгибается под силой слов Рашели, признает собственную слабость и чуть ли не впадает в отчаяние от перспективы грядущей революции. Я уже не школьник, да и в школе не очень-то верил учебникам, а уж теперь вера моя в печатное слово ослабела окончательно. Я вырос в специфической семье и многие вещи начал узнавать и понимать куда раньше своих сверстников, поэтому к статье у меня претензий нет. Не мог доверенный филолог написать никак иначе, его задача — провозглашать Горького буревестником революции, даже если лично сам автор статьи с этим совершенно не согласен. Либо играй по правилам, либо пошел вон. И хорошо еще, если просто «вон», а не гораздо дальше. Так что статью эту я своим ученикам для прочтения рекомендовать не стану. Зато предложу подумать над вопросом: что важнее — вырастить ребенка здоровым и счастливым или заниматься «делом»? Пусть поразмышляют над образом Рашели, им это будет небесполезно.

Переживания Вассы Петровны (первый вариант) куда сильнее переживаний Вассы Борисовны (второй вариант), потому что у второй, более поздней Вассы, есть надежда. Внук еще совсем мал, всего пять лет, и есть все основания полагать, что при правильном воспитании мальчик вырастет таким, как нужно бабушке. Если, конечно, уберечь его от Рашели и не дать увезти ребенка в далекую Швейцарию, но тут Васса Борисовна уж точно не растеряется, спрячет внука так, что и полиция не найдет. От мужа она вполне удачно избавилась в самом начале пьесы, ненужную свидетельницу — горничную Лизу — тоже убрала. И чего ей теперь переживать до самого финала?

С Вассой же Петровной все иначе. Трое детей выросли, обзавелись собственными семьями, и никаких иллюзий Вассе питать не приходится. Старшая дочь Анна замужем за офицером-алкоголиком, родила от него двоих детей, которые были больны уже с рождения и не выжили, потом родила третьего, здоровенького и крепкого. Но уже от любовника, а не от мужа. За вступление в «морганатический» брак против воли отца Анна была изгнана и из дома, и из числа наследников. Сын Семен под влиянием жены подумывает о том, чтобы выделить свою долю, уехать и открыть собственное дело, младший сын, кривобокий Павел, тоже настроен на выделение доли из общего капитала, хочет торговать старинными вещами и иконами. Ни тот, ни другой к торфу, кирпичу и изразцам ни малейшего интереса не питают. Васса Петровна понимает, что если сыновья настоят на своем и выпорхнут из родового гнезда, то и детей своих приставят впоследствии именно к новому делу, ювелирному (как мечтает Семен) или антикварному (по вкусу Павла). Так что надежды на детей рухнули, а на внуков — призрачны и, вероятнее всего, несбыточны. Как это страшно, как невыносимо тяжело жить, зная, что ждать уже нечего и надеяться не на что! Кровные наследники дело не примут, это уже очевидно, но Васса Петровна готова переступить через вековые традиции, согласно которым кровное родство — самое главное. Мало того, что она предлагает дочери Анне вернуться в родной дом и привезти детей (заведомо рожденных вне законного брака), так она еще и предлагает снохе Людмиле, жене своего младшего сына, которого Васса отправила в монастырь, снова выйти замуж, народить деток, и Васса Петровна готова считать их своими внуками. Какова широта натуры, а? Петровне труднее, чем Борисовне, но она оказывается сильнее: если Вассе Борисовне (второй вариант) Горький уготовил в конце инсульт и смерть, то Васса Петровна жива, бодра и готова к бою. И вроде бы Горький в самом финале показывает Вассу Петровну поникшей, раздавленной, говорящей тихо и устало, но... Вот последние слова пьесы, точнее, авторская ремарка: «Анна и Людмила, переглянувшись, наклонились к ней — она, сняв очки, смотрит на них, угрюмо усмехаясь». Угрюмо усмехаясь, вот как! То есть Васса не сломлена, она еще себя покажет. Мощная тетка! Права была бабуля Ульяна Макаровна: чифирь! А через 25 лет из него выцедили слабый чаек.

Ну и конечно, в обеих пьесах присутствует самоубийство, как и почти во всех других пьесах и романах Алексея Максимовича. Ах, как много мне хотелось бы в этой связи обсудить со своими учениками! Но — нельзя. Да и учеников у меня нет...

* * *

Дети устали, это было заметно даже мне — человеку, плохо разбирающемуся в людях. Мы с Виленом в период подготовки к квесту такой вариант предусмотрели и решили, что, как только увидим в участниках признаки снижения интереса, усталости и «замыливания», предложим им «Вассу». И не потому, что эта пьеса (точнее — две пьесы) легче или проще, а потому, что размышления Владимира Лагутина о данном произведении существенно отличались от тех, которые навевали ему другие пьесы Горького. Пусть ребята переключатся и отдохнут.

Записки о «Вассе Железновой» состояли из двух частей. Вторая часть, совсем короткая, являла собой один из тех образцов измененного почерка, на которые обратил внимание Эдуард Качурин, наш доктор. Эту часть, что очевидно, Володя писал, будучи нетрезвым, находясь в той начальной стадии опьянения, когда фразы делались более короткими, чем обычно. Судя по «Запискам», длинные и путаные предложения появлялись уже потом, когда действие алкоголя становилось сильнее.

Текст, посвященный «Вассе», представлялся мне малоинформативным с точки зрения стоящих передо мной задач, но ребятам должно быть интересно попытаться увидеть в классических драматических произведениях столетней давности вполне современную детективную составляющую. С каждым днем мне становилось все более жаль их — молодых детей свободы, загнанных в жесткие рамки непривычных и непонятных ограничений. Они увядали на глазах, теряли кураж, становились вялыми и безразличными, особенно после наших импровизированных комсомольских собраний. И я подумал, что настал как раз такой момент, когда им не помешает немного развлечься.

Затея вполне удалась, хотя, когда я давал задание прочесть две пьесы, а не одну, как обычно, лица у моей молодежи растерянно вытянулись. Пришлось пойти на уступку и дать им свободный день, чтобы получилось больше времени для знакомства с пьесами. Читать никто не стремился, всем понравилось слушать, а прослушать две пьесы всего за один вечер — это уж слишком, как для самих участников, так и для наших актеров. Зато через день, утром, мы начали не с докладов о том, что привлекло внимание и зацепило, как раньше, а с чтения «Записок», после чего все принялись обсуждать указанные Лагутиным нюансы и недомолвки. Идея Вилена оказалась плодотворной, участники оживились, глаза загорелись. Ребята так увлеклись, что на обед разошлись позже обычного.

После обеда им раздали вторую часть «Записок», но обсуждение застопорилось с самого начала и так и не развернулось ни во что более или менее продуктивное. Что было тому причиной? Затрудняюсь ответить определенно. Возможно, участники действительно устали, и их хватило только на первую часть обсуждения. А возможно, сыграло роль случившееся позавчера происшествие, в результате которого трое наших юношей пребывали в несколько, я бы сказал, растрепанных чувствах.

Позавчера вечером, когда я собирался пригласить Назара составить мне компанию за ужином, он вдруг явился сам. Вид у него был крайне озабоченный.

— У нас проблема, Дик.

Назар рассказал об истории с мобильным телефоном Виссариона и о Тимуре, которому кровь из носу нужно было позвонить. Но самым плохим в этой истории оказалась причина, по которой все это случилось. Причину Тимур, конечно, старался утаить, но Назару с его опытом и навыками не составило никакого труда все выяснить.

За несколько дней до отъезда на квест Тимур получил по электронной почте письмо, присланное на тот адрес, который был открыт специально для обмена информацией при подготовке к мероприятию. Адрес этот, как и временные адреса всех участников и сотрудников, висел в открытом доступе, на сайте проекта. В письме был номер телефона и предложение заработать денег.

Тимур, естественно, позвонил. Сначала ему задали ряд вопросов о самом квесте, об условиях пребывания и о правилах участия, а потом сказали, что для получения довольно приличной (по меркам самого Тимура, разумеется) суммы ему нужно выполнить сущую безделицу: постараться сделать так, чтобы Артем Фадеев не уехал из поселка раньше времени. Женщина, с которой разговаривал Тимур, ничего не объясняла, никак свою просьбу не мотивировала, просто озвучила суть задания и размер оплаты.

Услышав краем уха, что Сергей подумывает о прекращении участия в проекте и что Артем, скорее всего, тоже уедет вслед за ним, Тимур решил, что нужно позвонить и спросить совета: что делать? Тем более что заказчица строго-настрого велела, во-первых, отчитываться каждые два-три дня, а во-вторых, предупредить, если ситуация выйдет из-под контроля.

Все это крайне дурно пахло. Я с самого начала изо всех сил старался сделать свой проект и всю нашу работу максимально прозрачной и честной, ни от кого ничего не скрывал (кроме своих отношений с Энтони Лагутиным), и все равно даже на таком чистом поле сумели прорасти сорняки лжи и подлости.

— Что говорит Артем? — спросил я.

— Артем — мальчик умный, он сразу сообразил, о какой женщине идет речь. Оказывается, он подал на конкурс свой проект, победитель конкурса получит контракт на разработку и сопровождение маркетинговой стратегии для крупной сети торговых центров. Контракт дорогой и долгосрочный. Но лицо, принимающее окончательное решение, делает это только после личной встречи и составления собственного впечатления о конкурсанте. Собеседования должны проходить в начале июля, то есть как раз сейчас. Перед отъездом Артем созванивался с некой дамой по имени Алена Игоревна, которая принимала его проект, и она сказала, что босс уже видел его материалы, и они его не впечатлили, так что Фадеева даже на собеседование приглашать не намерены.

Да уж, ситуация — хуже некуда. Вероятно, наш Артем сделал настолько хорошую работу, что реальных конкурентов у него в этом конкурсе не было. Единственное, что могло помешать его безусловной победе, — неявка на собеседование. Похоже, неведомой Алене Игоревне очень нужно было пропихнуть какого-то другого конкурсанта, чья работа выглядела лучшей после работы Артема. Для этого всего лишь следовало помешать претенденту на первое место явиться на личную встречу к шефу, и второе место почти автоматически становится первым.

— Разве она знала, что Артем окажется без мобильной связи и без интернета?

— Знала, — вздохнул Назар. — Артем сам ей сказал, когда просил выяснить судьбу своего проекта заранее. Он объяснил, что если его будут искать, то он об этом вряд ли узнает, потому что почту проверить не сможет, и если есть вероятность, что его пригласят на собеседование, то он откажется от участия в нашем проекте и никуда не поедет. А Алена Игоревна его заверила, что поговорила с шефом и шансов у Фадеева нет, поэтому он может ехать с чистой совестью.

— И что он решил? Как реагировал?

— Реагировал спокойно, он же парень флегматичный, не взрывной. А насчет принятия решения — я попросил его не торопиться, ничего пока не решать.

— Где он сейчас?

— У меня сидит. Тимур и Сережа тоже там. Ждут, что ты скажешь. Ты же главный, твое слово — закон. Тимур ждет, выгонишь ты его или нет. Сережа ждет решения Артема, да и на Виссариона он, по-моему, крепко обиделся, ведь Вася его в воровстве обвинил. Короче, Дик, давай, распоряжайся.

Распоряжайся! Если бы я знал как. У меня нет опыта управления коллективом, я всегда был одиночкой. Я переводчик, а не кризисный менеджер. Но коль я взвалил на себя роль «главного», надо что-то предпринимать.

— Собирай всех сотрудников, — я посмотрел на часы, — через час. Пусть поужинают и приходят на четвертый этаж. Делать секрет из ситуации не будем, у нас принцип полной открытости. Сотрудники должны все знать и иметь возможность высказать свое мнение, особенно кураторы мальчиков.

Через час мы собрались на четвертом этаже. И в этот раз дверь в квартиру я, вопреки обыкновению, попросил запереть, чтобы не провоцировать в молодых участниках излишнее любопытство. Назар рассказал о том, что произошло, а я подвел итог:

— Мы можем отстранить Тимура за грубое нарушение. Весь вопрос в Артеме. Если он решит уехать и попытаться исправить ситуацию с конкурсом, то следом за ним может потянуться и Сергей. Тимур Сергея сильно раздражает, это видно даже со стороны, а вот если Артем уедет, Сергей останется без общения. Ни с кем из девушек он особо не контактирует, так что Артем — его единственная отдушина. Таким образом, мы потеряем трех молодых людей, то есть всю мужскую половину участников. У нас останутся только девушки. Но здесь еще один тонкий момент. Вы все помните, что во время отборочного тура Марина нарушала правила и звонила подругам на мобильные номера. Мы тогда промолчали, сделали вид, что ничего не узнали, потому что опасались, что отчисление Марины повлечет за собой потерю Натальи.

Все закивали, мол, помнят, а как же.

— Юра отслеживает ситуацию и регулярно сообщает мне, что Марина продолжает эту практику. Вероятно, тот факт, что мы на отборе промолчали, вселил в нее уверенность, что мы ничего не проверяем. И если мы публично объявим, за какое нарушение отчисляем Тимура, будет неправильным обойти молчанием нарушения Марины. Ее тоже придется отчислить. И с ней вместе уедет Наталья. Таким образом, при самом плохом развитии событий мы рискуем остаться с одной Евдокией.

— Нет, это не годится, — горячо заговорила Ирина. — Надо что-то придумать, чтобы такого не случилось.

— Да уж, Вася, выступил ты удачно. — Полина Викторовна с ненавистью смотрела на Виссариона. — Как у тебя язык-то твой поганый повернулся обвинить Сережу в воровстве? Твое комсомольско-партийное прошлое из тебя лезет: надо сразу найти, кого обвинить, и скорее полить грязью, вывалять в подозрениях, чтобы потом тебя самого не обвинили в политической близорукости, дескать, морального урода проглядел. Все вы мастера свои задницы прикрывать. Плавали, знаем.

Подобной резкости и даже грубости я от Полины никак не ожидал. Видел, конечно, что она недолюбливает Виссариона, и даже вроде бы понимал почему, но чтобы вот так!

— Сережа и до этого говорил, что без Артема не останется, — отбивался Гримо. — Еще до того, как все случилось.

— До того он колебался, говорил предположительно, — не уступала Полина. — А теперь, когда ты так его обидел, ему невыносимо здесь оставаться. Он же не может сменить куратора, родителей не выбирают, таково условие задачи. Каково мальчику жить в одной квартире с тем, кто назвал его вором? Ты только масла в огонь подлил.

— Но я извинился! Признал свою неправоту!

— А что толку? Теперь Сережа знает, что при любом недоразумении ты склонен его подозревать и обвинять. Думаешь, это очень приятно?

Положение спасла Галия.

— Коллеги, разбор ошибок — это наше всё, — сказала она со спокойной улыбкой. — И мы непременно его продолжим. Но давайте не забывать, что у нас три мальчика, с которыми нужно что-то решать. Я предлагаю пригласить сюда Артема и поговорить с ним. В зависимости от позиции, которую он займет, мы будем двигаться дальше.

— Разумно, — тут же поддержал ее психолог Вилен.

Я попросил Юру привести Артема. Маркетолог выслушал мои разъяснения и кивнул.

— Я понял вашу логику.

— И каково же ваше решение?

— Ну, мое решение с вашей логикой никак не связано. У меня есть своя логика. За время пребывания в квесте я многое понял и увидел, насколько несовершенен был тот проект, который я подал на конкурс. Еще месяц назад он казался мне классным, я был уверен в победе, теперь я вижу, что это была лажа. И знаю, что могу сделать намного лучше. Конечно, на это потребуется время, а на то, чтобы прожить это время спокойно, потребуются деньги, которые я получу за участие в квесте. Поэтому я остаюсь. Моя логика понятна?

— Вполне. Спасибо. Значит, за вас и Сергея мы можем не волноваться.

Артем ушел, а мы начали думать, как поступить с Тимуром и Мариной. Отчислить только одного Тимура никак не получалось, если он — то и Марина, а если Марина, то мы теряем Наташу. В принципе, ничего страшного, Тимур и Марина для работы не особо ценны, а Наташа... Ну что ж, остаются Евдокия, Артем и Сергей, это очень неплохо. Но эти трое мыслят рационально, а Наталья — девушка эмоциональная, тонко чувствующая, она обычно обращает внимание на такие моменты, которые у других участников интереса не вызывают. Да, она крайне редко совпадает с Владимиром Лагутиным, но это как раз хорошо, поскольку помогает исключить из характеристики личности молодого учителя те или иные особенности восприятия и мышления. Например, благодаря анализу высказываний Наташи Вилен смог с уверенностью утверждать, что мой родственник Володя, несмотря на все свое передовое протестное мышление, был изрядным снобом и свысока смотрел на тех, кто был менее образован, меньше знал, меньше читал или имел более низкий социальный статус. Одним словом, отдавать Наташу не хотелось. Но мой печальный опыт с Мариной во время отборочного тура подсказывал, что совершать ту же ошибку во второй раз нельзя. Нельзя умалчивать. Нельзя делать вид, что ничего не произошло. Кто бы мог подумать, что отсутствие моей реакции на то давнее нарушение может сегодня привести к потере пятерых участников из шести! Где поп, как говорится, а где приход... И тем не менее именно так и получается.

Решение нашел Вилен. Вернее, не нашел, а предложил вариант. Мы ничего не скрываем. Мы ни о чем не умалчиваем. Мы готовы наказать всех провинившихся. Но у нас остается шанс сохранить группу.

— Пригласите, пожалуйста, Тимура и Марину, — попросил я Юру.

Офис-менеджер встал из-за стола, бросив вопросительный взгляд на Полину Викторовну. Та фыркнула в ответ и кивнула на доктора Качурина.

— Если она не дома, значит, ищи у Эдика.

Никаких запретов на личные отношения в нашем квесте не было изначально. Жизнь есть жизнь.

Тимур явился понурый, Марина же выглядела испуганной, она не догадывалась, зачем ее позвали. Войдя, бросила тревожный взгляд на Эдуарда, но он смотрел на девушку без всяких эмоций. Я предоставил слово Назару, который, строго глядя на провинившихся, объявил, что оба они допустили нарушения в пользовании телефонной связью, звонили на мобильные номера, поэтому по правилам квеста должны быть наказаны. В качестве наказания им предлагается либо отчисление без какой бы то ни было оплаты, как это предусмотрено в подписанном ими соглашении, либо денежный штраф в совокупности с общественными работами.

— А сколько денег нужно заплатить? — спросила Марина.

Назар назвал сумму. Весьма, надо заметить, немалую.

— Ой, — растерянно проговорила девушка. — У меня столько нету...

— Сумму штрафа мы вычтем из вашей итоговой оплаты, — сказал Назар. — Эти деньги не нужно платить прямо сейчас.

— Тогда хорошо, — обрадовалась она.

— А общественные работы — это что? — спросил Тимур.

— Мы еще не решили. Например, вымыть лестницу, окна и стены в нашем подъезде. Произвести генеральную уборку в столовой. Уборщицы у нас нет, в квартирах вы наводите чистоту сами, а места общего пользования стоят грязными и неубранными. Кстати, квартира, где мы сейчас находимся, тоже нуждается в уборке.

— Получается, или штраф, или общественные работы? Или то и другое вместе?

— Вместе, сынок, вместе, — ответил Назар с нескрываемым злорадством. — Или платите и моете, или отчисление и отъезд. Выбирайте.

Когда Вилен озвучил свое предложение, мы все надеялись, что оба выберут штраф и мытье лестницы. Так и оказалось. Нарушения не остались безнаказанными, но группу мы сохранили.

Все это произошло позавчера. Вчера с утра участники квеста слушали первый вариант «Вассы», после чего вплоть до начала чтений второго варианта Тимур и Марина драили лестницы, стены и окна. А сегодня мы обсуждали пьесы и «Записки».

\* \* \*

После разговора с сотрудниками Артем вернулся на пятый этаж, где в квартире Назара Захаровича его ждали Сергей и Тимур.

— Ну, чего? — сразу спросил Тимур, едва открыв дверь Артему. — Меня будут выгонять? Чего сказали-то?

— Про тебя базара не было. Спрашивали только, что я решил.

— А что ты решил? Будешь требовать, чтобы меня убрали?

— Да живи ты спокойно! — Артем с досадой махнул рукой. — С дурака какой спрос?

— Ну, хочешь, я еще раз извинюсь? Да, я козел и сволочь, признаю. Просто такой случай представился бабла влегкую срубить... А что такого-то? Деньги всем нужны, и тебе тоже, иначе с какого бодуна мы все тут собрались бы.

Артем не злился на него. Он слишком давно крутился в конкурентной среде и привык к тому, что обманы и подставы встречаются на каждом шагу. Это норма жизни. Все так делают, каждый бьется за свой кусок, и никому не стыдно, потому что... А кстати, почему? Он хотел обдумать эту мысль, но Тимур не давал сосредоточиться и продолжал скулить:

— Тебе, наверное, неприятно теперь будет, что я здесь... если меня не выгонят, конечно... Я тебя обманывал... шуршал за твоей спиной... ты меня не простишь...

— Да прощу я, прощу! Уже простил. Отвяжись, — сердито бросил Артем.

Сергей угрюмо молчал. Заговорил он, только когда пришел завхоз и увел Тимура на собрание сотрудников.

— Тёма, а ты что, на самом деле простил этого идиота? — спросил он, оставшись вдвоем с Артемом.

— А что, удавить его, что ли? Серега, я знаю эту ситуацию, я повидал всех этих людей хренову тучу. Если Алене позарез нужно пропихнуть своего человека, она его пропихнет, не таким способом — так другим. Даже если у нее по какой-то причине не получилось бы убрать меня из списка на собеседование и меня взяли бы на проект, она потом не дала бы мне работать. Начнутся подставы на каждом шагу, и в конечном итоге меня выпрут, а вдогонку еще и репутацию мне испортят. Алена будет меня ненавидеть за то, что ей не удалось впарить своего протеже, в котором она, видимо, сильно заинтересована, и нормально работать она мне все равно не даст. Ну и на фиг мне нужен такой геморрой?

— Легко ты прощаешь, — вздохнул Сергей. — А я Гримо не простил. Так противно мне... Неужели я похож на вора? Неужели обо мне можно так подумать?

— Не парься, Серега. Гримо старый, у него, может, возрастные изменения начались, деменция и все такое. Мне Вилен рассказывал, что старики часто становятся подозрительными, во всем видят обман и разводилово. Это не потому, что они изначально к людям плохо относятся, просто так природа устроила. Естественный процесс.

— Но у Тимура-то нет никакой деменции, а ты его все равно простил.

— А толку на него обижаться? Зачем эмоции тратить? У Тимура денежный интерес, я такое понимаю. И у Алены тоже интерес, может, денежный, может, личный какой-то. Каждый за себя, и обижаться бессмысленно.

Он помолчал, потом невесело усмехнулся.

— Как эта Алена меня сделала! Как ребенка, честное слово. И ведь я ни сном ни духом, ничего не заподозрил. Любопытно... Мать мне часто говорит: «Тёма, ты такой доверчивый, тебя обмануть — раз плюнуть». И я каждый раз думаю, что просто она сама очень недоверчивая и всех подозревает, потому что сомневается в себе и не уверена, что может распознать обман. А я-то умный, я же крутой, меня на кривой козе не объедешь. И вот объехали... Сразу двое. Сначала Алена, потом Тим. Ну, Алена — ладно, она баба в возрасте, хитрая, опытная, хотя все равно непонятно, почему я ничего не заметил. Но Тим-то — вообще пацан, он же младше меня!

Артему показалось, что Сергей хочет о чем-то рассказать, но колеблется. Может, и рассказал бы, однако вернулся Тимур, веселый и сияющий.

— Наказали штрафом и мытьем подъезда! — радостно сообщил он. — Не выгнали! Прикиньте, народ, Маринка, оказывается, тоже нарушает, на мобилы звонит. Ее тоже оштрафовали, будем завтра вместе с ней места общего пользования драить. Я прям удивился, когда ее вместе со мной на разборку поставили. Она ж такая, типа правильная, даже гулять не рвется, из дома не убегает... Никогда бы не подумал, что она чего-то там нарушает. Правильно Юра говорил.

— А что он говорил? — живо заинтересовался Артем.

— Что мы ни фига не умеем людей видеть.

— С чего он это взял? — насторожился Сергей.

Тимур пожал плечами.

— Не знаю. Сказал — и все. И еще сказал, что это как раз особенность нашего поколения, потому что мы смотрим чаще в гаджеты, а не на людей. Ну чего, Артем? Мир? Или будешь дуться?

— Слушай, отвали! — рассердился Артем. — Я тебе десять раз уже сказал, что простил. Чего тебе еще надо? Целоваться взасос? Всё, разобрались и проехали. Пошли по домам, живем как раньше, продолжаем работать.

— А Гримо? — не отставал Тимур. — Как вы думаете, он меня простит за то, что я у него мобилу помылил?

— Вот пойди и сам спроси, — огрызнулся Сергей. — Задолбал уже.

Они втроем вышли из квартиры, захлопнули дверь и стали спускаться по лестнице. Тимур прошел мимо своего четвертого этажа и, поймав удивленный взгляд Артема, пояснил:

— Я с Серегой. Он же сказал, что надо с Гримо поговорить.

Вилена еще не было дома. Наверное, опять будет допоздна торчать у Ричарда. Артем вдруг почувствовал, что ужасно голоден. Когда разыгралась вся катавасия и Назар Захарович собрал их в своей квартире, Артем как раз собирался идти ужинать, а потом, когда им велели ждать решения высокого собрания, было как-то не до мыслей о еде. Теперь же буквально желудок сводило. Уже почти десять, можно еще успеть в буфет... Но ведь Серега и Тим тоже не ходили на ужин и, наверное, жутко голодные, значит, есть вероятность столкнуться с ними в буфете, и Тим опять заведет свою волынку на тему «простить и не дуться». Смешной он! Зато незлобивый и, в общем-то, не вредный. Только дурной, но это по молодости.

На кухне в одном из шкафчиков нашлась коробка ванильных сухарей с изюмом, и Артем решил, что вполне обойдется без буфета. Заварил чай и уселся ждать Вилена, положив перед собой том Горького: перед завтрашними чтениями нужно заранее пробежать текст глазами. Из-за этого балбеса Тима весь чудесный план на сегодняшний вечер полетел к черту. Они с Серегой планировали почитать пьесы под пиво с сухариками, а вышла какая-то ерунда и нервотрепка.

Психолог явился поздно, Артем к этому времени почти закончил читать первый вариант, а коробка с сухарями полностью опустела. Вилен посмотрел на раскрытую книгу, испещренную карандашными пометками, и одобрительно кивнул:

— Трудишься? Молодец. И молодец, что решил остаться. Ты поступил по-мужски, а не по-детски. А как Сергей? Сильно расстроен?

— Сильно. Ему обидно, что Виссарион мог так о нем подумать.

— Но он не уедет? Останется?

— Вроде останется... Не могу сказать точно.

— Как же так? Ты же с ним разговаривал, ты видел его реакцию, слышал голос, вы столько времени у Назара Захаровича вместе просидели — и ты не можешь сказать?

— Собственно, об этом я и хотел с тобой поговорить, — признался Артем. — Юра сказал Тиму, что наше поколение не умеет видеть людей. Ты тоже считаешь, что это так?

Вилен зажег газ под чайником, потряс пустую коробку из-под сухарей, заглянул внутрь, выбросил ее в мусорное ведро.

— Давай начнем не с вашего поколения, а с различий между мужчинами и женщинами.

— Тактическое и стратегическое мышление?

— О нет, это уже в прошлом. Об этом вообще забудь. Все намного тоньше и сложнее.

Артем с немалым удивлением прослушал короткую лекцию о различиях работы мозга у мужчин и женщин и о том, что девочки с самого рождения учатся смотреть в глаза и на лицо того, кто рядом, чтобы уловить настроение, одобрение или неодобрение, готовность утешить или наказать. А мальчики в глаза и на лицо смотреть не любят. Девочки с раннего детства приучаются ориентироваться на эмоцию, мальчики — на факт. Поэтому для мальчиков и мужчин имеет значение, ЧТО именно сказано и сделано, а для девочек и женщин важно, КАК это сказано и с каким выражением лица сделано. Отсюда вывод: женщины в большинстве своем лучше умеют видеть и чувствовать эмоции людей, нежели большинство мужчин. Они более тренированы в наблюдении за внешними проявлениями чувств.

— Тогда получается, что женщин вообще невозможно обмануть, — озадаченно проговорил Артем. — Если они лучше видят людей...

— Э нет, ты невнимателен. Женщины хорошо ловят чужие эмоции, но не чужие мысли. Мысли и эмоции — это про разное. Эмоция выражается внешне, и наши дамы хорошо умеют их считывать. А мысль выражается в сути сказанного и сделанного. Вся засада в том, что женщины больше доверяют именно эмоциям и меньше склонны анализировать суть. Сыграй нужную эмоцию — и ты легко обманешь женщину. А мужчины, наоборот, не склонны анализировать эмоции, они их почти совсем не умеют видеть и различать и делать из этого выводы. Они опираются в своих суждениях на факты, на суть. Но это, так сказать, на глобальном уровне. Различие статистически достоверно, но не абсолютно, сам понимаешь. Все люди очень разные, и есть огромное количество мужчин — хорошо тренированных мастеров считывания эмоций, и огромное число женщин, которые этим навыком почти совсем не обладают.

— Получается, если наше поколение больше общается с интернетом, чем с людьми, то у нас с этим навыком совсем плохо?

— Умница! — улыбнулся Вилен. — Даже нынешние девочки, не развивая природный навык, в значительной степени утрачивают его, а уж про мальчиков и говорить нечего. Ты, наверное, удивляешься, как тебя так легко обманула дама, которой ты сдавал свой проект?

— Ну да. Теперь понятно, конечно...

Артем удрученно вздохнул. Алена Игоревна — из того поколения, которое выросло без интернета. Хорошо тренированная. И женщина к тому же. А он — молодой мужчина. Куда ему с ней тягаться!

Хорошо, что он попал на квест. Не поехал бы — еще неизвестно, когда ему довелось бы узнать такие полезные для жизни факты.

# Записки
## молодого учителя
### «ВАССА ЖЕЛЕЗНОВА»
#### *Часть вторая*

Интересно, ходила ли Васса Борисовна Железнова из второго варианта вокруг той комнаты, где умер отравленный ею (или по ее приказу) муж? Ведь наверняка каждый день по нескольку раз проходила мимо его комнаты, мимо двери, за которой... Что она чувствовала в эти моменты? О чем думала? Испытывала боль и ужас, вспоминая содеянное? Или давила в себе ненужные мысли, гнала их, внутренне зажмуриваясь? А та постройка, где якобы повесилась Лиза? А баня, где якобы угорела Липа из первого варианта? Впрочем, у меня в голове все спуталось, и я уже не помню, кого из них нашли в сарае, а кого — в бане... Но в любом случае мимо этих бань-сараев убийцы должны были проходить каждый день. Да что там «мимо»! Они и внутрь заходят регулярно. И как им это?

В пьесах нет ни одного слова, ни даже намека на подобные переживания. Было бы занятно, если бы кто-нибудь из персонажей, признавая свою греховность, специально ходил бы мимо той комнаты, причиняя себе непереносимую боль. Как будто наказывал бы себя за то, что сотворил. Вот же странная вещь: и Петр Артамонов, и Василий Бессеменов, и Васса (которая первая, Петровна) признают, что много грешили. Второй Вассе, Борисовне, и признавать ничего не нужно, ее грехи совершаются по ходу пьесы на глазах у публики. Да, ради детей, и это вроде как их оправдывает, но грехи-то они осознают и признают, однако ни один из них не пытается ни искупить их, ни понести наказание, пусть даже наложенное собственными руками. А ведь все религиозные, в бога верили, в церковь ходили. Как же так? Почему они все четверо оказались настолько похожими друг на друга? Почему ни одному из них не пришло в голову наложить на себя епитимью?

Вспомнил свой давний разговор с Каляйкой. У него непримиримая вражда с Щукой. Щука его всегда унижает и обзывает, причем очень громко. Уж не знаю, чем Каляйка ей так досадил. Щука орет, Каляйка отвечает, тоже голос повышает, чтобы все слышали, моментально вспыхивает общая свара. Как только Каляйка уходит, Щука успокаивается, хамит всем, но в пределах разумного, не зарывается. Я постоянно наблюдал этот цирк, а потом решил спросить у Каляйки, зачем он продолжает ходить к Щуке, если через две улицы можно решить все вопросы без криков и издевательств. Каляйка, бывший интеллигент, каковым он был когда-то, пока не начал катастрофически спиваться, любил пофилософствовать, поэтому отвечал долго, длинно и витиевато. К тому моменту он уже был изрядно пьян, поэтому из его ответа я ничего не понял.

Вскоре Каляйка умер. Напился, как обычно, и замерз в сугробе. Так я и не услышал от него слов, которые мне нужны. И у Горького я их тоже не нашел.

* * *

— Не понял логики, — заявил Артем. — Связка пропущена между первым и вторым блоками.

— Наверное, поддатый был, — высказала предположение Марина.

— Кто такой Каляйка?

— А кто такой Щука?

— Щука не «он», а «она»...

— Какие вопросы можно было решить через две улицы?

Вопросы сыпались один за одним, но ответов не находилось, да и на какие ответы можно рассчитывать, изучая пьяные бредни?

Галия попросила ребят высказать предположения о том, каких слов Владимир не нашел у Горького и не услышал от загадочного Каляйки. Все единодушно сошлись во мнении, что речь идет об ответе на вопрос о схожести персонажей и о том, почему никто из них не раскаивается и не пытается искупить вину. Какое отношение ко всему этому имеют Каляйка и Щука? Никаких версий мы не получили, кроме одной, высказанной Евдокией:

— Может быть, Каляйка раньше был учителем литературы или филологом? Или священником?

Может быть. Но света эта версия ни на что не проливает.

Я отпустил участников. Признавая, что в работе за сегодняшний день не продвинулся ни на шаг, я радовался, что дети хотя бы получили удовольствие. Ребята начали вставать из-за стола, но вдруг прозвучал голосок Наташи:

— А Людмила? Как же Людмила?

На мгновение повисла тишина, потом все заговорили разом.

— Какая Людмила? Которая? Первая или вторая?

— А что с ней непонятно-то? Придурочная.

— Нет, если первая, то она нормальная, только без мужа осталась, его ж в монастырь услали...

— Тихо! — прикрикнул Назар. — Умолкли все.

Ласково посмотрел на Наташу.

— Говори, дочка.

Наташа испуганно озиралась, обводя глазами ребят, выжидающе глядящих на нее.

— Помните, когда мы обсуждали «Старика», там в «Записках учителя» была фраза, что Таня напоминает Власа, Ольгу Алексеевну, Людмилу...

Конечно! Как я мог забыть?!

*«Таня странно напоминает мне Фому Гордеева, Власа, Ольгу Алексеевну, Людмилу и даже Юлию Филипповну...»*

Специально записал в своем рабочем журнале, чтобы не вылетело из головы, и все равно упустил. Вероятно, устали не только участники, но и я сам, внимание рассеивается, концентрация падает. Впрочем, удивляться нечему: если уж устали молодые, полные сил ребята, то что говорить обо мне, больном старике под восемьдесят... Зря я хорохорился и выпячивал грудь перед Андреем Сорокопятом, когда убеждал его, что интеллектуально полностью сохранен и без труда справлюсь с большим трудоемким исследованием. Зря. Даже такую мелочь — одну фразу! — и то не могу в памяти удержать после нескольких дней интенсивной работы. Как там говорила Ирина, цитируя свою дочь? «Жизнь показала свою густопсовую харю», кажется. Вот именно это и произошло сейчас со мной. Природу не обманешь, естественные процессы старения и угасания не остановишь и не скроешь, и не считаться с ними, не учитывать их — непростительная глупость и самонадеянность.

— Продолжайте, — потребовал я, жестом предлагая всем снова занять места за столом. — Очень хорошо, что вы вспомнили.

— Мы, конечно, еще не все пьесы прочитали, — начала девушка, волнуясь, — и Горький часто одни и те же имена использовал, но я пьесы просмотрела, вроде бы Ольга Алексеевна есть только в «Дачниках», и в той части «Записок», где про «Дачников», упоминается эта фраза.

— Какая? — терпеливо спросил я.

Наташа говорила сбивчиво, отчего-то нервничала, и мне хотелось помочь ей, подбодрить. Девушка открыла тетрадь в том месте, где торчал какой-то листочек, очевидно выполняющий роль закладки.

— «Все равно, куда я приду, лишь бы выйти из этой скучной муки!» А в первой «Вассе» Людмила, сноха Вассы, говорит: «Кожу бы всю оставила, только вырваться... Только вырваться!» Я подумала, что, может быть, Владимир эти слова имел в виду?

Она смотрела на меня робко и неуверенно. Первым отреагировал, как обычно, Артем.

— Ну ты даешь, Наталья! Никто ведь не вспомнил, одна ты сообразила! Это какой-то механизм...

Он задумался, уставившись в одну точку, потом кивнул, словно соглашаясь с собственными мыслями.

— Да, интересно, — проговорил он медленно. — Механизм движения с багажом и без багажа. Одни люди мгновенно выбрасывают из головы отработанную ситуацию, прожитый день, обдуманные мысли, а другие несут все это дальше по жизни. Одни покупают все недолговечное, потому что не намерены долго этим пользоваться, другие хотят купить надежное, на долгие годы. Одни легко переезжают с места на место и не обрастают вещами, другие накапливают добро и оседают... Да, это один и тот же механизм, пожалуй. Мы все, кроме Наташи, обсудили «Дачников», потом «Старика» и тут же забыли, потому что информация в дальнейшем не пригодится. Ну, — он слегка улыбнулся, — мы так решили, что не пригодится. А Наташа все держит в голове. Она — пассажир с багажом. Помните, как она вспомнила про «Дело Артамоновых»? Никто ведь не провел аналогию, только она.

Вилен слушал Артема с нескрываемым интересом.

— Каков же итоговый вывод? — спросил психолог. — Как правильнее жить, с багажом или без багажа?

— Я должен подумать. Пока не готов ответить.

— Чего тут думать-то! — весело заговорил Тимур. — Багаж на помойку, на фиг он нужен? Жить надо легко, тогда можно двигаться вперед, а с багажом никуда не продвинешься.

— Тогда уж не «легко», а «налегке», — поправил его Семен.

— Ну, пусть налегке, какая разница. Багаж руки связывает, а так — сумку подхватил и вперед, хоть в другой город, хоть в другую страну.

Я понимал, что, если не вернуть участников в рабочее русло, дискуссия пойдет в сторону теории поколений, поэтому попросил связать процитированные Наташей реплики с образами Власа и Юлии Филипповны, тоже упомянутой в «Записках». Зашелестели страницы книг и тетрадей в поисках нужных фрагментов. Первой справилась Евдокия.

— Получается, если женщине плохо и тошно, она стремится вырваться, то есть уйти, уехать или даже умереть, а если мужчине — он стремится выговориться, — чуть удивленно заметила она. — Причем не открыть душу понимающему собеседнику, а именно выпустить пар, закричать, нагрубить, оскорбить.

— Там еще про Фому Гордеева написано, а мы его не проходили, — сказал Сергей. — Так что обобщающие выводы делать пока рано.

Артем поднял глаза от своей тетради и вопросительно взглянул на меня.

— Кстати, о «Фоме Гордееве». Вы сказали, что книги привезут позже. Привезли?

Книги Юра доставил, они лежали в соседней комнате в шкафу, дожидаясь своей очереди. Я ответил, что все желающие могут взять роман и начать читать.

— Нет, я не согласна насчет Юлии Филипповны, — вдруг решительно заговорила Марина. — Она нигде не говорит, что ей тошно и плохо. Чем ей плохо-то? Она замужем за Сусловым, у всех на глазах крутит роман с Замысловым, всегда веселая, всегда в хорошем настроении.

— Но она же предлагает мужу совершить двойное самоубийство, — возразила Евдокия. — Вряд ли от хорошей жизни. Значит, что-то ее гложет.

— Да не гложет ее ничего! — уверенно продолжала Марина. — Она дурака валяет, шутит, издевается над мужем, хочет его «на слабо» проверить.

Подумала и твердо повторила:

— Нет, про Юлию я не согласна. Молодая, красивая, муж есть, любовник — что еще нужно? У нее все в порядке.

Но Евдокия продолжала настаивать, чем очень меня удивила. Обычно она ограничивалась тем, что высказывала свою точку зрения, а во время коллективных обсуждений чаще молчала, стараясь не ввязываться в споры. Сегодня же она отчего-то проявляла несвойственное ей ранее упорство.

— Юлия Филипповна несчастлива в браке, хотя пытается это скрывать от всех. Смотрите: муж ее спрашивает, за что она его ненавидит, а Юлия пренебрежительно отвечает, что его нельзя ненавидеть. То есть она считает мужа настолько серым и пресным, что к нему вообще невозможно испытывать никаких чувств — ни любви, ни ненависти. Пренебрежительно — это не я придумала, так у Горького написано.

— Хорошо, — кивнула Галия с довольным видом, — продолжайте, пожалуйста.

— Дальше она говорит мужу: «Ты, Петр, сделал из меня мерзкую женщину». Этими словами она как бы признает, что за время брака нравственно изменилась в худшую сторону. И тут же переключается на разговор с Марьей Львовной, из которого можно сделать вывод, что брак и муж ее сильно разочаровали и в семейной жизни ей по каким-то причинам очень тяжело.

— Да нет там ничего такого! — возмущенно воскликнула Марина, следящая глазами по тексту. — Про мерзкую женщину есть, да, но больше ничего нет, остальное ты сама придумала.

— Не согласен, — неожиданно вмешался Сергей, тоже смотрящий в текст пьесы. — Очень яркий пассаж Юлии про обычай одного племени дикарей: «Мужчина, перед тем как сорвать цветы удовольствия, бьет женщину дубиной по голове. У нас, людей культурных, это делают после свадьбы». И дальше, буквально через строчку: «Дикари честнее — не правда ли?»

— И чего? — недоуменно отозвался бородатый очкарик Тимур. — Дикари-то при чем?

— При том, что брак и муж принесли Юлии много плохого, такого, чего она не ожидала, и она приравнивает это к удару дубиной по голове.

— А после этих слов, — подхватила Евдокия, — Марья Львовна почуяла, что в жизни Юлии не все гладко, и спрашивает: «Вам тяжело жить?» И Юлия ей отвечает: «Кто слышал мои стоны?.. Я всегда веселая...»

— Так она же смеется в этот момент! — перебила ее Марина. — Ты что, не видишь? Там прямым текстом написано: «смеясь».

Сегодня Марина очень старалась и демонстрировала попытки быть внимательной и вдумчивой, чего раньше не было. Похоже, она по-настоящему испугалась, оказавшись на грани отчисления, даже, как уверил меня Назар, лестницу вчера отмыла более чем тщательно.

Евдокия посмотрела на нее долгим и немного рассеянным взглядом.

— Смеяться можно и от отчаяния, — глухо проговорила она. — Смех — не показатель благополучия. Смотрим дальше, диалог Юлии с Двоеточием. Двоеточие спрашивает: «Ты мужа-то любишь?» Она говорит: «А по-вашему, его можно любить?» — «А на что замуж за него вышла?» — «А он интересным прикинулся...» Здесь, на мой взгляд, совершенно очевидно прописано ее разочарование. Выходила замуж за одного, а в браке получила совсем другого.

Я видел, что Наташе не по себе. Она явно хотела что-то сказать, что-то добавить к словам Евдокии, поддержать ее позицию, но ведь ее любимая подружка Марина придерживается противоположной точки зрения, и обижать ее, вступать в конфронтацию не хочется. Может быть, ничего существенного, и пусть девочка промолчит, но вдруг? Вдруг именно эта мысль окажется тем толчком, который запустит весь механизм? Нельзя ничего упускать, нельзя ничем пренебрегать. А то сегодня я чуть было не упустил важный момент, хорошо, что Наташа вспомнила. Пока я искал способ заставить девочку высказаться и при этом не обидеть Марину, Наташа все-таки сама набралась мужества и заговорила:

— Там дальше, в четвертом действии... В общем, у мужа Юлии, у Суслова этого, неприятности на стройке, он же инженер. Стена обрушилась, двое рабочих погибли. Это как-то старались не афишировать, замять, а тут Юлия сама говорит, причем злорадно...

Она покосилась на сидящую рядом Марину и продолжила:

— Про злорадно — не мои домыслы, так у Горького написано. Короче, Юлия рассказывает и про то, что стена упала, и что рабочие погибли, и что муж врет, будто подрядчик контролировал процесс на строительстве, и сам Суслов на этой стройке ни разу не был...

— Да, — вклинился Тимур, уже нашедший в книге нужное место, — слила она мужа по полной. И как не побоялась?

— А чего ей бояться? — сердито спросила Марина. — Не у нее же стена рухнула, а у мужа, ему и отвечать, не ей.

— А если его посадят? — коварно спросил Артем, и я понял, что мы с ним одинаково интерпретировали мысль и чувство, скрытые за коротким диалогом персонажей пьесы. Интересно, мой дальний родственник Володя Лагутин интерпретировал эти слова так же, как и мы с молодым маркетологом? Или все же в перечень героев, которые казались ему похожими на него самого, Владимир вкладывал какой-то иной подтекст?

— А вот если Суслова посадят, — неторопливо и задумчиво подхватил Сергей, — или хотя бы привлекут к ответственности, то для Юлии Филипповны начнется совсем другая жизнь. Может быть, лучше, может быть, хуже, чем нынешняя, но она совершенно определенно будет другой. Таня-то из «Старика» что говорит? Так скучно, что хочется несчастья. Вот и Юлии его хочется. Это можно рассматривать как вариант бегства, попытку вырваться.

Евдокия посмотрела на него с благодарностью и кивнула, соглашаясь.

— Ничего себе бегство! — отпарировал Тимур. — Посади мужа и стань женой арестанта? Это она в роль жены осужденного собирается вырваться? Прикол вообще!

— Иногда бывает не важно куда, — тихо проговорила Евдокия. — Иногда намного важнее — откуда.

Артем обеими ладонями прихлопнул страницы раскрытой перед ним книги.

— Кажется, я понял.

Все в нетерпении уставились на него.

— Если Суслова привлекут к ответственности и признают виновным, ему грозит тюрьма. И строит он...

— Тоже тюрьму, — быстро подсказал Тимур.

— Да, стена рухнула в строящемся здании тюрьмы. И я думаю, что именно это слово является ведущим в той мысли, которую Горький хотел передать. Наверное, он сделал это неумышленно, скорее подсознательно. Евдокия совершенно права. Всё равно куда, хоть в тюрьму, только отсюда.

— Елене из «Мещан» в тюрьме было лучше, чем на свободе, — неуверенно подсказала Наташа. — Помните, в «Записках» про это много сказано, значит, Владимир об этом думал. Он даже Диккенса вспоминал, только я не помню, какую книгу. И когда мы «Последних» обсуждали, Артем тоже обратил внимание на образ тюрьмы, только сегодня уже забыл об этом.

Ай да Наташа, ай да умница! И Артем не подвел! Как хорошо, что он не уехал. Юра поделился со мной своей маленькой хитростью насчет Артема, Ирины и импровизированных литературных вечеров в квартире у Гримо. Значит, и Юра молодец! Правда, пришлось закрыть глаза на то, что Тимур нарушил правила, но мы тогда же посоветовались с Назаром и пришли к выводу: оно того стоит. Терять Артема очень не хотелось, и теперь я видел, что наше отступление от принципов принесло свои плоды. Юра поклялся, что Тимур никогда не узнает о подоплеке всей истории и будет думать, что куратор просто по дружбе его прикрывал. Все-таки занятные задачки то и дело подбрасывает нам жизнь! На отборе мы промолчали о нарушениях Марины, и позавчера из-за этого чуть не развалилась группа участников. Несколько дней назад мы промолчали о нарушении Тимура, и этим сохранили Артема, стало быть, это пошло на благо моему проекту. Каков же общий принцип? Как он должен формулироваться? Непонятно...

Вилен, сидящий рядом со мной, наклонился к моему уху и шепнул:

— Надо остановить обсуждение. Мысль брошена в землю, пусть прорастает самостоятельно, иначе есть опасность, что мы ее заболтаем и замылим. Артем правильно сказал. Молодежь — пассажиры без багажа. Если у ребят возникнет ощущение, что мы с этой мыслью полностью разобрались, они про нее забудут и больше думать не станут.

Я поблагодарил всех и отпустил.

\* \* \*

Назар меня удивил: ушел куда-то и пропал. Разумеется, он взрослый человек, даже более чем взрослый, но я привык, что он всегда рядом. После занятий с «Вассой» я прилег отдохнуть, подремал часа полтора, а когда проснулся и позвонил Назару — к стационарному телефону никто не подошел. Мобильный оказался выключен. Кнопку дверного звонка я нажимал так же безуспешно. Спустился в рабочее помещение, потом в столовую — Назара нигде не было. Он не предупреждал меня о своем намерении куда-то сходить...

Совершенно неожиданно я растерялся. Вот что значит десятилетиями жить одному и ни о ком не беспокоиться! В последний раз я подобным образом волновался о своей скрипачке, когда она улетала на гастроли и долго не звонила, при этом тревожил меня только авиаперелет. Когда она пребывала на земле, мне и в голову не приходило нервничать и ждать звонков. В мою жизнь женщины входили легко и непринужденно, и точно так же легко (как правило) я с ними расставался, когда отношения исчерпывали себя, но ни с одной из них я не жил бок о бок. Влюбленности, встречи, секс — да, всего этого было в избытке. Но совместное проживание — нет, увольте.

Из столовой я спустился на первый этаж, в медкабинет, где доктор Качурин по обыкновению предавался либо чтению, либо созерцанию. Созерцал он деревья и прохожих, сидя у распахнутого окна и почти упираясь лбом в новенькую поблескивающую решетку. Никто не требовал, чтобы Эдуард постоянно находился на рабочем месте, вполне достаточно, если он будет пребывать в пределах дома, но он сказал, что ему нравится первый этаж и он любит смотреть в окно. То обстоятельство, что с улицы его физиономия за решеткой выглядит несколько, скажем так, сомнительно, нашего доктора ни капли не смущало.

— Назар Захарович ушел вместе со своим ноутбуком, — сообщил Эдуард.

— Давно?

— Примерно час назад или чуть больше, — ответил он, взглянув на часы.

Проводного интернета в доме не было, запланированные технические условия мы соблюли, а все попытки отойти от дома на несколько метров, туда, где уже ловилась сотовая связь, и использовать телефон в качестве источника вай-фая для компьютеров постыдно провалились. В районе поселка интернет на телефоне тормозил ужасно, ни о какой LTE даже мечтать нечего. Наверное, когда здесь построят курортную зону, то и технику обновят, а пока приходилось довольствоваться даже не 3G, а давно устаревшей «Ешкой», которая позволяла загружать в час по чайной ложке.

Я сразу успокоился, поняв, что Назар, скорее всего, решил основательно разобраться с почтой, прочитать все письма и ответить на них. Вернулся в квартиру на четвертом этаже, вспомнив, что утром увидел свежую стенгазету и пообещал себе непременно ознакомиться с содержанием, но потом, как водится, забыл. Дверь квартиры стояла распахнутой настежь, из комнаты, в которой мы проводили общие заседания, доносились голоса: два женских и один мужской. Евдокия, Марина и Тимур. На завтра назначено очередное комсомольское собрание, и, в соответствии с составленным заранее графиком (о котором осведомлены только сотрудники), будут слушать сначала нудный доклад, а потом персональное дело Артема. Евдокия назначена комсоргом, которому поручено «подготовить собрание», то есть выбрать выступающих и убедиться под руководством кого-нибудь из старших, что они правильно понимают ситуацию и все скажут как надо. Наставления Галии, данные ребятам после второго собрания, пошли на пользу.

Стенгазета — любимое детище хипстера Тимура — висела в прихожей, я молча стоял перед ней, изучал фотографии и подписи к ним и невольно прислушивался к голосам.

— Да ладно, он сам лох, — небрежно сказал Тимур. — Если его и дрючить прилюдно, так только за это.

— В самом деле, — подхватила Марина, — что такого-то? Ну, подумаешь, снял телку и нажрался до зеленых чертей. В чем криминал?

— Повторяю условие задачи, — терпеливо и глуховато ответила Евдокия. — В комитет комсомола института, где учится Артем, пришла бумага из милиции, что он был задержан в нетрезвом состоянии в парке в обществе девушки, хорошо известной милиционерам в качестве легкодоступной.

— И чего? — это снова Тимур. — Они что, в парке трахались?

Евдокия замялась.

— Об этом в документе не сказано. Написано «в обществе». Понимай как хочешь.

Зазвучал голос Виссариона, и я понял, что «старшим надзирающим» выбрали сегодня его.

— Находиться в обществе человека с запятнанной репутацией советский комсомолец не должен. Это аксиома.

— У человека это на лбу написано? — упирался Тимур. — Откуда Артем мог знать, какая у нее репутация?

— Советский комсомолец должен знать все, что положено, — туманно ответствовал Гримо. — И не общаться с девушками, если их репутация не до конца понятна. Пусть встречается с однокурсницами, про них все обычно известно. Или с бывшими одноклассницами.

— А если секса хочется? — спросила Марина.

— Советский комсомолец не имеет права хотеть секса.

— Что, и проститутку снять нельзя было?

— В Советском Союзе отсутствовало такое позорное явление, как проституция. Вам это уже объясняли на разборе предыдущего собрания, но вы, как обычно, пропустили мимо ушей.

Гримо выдержал тон и даже не усмехнулся. Галия на его месте, наверное, хохотала бы уже до икоты.

— А выпить советский комсомолец мог? Он имел право захотеть напиться? — поинтересовался Тимур.

— Советский комсомолец — проводник идей трезвости и воздержания, — твердо произнес актер.

— Да все равно он лох! Если знает, что все так сурово, какого лешего он в парк-то с ней поперся? — стоял на своем Тимур.

— А куда ему идти? — спросила Евдокия.

— Домой привел бы.

— Там родители. И у нее дома тоже.

— Ну, к друзьям каким-нибудь...

— У друзей тоже родители. Ты вспомни, нам объясняли, что все тогда жили в одной куче, разъехаться было трудно.

— Да номер бы снял в гостинице, в конце концов! Не разорился бы!

На этот аргумент Евдокия ответить не смогла, и опять зазвучал сочный баритон Виссариона-Гримо:

— Во-первых, снять номер в гостинице было практически невозможно, потому что гостиниц было очень мало, все командировочные мучились этой проблемой.

Во-вторых, снять номер в гостинице имел право только тот, кто в данном населенном пункте не прописан, то есть только приезжий. В-третьих, заселиться в номер вдвоем разнополые существа имели право только при наличии штампа в паспорте о том, что между ними зарегистрирован брак. И, в-четвертых, привести гостя в номер — тоже целая задача, иногда нерешаемая. Потому что — и это в-пятых — существовал такой страшный зверь, который назывался «дежурная по этажу». Гость мог находиться в номере проживающего только до двадцати трех часов, если после двадцати трех — администрация гостиницы имела право выдворить гостя с милицией. А это протокол, скандал и сообщение по месту работы. Пройти мимо дежурной незамеченным — большое искусство, которым овладевали специально и долго, этих теток обмануть было практически невозможно, до того ушлые! Однополые гости — еще так-сяк, но если ты даже в разрешенное время проведешь мимо дежурной гостя противоположного пола — всё, хана и конец света. Она из кожи вон вылезет, но найдет возможность поинтересоваться, чем это вы там занимаетесь, и обязательно вызовет милицию, если сочтет или хотя бы заподозрит, что имеет место внебрачный секс. Вот так, молодые мои друзья! — торжественно завершил свою пламенную речь Гримо.

Какое-то время все молчали, потом робко заговорила Марина:

— Так где же можно было трахаться, если нигде нельзя? Я что-то не поняла. Ну ладно, Артем, допустим, нарушил, тискал девицу где не положено. А где положено? Как он должен был поступить, чтобы все было по правилам и чтобы милиция бумаги в институт не посылала? Если мне нужно завтра выступать, то я должна понимать, что говорить.

— Если по правилам, милая барышня, то секс разрешался только в рамках законного брака. Женись — и тискай у себя в комнате, а то и на глазах у других членов семьи, потому что отдельная комната у молодоженов имелась далеко не всегда. Вот вы, милая барышня, живете со своей условной матушкой Полиной Викторовной в однокомнатной квартирке, и если вы, не приведи господь, надумаете выйти замуж и привести мужа к себе, то именно такая перспектива вам и уготована.

— Я лучше к мужу уйду, — сердито буркнула Марина.

— А если у него точно такая же однокомнатная? Или вообще комната в коммуналке? Снять квартиру — дело почти нереальное, плата за однокомнатную квартиру больше, чем стипендия. Помню, как раз в конце семидесятых однокомнатную квартиру можно было в Москве снять за сорок пять рублей, а стипендия — всего сорок. И ведь нужно еще питаться, ездить в транспорте, покупать одежду, ходить в кино. Да и жилья лишнего, которое можно сдавать, ни у кого не было. Представьте себе, что у вас роман как раз-таки с Тимуром, а он со своим условным папенькой тоже проживает в однушке. И что вы будете делать? Ждать до свадьбы? — вкрадчиво уточнил Гримо.

Я не успел услышать дальнейший ход разговора, потому что мимо открытой двери квартиры быстрыми легкими шагами прошел Назар. Я поспешил за ним.

— Куда ты пропал? Телефон выключен, не найти тебя. С письмами разбирался?

Он усмехнулся и дотронулся ладонью до висящей на плече сумки с ноутбуком.

— Если только письма с того света доходят... Пойдем-ка, я тебе кое-что любопытное покажу.

Учитывая, что посетители моей квартиры пьют кофе разной крепости, Юрий поставил мне капсульную кофемашину и обеспечил коробками с капсулами всех возможных видов. Себе я обычно заваривал черные, а перед сном — красные, бескофеиновые, Назар же предпочитал фиолетовые или зеленые, хотя иногда просил серебристо-бежевые, с ванильным ароматом. Пока мой друг включал ноутбук, я сделал нам по чашке кофе и велел себе не забыть напомнить Юре про зеленые капсулы, последнюю из которых я только что использовал.

Я сгорал от любопытства, главным образом потому, что не понимал: что такого может показать мне Назар в своем ноутбуке при отсутствии интернета? Он получил какое-то интересное письмо? Но почта же не загрузится...

Однако я не угадал. На мониторе была карта города.

— Начну от печки, но постараюсь покороче, — заявил Назар. — Ты пока на карту не смотри, в свое время и до нее дойдем. Я же твои бумаги не читал, поэтому про Каляйку и Щуку сегодня впервые услышал. И что-то меня царапнуло... Больно так, знаешь, ощутимо. Слушал я ребят и все думал, думал, вспоминал... И вспомнил! Щукой называли продавщицу винного отдела одного из гастрономов на моей земле.

— На чем? — переспросил я. — На какой твоей земле?

— Извини, на территории обслуживания моего районного управления внутренних дел, если ты такой непонятливый.

Я изумленно уставился на него.

— Ты что, знал в лицо и по именам всех продавцов в своем районе?

— Ну зачем же всех? — Назар мягко улыбнулся. — Продавцы в универмагах и промтоварных магазинах меня мало интересовали, ими мои коллеги из ОБХСС занимались, а вот винные отделы — это самое то. Потому что вокруг них толклись местные алкаши, а они — прекрасный источник информации, с ними надо было дружить. Гастрономов с винными отделами было, кстати, не так уж много, это сейчас продукты можно купить на каждом шагу, магазинчики через каждые пять метров расположены, а при советской власти были установленные нормы обслуживания: один магазин на столько-то тысяч населения. Знать всех продавцов, отпускающих спиртное на твоей территории, — не бином Ньютона. Так вот, Щука, о которой я вспомнил, то есть Нинка Щукина, действительно была горластой хамкой. Так что Каляйка, о котором идет речь в «Записках», скорее всего, местный алкаш. Но суть не в этом.

— А в чем же?

— Если я прав и речь действительно идет о Нинке Щукиной, то... Вот теперь смотри на карту, я из интернета скачал старые карты Москвы и в файлах сохранил. Вот здесь — я красным кружком пометил — дом, где проживали Лагутины. Вот здесь — синий кружок — библиотека, куда ходил Владимир.

— А почему ты думаешь, что он ходил именно в эту библиотеку? — недоверчиво спросил я. — Почему не в другую?

— В другую? — он посмотрел на меня как на идиота. — В какую другую? Библиотека была одна на район, и чтобы в нее записаться, нужно было предъявить паспорт с пропиской. Жителей другого района в библиотеки не записывали.

— Но ты говорил, что библиотеки были и в организациях, и в учебных заведениях...

— Были. Но для своих. Только для тех, кто там работает или учится. Человек с улицы пользоваться такими библиотеками не мог.

— Бред какой-то, — вздохнул я.

— Ничего, мы в этом бреду жили и, между прочим, выжили. В чем-то ты прав, конечно, Владимир мог пользоваться библиотекой своего института, но если Эдик и Вилен правильно угадали и мальчик по ходу написания «Записок» прикладывался к бутылке, то крайне маловероятно, что он осмелился бы проделывать это в таком месте, как МГИМО. Районная библиотека — место намного более спокойное и надежное, риск встретить знакомых минимален, а уж таких, которые донесут, — тем более. Кто может использовать информацию о пьяном сыне Лагутиных? Какой-нибудь партийный или советский функционер, знающий и самого Володю, и его родителей. Поверь мне, ни в районной библиотеке, ни тем более в читальном зале этой библиотеки он никогда не появился бы, ему там просто нечего делать. Опять же из интернета я узнал, что библиотека и сегодня находится по тому же самому адресу, только номер изменился и название.

— Ну и что? Здесь жил, здесь книги читал...

— А здесь, — Назар укрупнил изображение и ткнул пальцем в зеленый кружок, — находился магазин, где торговала Щука. Сейчас магазина уже нет, но дом стоит, а вместо магазина стоматологическая клиника.

— Все равно не понимаю, — признался я.

— Это потому, что я еще не все сказал. — Назар хитро подмигнул и снова взялся за мышку: — Вот это маршрут, которым можно пройти от дома до библиотеки. Можно и по-другому, вот так. Или еще вот так.

На укрупненной карте одного из центральных районов Москвы пролегли три ломаные красные линии, начавшиеся в красном кружке и закончившиеся в синем.

— На одном из этих маршрутов находится гастроном с винным отделом, я его обозначу желтым кружком.

Щелк! На карте, прямо в точке излома одной из красных линий, появилась жирная желтая точка.

— Однако твой родственник почему-то делает крюк и покупает спиртное вот здесь, удлиняя свой маршрут как минимум вдвое.

На карте появилась фиолетовая линия замысловатой конфигурации, и было понятно, что она действительно изрядно длиннее любой из красных линий.

— И это не разовая акция, Дик, это система. В «Записках» сказано, что Володя долго наблюдал за тем, как Щука общается с неведомым нам Каляйкой. Значит, в этот магазин он ходил постоянно на протяжении длительного времени. Почему? Почему именно в этот, а не в тот, который ближе к дому? Если считать доказанным, что почти каждый раз в библиотеке он попивал, значит, он должен был где-то покупать алкоголь. И получается, что покупал он его вот здесь, — стрелка курсора коснулась зеленой точки, — а вовсе не здесь, — курсор переместился к желтой точке. — Как ты думаешь почему?

— Не знаю, — растерянно ответил я. — И почему же?

— Так ведь и я не знаю. — Назар со вздохом развел руками. — Но выглядит это несколько странно.

— Погоди, — спохватился я, — с чего ты решил, что Володя совмещал именно этот магазин с походом в библиотеку? Разве он не мог купить спиртное по дороге с работы домой, положить в портфель и в этом же портфеле унести в библиотеку? А в магазин, где торговала Щука, он ходил в других случаях. Почему ты не рассматриваешь такой вариант?

— Рассматривал уже. И как ни рассматривай — все равно выходит, что твой родственник по каким-то причинам игнорировал магазин, который ближе к дому. И если спиртное, которое он покупал у Щуки, Володя употреблял не в библиотеке, то где тогда? Прямо на улице, на лавочке? Или в чужом подъезде? Это уже признак тяжелого алкоголизма, который не могли не заметить родители и коллеги.

— Ну, про родителей-то нам с тобой все понятно, мы же знаем, что Зинаида правду не писала. А вот Каляйка, которого он упоминал, вполне мог быть его постоянным собутыльником. Или такие же опустившиеся алкаши, как Каляйка. Могло такое быть, что иногда Володя после работы шел в библиотеку, а иногда пил в компании?

— Могло, — согласился Назар.

— Значит, именно в этих случаях он и покупал спиртное у Щуки, — заключил я. — Тогда все сходится.

Но Назар настаивал на своем. Почему-то воспоминание о продавщице Щуке не давало ему покоя.

— А почему в дальнем магазине, а не в ближнем? Ближний — большой гастроном, всё чисто и культурно, а дальний — маленький, и вход в винный отдел со двора, там всегда было грязно, темно и очередь длинная, потому что Щука не только продавала водку, но и принимала стеклотару. А стеклотара — это куча времени, надо каждую бутылку проверить, чтобы не было сколов, потом за каждую непринятую бутылку выдержать словесную баталию с алкашом, который ее сдает, пересчитать оставшиеся, короче, целое дело. За пустую бутылку давали двенадцать копеек, у алкаша все до копеечки высчитано, чтобы на новую бутылку хватило, а Щука не принимает. Трагедия! Поэтому и очередь постоянно, и крик, ругань, в общем, все прелести. Между прочим, как раз через две улицы от этого места находился пункт приема стеклотары.

— И что это означает?

— Ничего, просто вспомнил фразу из «Записок» о том, что Каляйка через две улицы мог решить все вопросы легко и без скандала. Это отлично вписывается в ту картину, которую я нарисовал: Каляйка — алкаш, постоянно покупающий спиртное на сданные пустые бутылки, а Щука — продавщица в винном отделе, регулярно обманывающая и обсчитывающая покупателей-алкашей. Но это так, к слову. Вернемся к главному. Мы о Володе знаем совсем мало, но даже того, что мы знаем, достаточно, чтобы задать вопрос: почему такой серьезный, вдумчивый и спокойный мальчик ходит в этот гадюшник, вместо того чтобы быстро купить то, что ему надо, в хорошем чистом магазине рядом со своим домом? Почему, Дик? Черт с ней, с библиотекой, наверное, ты прав, магазин с ней никак не связан, но все равно: почему?

— Он себя за что-то наказывает? — предположил я наугад, вспоминая часть текста, посвященного «Вассе».

— Именно. И нам надо понять, за что. Почему Володя то и дело называет себя трусом, дураком и подлецом?

— Трусом — за то, что не посмел ослушаться родителей. Сначала, наверное, думал, что иначе просто не может быть, а когда у младшей сестры это получилось и небо не рухнуло, понял, что и сам смог бы, но даже не попытался.

Назар кивнул.

— Согласен. А дурак почему?

— По той же причине, — ответил я уверенно.

— Хорошо, готов допустить. А с подлецом что?

Пришлось признаться, что насчет подлеца у меня никаких идей нет.

— Может, Алла? — задумчиво проговорил Назар, продолжая смотреть на монитор, где пестрела карта города. — Как-то некрасиво он с ней поступил, например, бросил беременную. Родители ничего об этом не знали...

— Или, наоборот, знали, поэтому в дневниках Зинаиды о ней ни слова, — радостно подхватил я. — Нельзя же в перлюстрируемом тексте открыто говорить о таких вещах, это значило бы дать цензору оружие против своей семьи.

— Зинаида очень хотела, чтобы сын женился и стал выездным, но при этом не заставила Володю узаконить свои отношения с девушкой, которая ждет от него ребенка. Почему?

Назар вопросительно посмотрел на меня и тут же сам ответил:

— Потому что девушка не подходила их семье. И опять: почему? Чем она была нехороша? Отличница, училась в языковой спецшколе... Да мы сто раз это обсуждали. Что не так было с этой девочкой? Куда она пропала из жизни Володи? Почему Зинаида о ней ни разу не упомянула, а Володя называл себя подлецом? Кроме беременности, мне ничего в голову не приходит.

— Наверное, Алла ни при чем, — уныло сказал я. — Подлец — это про что-то другое.

# Записки
## молодого учителя
### «НА ДНЕ»

В «Литературной газете» иногда встречается рубрика «Если бы директором был я...» Так вот, если бы я трудился на ниве просвещения и имел власть составлять или утверждать школьные программы по литературе, то ни за что не включил бы в список «обязательного к изучению» пьесу «На дне». А ведь в учебнике ей уделено очень много внимания, и сочинение нужно писать, и на экзамене отвечать. Без знания этой пьесы ни аттестат не получишь, ни вступительные в институт не сдашь.

Спорить с учебником — занятие неблагодарное и даже небезопасное, поэтому я не стал бы рисковать и объяснять школьникам тот смысл философии Сатина, который открылся мне самому. Самые известные фразы Сатина: «Человек — это звучит гордо!», «Ложь — религия рабов и хозяев... Правда — бог свободного человека!», «В карете прошлого — никуда не уедешь...» Считается, что именно в этих словах выражено неприятие Сатиным позиции Луки, которого учебник бранит за использование утешительной лжи. Не знаю, кто написал материал для учебника, но этот человек, как мне кажется, рассчитывал на то, что подростки пьесу прочтут невнимательно или не прочтут вообще, поэтому выдергивал фразы из контекста, придавая им несколько не тот смысл, который вытекает из полного текста.

Возьмем для первого примера реплику о карете прошлого, сказанную в ответ на тираду Барона о том, как богато и респектабельно жила когда-то его семья. На уроках литературы нам говорят, что в этих словах заключено пророчество о скорой гибели «загнивающего, старого, буржуазного» строя, в карете которого далеко не уедешь. Так ли это на самом деле? Мне кажется, что здесь Сатин говорит о совершенно других вещах: о том, что нельзя жить только воспоминаниями о былом; о том, что неправильно выпячивать былые заслуги, в особенности заслуги не свои, а предков, и гордиться ими, если сейчас ты ничего не делаешь и ничего не можешь, все пропил и все потерял; о том, что не следует увязать в прошлом и нужно двигаться вперед, как бы трудно ни было. Я понимаю, что с человеком, прожившим на свете всего шестнадцать лет, глупо разговаривать о прошлом, поэтому с учениками данную тему я бы обсуждать не взялся. Но сама подача фразы о карете прошлого в отрыве от смысла всего диалога меня покоробила.

А как подаются в учебнике слова о том, что «правда — бог свободного человека»? Только как то, что Сатин «открыто опровергает философию Луки», не более того. На самом же деле в этих словах кроется глубочайший смысл, не доступный не только подростку, но и большинству взрослых: человек может считаться свободным только тогда, когда он умеет не лгать самому себе, не прятаться от проблем, не засовывать голову в песок и с открытым забралом встречать все невзгоды. Если он будет точно знать «врага в лицо», то сможет просчитать вероятность потерь при проигрыше в битве и ценность бонусов при победе и, основываясь на этом трезвом расчете, принять свободное решение. Собственное. А не следовать чужой подсказке и не выполнять чужую волю. Если же понимать слова Сатина так буквально, как трактует их учебник, то можно начать задаваться вопросами, которые оборвут человеку и карьеру, и свободу, и жизнь. Достаточно будет только оглянуться вокруг и оценить происходящее в «свободном социалистическом обществе».

Еще один пример спорного толкования — использование фраз из монолога Сатина из четвертого действия: «Человек может верить и не верить... это его дело! Человек — свободен, он за все платит сам: за веру, за неверие, за любовь, за ум — человек за все платит сам, и потому он — свободен!..» Для уроков литературы главный акцент делается на слове «свободен», и подросткам внушается, что речь идет о свободном труде, который возможен только при условии свержения эксплуататорского строя. И снова меня одолели сомнения: о том ли вообще речь? На мой взгляд, Сатин здесь говорит о другом: о том, что человек имеет право чувствовать себя свободным в любом своем выборе или в любой оценке только тогда, когда он готов полностью заплатить за последствия своих поступков. Он за все платит сам: за веру, за неверие, за любовь, за ум... Разве не так написано у Горького? И самое главное: «Человек за все платит сам, и потому он — свободен». Обратите внимание на слово «потому», то есть на причинно-следственную связь. Он свободен только тогда и только потому, что платит по всем счетам своей жизнью, разочарованиями, трагедиями, болезнями, неудачами... Перечень того, чем мы платим за свои решения, можно продолжать еще очень долго. Но для школьников и эта мысль, наверное, не будет подкреплена опытом, а потому непонятна.

И самая, на мой взгляд, интересная и небесспорная, но, безусловно, достойная обсуждения мысль, высказанная Лукой, но приведенная в пересказе Сатина: зачем живет человек, даже такой, существование которого кажется стороннему взгляду бессмысленным, неоправданным и бесполезным? У Луки есть на сей счет целая теория, заключающаяся в том, что человек живет для будущего: существование конкретного индивида может выглядеть бесполезным, но как знать — а вдруг его дальний потомок совершит прорыв в науке или принесет своим трудом, своими мыслями, своим творчеством огромное благо человечеству? И тогда мы можем утверждать, что этот бесполезный и бессмысленный, на первый взгляд, индивид достоин уважения и любви, ибо он породит потомство «для большой нам пользы»... При первом прочтении мне в этой мысли почудилось нечто неоправданно биологическое, даже излишне физиологичное: ну как это так — относиться к человеку исключительно как к производителю! Но чем больше я думал и чем больше общался с теми, кого с полным правом можно отнести к «отбросам общества», тем чаще вспоминал это место из пьесы. Да, теперь, когда мне двадцать пять, я бы не кинулся с оголтелым остервенением спорить с Лукой. Но, опять же, не с десятиклассниками на подобную тему дискутировать. Хотя, возможно, я снова глубоко заблуждаюсь, ведь в этом же монологе Сатин цитирует Луку: «Особливо же деток надо уважать... ребятишек! Ребятишкам — простор надобен! Деткам-то жить не мешайте... Деток уважьте!» Здесь, как и в «Мещанах», Горький возвращается к вопросу о недооценке взрослыми детских умов и душ.

Ну и само собой, не обошлось без очередного суицида: Актер повесился на пустыре. Причина не в несчастной любви и не в шантаже, как в рассмотренных ранее пьесах, а в утрате иллюзий: выяснилось, что нет никакой такой замечательной лечебницы, в которой его бесплатно и эффективно избавят от алкоголизма. Обманул Лука... Но Лука давал надежду, а именно надежда дает человеку силы, если источник таких сил в принципе существует в его душе. А коль источника нет — то и сил не будет, тогда и надежда своей полезной роли не сыграет, хоть золотые горы обещай, хоть рай на земле. Именно об этом и говорит, пусть и иносказательно, сам Лука в диалоге с Костылевым: «Есть — люди, а есть — иные — и человеки... Я говорю — есть земля неудобная для посева... есть урожайная земля... что ни посеешь на ней — родит...» И, кстати замечу, любопытна реакция Костылева, хозяина ночлежки, на эти слова: он ведет себя в точности так же, как всегда поступал Петр Артамонов, отвергая и отторгая все, чего не понимал. Костылев, не поняв ни слова из рассуждений Луки, просто выгоняет его из ночлежки без всяких объяснений: «Ты... вот что: пошел-ка вон! Долой с квартиры!..» Так что, похоже, Алексея Максимовича данная модель поведения весьма и весьма интересовала и не давала ему покоя. Хотелось бы мне когда-нибудь узнать почему...

\* \* \*

Это была последняя пьеса Горького, упомянутая в «Записках» Владимира Лагутина. Текст, посвященный ей, оказался самым кратким; вероятно, в душе моего родственника мало что отозвалось. Но, возможно, ему просто надоело мечтать о роли школьного учителя. Или надоели пьесы Горького. Или по каким-то причинам изменилось настроение. Одним словом, «Записки» он бросил.

Моих молодых помощников пьеса «На дне» тоже не впечатлила. Если при обсуждении предыдущих произведений участники говорили довольно много, то здесь почти все ограничивались тем, что отмечали одну-две реплики. Евдокия, к примеру, указала на слова Насти, адресованные Барону: «Ведь ты... ты мной живешь, как червь — яблоком!» Внимание Тимура привлек Барон с его длинным монологом о том, что он всю жизнь только переодевался и все перемены в судьбе связаны в его памяти только с изменением внешнего облика, а сути происходившего с ним он уже не помнит. Сергей отозвался о пьесе весьма резко, честно признался, что ему было нестерпимо скучно и говорить имеет смысл только о словах Наташи и Клеща. Наташа говорит, что идти ей некуда и она никому не верит, а Клещ, уже в другом действии, произносит: «Везде — люди... Сначала — не видишь этого... потом — поглядишь, окажется, все люди...» Марина, как всегда, заинтересовалась только отношениями в треугольнике «Наташа — Пепел —

Василиса», ее романтической подружке понравился Лука с высказываниями о том, что «в любимом — вся душа», что помирать надо с радостью, без тревоги и что люди не умеют жалеть самих себя, живых, а мертвых жалеть — тем более. Одним словом, характер и пристрастия участников квеста и в этом случае полностью проявились в восприятии текста пьесы.

Единственным, кто выступил более развернуто, оказался Артем. Сперва он подробнейшим образом проанализировал сцену Пепла с Лукой и Наташей из третьего действия, в которой Пепел уговаривает Наташу ехать с ним в Сибирь и клянется, что бросит воровать. «Я — сызмалетства — вор... все, всегда говорили мне: вор Васька, воров сын Васька! Ага? Так? Ну — нате! Вот — я вор!.. Ты пойми: я, может быть, со зла вор-то... оттого я вор, что другим именем никто, никогда не догадался назвать меня... Назови ты... Наташа, ну?» Наташа на просьбу не откликается, и Лука говорит ей: «Ты только поговаривай ему: «Вася, мол, ты — хороший человек, не забывай!» Артем со своим пристальным вниманием к словам не мог, разумеется, пройти мимо такого эпизода. Вторым же пунктом, на котором он остановился, были слова Татарина из четвертого действия: «Магомет дал Коран, сказал: "Вот — закон! Делай как написано тут!" Потом придет время — Коран будет мало... время даст свой закон, новый... Всякое время дает свой закон...» В этом тоже не было ничего неожиданного: Артем всегда отмечал, если затрагивались вопросы соблюдения норм и правил. Мы давно уже поняли, что его раздражает необходимость выполнения определенных ритуалов, смысла которых он не понимает, поэтому молодой человек всегда замечает, если кто-то из горьковских персонажей поднимает вопрос несоответствия новых условий жизни устаревшим законам.

В этот раз ни один из участников с автором «Записок» не совпал ни по одному пункту. Все расстроились и недоумевали: как же так вышло? Почему?

— Потому, — со своим обычным смешком объяснил Назар, — что Владимир прочитал учебник, а вы — нет. Вернее, учебник-то вы читали, но, во-первых, давно и уже все забыли, а во-вторых, учебник вы читали уже совсем другой. Видимо, Владимира настолько поразило расхождение собственного восприятия с тем, что говорят на уроках, что ему интереснее всего было поговорить именно об этих расхождениях.

На этом и закончили. Впереди у нас оставался только «Фома Гордеев», на прочтение которого я снова выделил участникам свободный день.

* * *

Возможно, моя затея и не принесет идеального результата, но польза от нее определенно есть, это я мог констатировать с полной уверенностью. Образ Владимира Лагутина прорисовывался все более отчетливо. Каждый вечер мы с Виленом заново слушали диктофонные записи обсуждений и комсомольских собраний, психолог описывал результаты тестирования, и теперь, осуществив львиную долю задуманного, можно было считать, что давно умерший Володя стал нам более понятен.

Он ненавидел «правила советской жизни», но не допускал мысли, что их можно открыто нарушить.

Он жалел тех, чьи надежды оказались разрушенными (вспомним о слезах, которые вызывали у него Петр Артамонов, Василий Бессеменов, писатель Шалимов, влюбленный Рюмин), но оставался равнодушным, если других людей унижали или обижали. Вероятно, унижение

Володя рассматривал как неотъемлемый элемент устройства тогдашней жизни и реагировал на него болезненным раздражением, но никак не стремлением бороться за преобразование этой самой жизни. Кроме того он, как я уже говорил, отличался определенным снобизмом.

Он пытался найти разумные оправдания тем проявлениям несправедливости, которые замечал, чтобы успокоить самого себя. Ему было плохо в той жизни, и он использовал доступные ему средства, чтобы как-то адаптироваться: помимо оправданий прибегал к хобби (написание «Записок молодого учителя»), а также к испытанному способу — пьянству.

Он не был бойцом. Из него никогда не вышло бы диссидента или правозащитника. Он был слаб и трусоват, осознавал это и не скрывал от самого себя. Более того, Володя, похоже, презирал и наказывал себя, считая в чем-то виноватым. Но в чем? Откуда взялось слово «подлец», неизменно привлекающее его внимание?

Он мало думал о личной жизни и совсем не думал о женитьбе, но при этом всегда думал о любви, замечал ее, но не расписывал так подробно, как другие интересующие его темы. Этим он кардинально отличался от моих молодых помощников, которые замечали в пьесах любовные линии и охотно анализировали их. Единственным исключением здесь была Марина, которая поначалу много говорила о семье и браке, но и она в последнее время поутихла и переключила все внимание на любовные отношения. Похоже, имел место какой-то роман и разрыв, настолько болезненный, что молодой человек много лет не мог прийти в себя и настроиться на новые отношения; наверное, ему было мучительно затрагивать эту проблему.

Он был склонен к резкому совершению решительного шага по типу «головой в омут» без предварительного тщательного продумывания последствий, и если данный шаг оказывался ошибочным и не приносил желаемого результата, Володя впадал в тихое отчаяние, граничащее с депрессией. Он не предпринимал никаких мер, чтобы исправить ситуацию, не делал новых попыток, не искал других путей. Неудача мгновенно и намертво пригвождала его к месту и заставляла, как говорят в России, уйти в тину. Он сразу же переставал верить и в себя, и в людей, и в существование добра.

Он хотел вырваться. И понимал, что вырываться ему некуда. Привыкшие к условиям почти неограниченной свободы участники квеста проскакивали мимо тех мест в пьесах, которые приковывали к себе внимание молодого Лагутина, и не вспоминали о них, пока, как говорится, носом не ткнешь. Здесь тоже было единственное исключение — нежная и трепетная Наташа, которой, если верить моему другу Назару, хотелось вырваться из сегодняшней действительности и оказаться в ментальной обстановке полувековой давности. И благодаря этой романтической девочке удалось сформулировать еще одну черту Владимира: стремление... нет, не к свободе, о свободе он и не помышлял, а просто к чему-то другому. Пусть будет что угодно, какое угодно, только не эти ложь, лицемерие, демагогия.

Всю эту картину мы составляли по кусочкам, как пазл, вытаскивая при помощи разнообразных психологических тестов те особенности личности участников, которые заставляли их обращать внимание на те же моменты, о которых Владимир Лагутин писал в своих записках. Пазл сначала собирался медленно и трудно: участники еще не полностью погрузились в доступные нашему квесту реалии семидесятых годов, они мыслили и реагировали почти всегда как современные молодые люди, для которых открыты и весь мир, и любые возможности. Только на пятый или шестой день они, лишенные привычных занятий, начали отчетливо понимать, что такое «маяться от скуки». Даже всегда веселый Тимур, столь яростно критиковавший Татьяну Бессеменову из «Мещан», признался на обсуждении «Старика», что «Татьяна на самом деле не такая противная, как ему казалось раньше».

Свободного времени у нашей молодежи было не так уж много, но и его они, как правило, не знали чем занять. Назар со смехом пересказывал мне жалобы на то, что по телевизору смотреть нечего, читать тоже нечего, да и непривычно: фитнес-клубов нет, на роликах и скейтах не покатаешься, салонов красоты нет, мастер-классов нет, ночных клубов тоже нет, пойти некуда, заняться нечем... Если три дня отборочного тура прошли для ребят относительно легко, то теперь все получалось иначе. Я объяснял такое различие тем, что в первый раз все было ужасно непривычно и, как сказал бы наш фотограф Тимур, прикольно, поэтому было не до скуки. Кроме того, тогда каждый из них точно знал, что через очень короткое время вернется домой, и снова будут телефоны, электронные читалки, интернет, клубы, тусовки и прочие забавы. Сейчас сроки окончания квеста неизвестны, и народ затосковал. Не тосковала, как нам всем показалось, только одна Евдокия, которая буквально наслаждалась всей обстановкой и расцветала день ото дня, становясь все более улыбчивой и разговорчивой. Впрочем, девушки как-то ухитрялись находить для себя развлечения. Тот же Назар ежевечерне устраивал с Наташей соревнования на знание текстов старых песен, судьями выступали Галия и доктор, после чего проводилось совместное чаепитие, в котором с некоторого времени начала принимать участие и Марина. Докладывая мне об этом в первый раз, Назар хитро улыбался и неопределенно хмыкал, а через день уже с уверенностью заявил:

— Можешь расслабиться, Дик, к тебе девчонка больше приставать не будет. Она в нашего доктора втрескалась.

От Марины я ожидал чего угодно, только не этого! Умница Артем, томный симпатяга с красивыми глазами Сергей, элегантный стройный Вилен, даже престарелый красавец Виссарион, в конце концов, какой-нибудь бравый молодец из поселка — да, такую возможность я допускал, но доктор Качурин, не очень молодой, неухоженный и унылый... Впрочем, с моим знанием людей и умением в них разбираться даже смешно говорить о каких-то там ожиданиях.

На другой день я присмотрелся к Марине и доктору более внимательно и сразу понял, что Назар не ошибся. Все было абсолютно очевидно, стоило только проявить чуточку наблюдательности.

Наблюдательностью меня природа обделила, это факт, впрочем, давно и хорошо мне самому известный. А вот дочка Зинаиды Лагутиной данным качеством, похоже, обладала в полном объеме, о чем говорил и Назар, рассказывая о первом знакомстве с семейкой моих дальних родичей. Я вспомнил историю о том, как Ульяна описала приметы автомобиля и преступников, увиденных мельком из окна, когда о наблюдательности девочки неожиданно заговорил Эдуард Качурин. Он пришел как-то вечером послушать вместе со мной, Виленом и Семеном диктофонную запись обсуждения пьесы «Старик», и по его длинному подвижному лицу было заметно, что вся история с шантажом наводит его на какую-то мысль. Сегодня, после обсуждения пьесы «На дне», он снова пришел, послушал и, дождавшись, когда мы с Виленом закончим основную обязательную часть ежедневной работы, доктор, помявшись, сказал:

— Я все думал, почему ваша Зинаида так долго сидела на больничном. Можно, я поделюсь соображениями? Помнится, когда мы на даче изучали дневники Зинаиды, написанные во время ее болезни, мы зачитывали то место, где написано, что дочка очень внимательна к больной матери и тщательно следит, чтобы та вовремя принимала лекарства. Я не ошибаюсь?

— Не ошибаетесь, — подтвердил я.

— Но никакого сотрясения мозга у Зинаиды не было, это точно. Тогда что у нее было? От какой болезни она лечилась целый месяц? Какие лекарства принимала?

Я пожал плечами.

— Вы — доктор, вам лучше знать.

— Так вот, как доктор я вам могу сказать, что держать человека дома на больничном в течение месяца не так просто. Перелом конечности? Да, это долго, и это дома, но сначала, как правило, все-таки в стационаре. И травма руки или ноги ничем не хуже травмы головы, даже, в определенном смысле, перелом лучше сотрясения. Так что если бы Зинаида действительно упала на улице и сломала какую-то кость, ей не было бы смысла лгать в дневниках. Она бы так и написала: упала, сломала, сижу дома в гипсе. Согласны?

Мы с Виленом были, разумеется, согласны.

— Длительное пребывание на больничном возможно при реабилитации после инфаркта или инсульта, но об этом, насколько я понимаю, речь не идет, потому что в этих случаях неизбежна госпитализация, причем надолго, и только потом больного отпускают домой долечиваться. Инфекционное заболевание без госпитализации в инфекционное отделение? При советской власти крайне маловероятно, но теоретически возможно при условии соблюдения полноценного карантина. Однако в записках Зинаиды об этом не говорится ни слова, более того, она то и дело упоминает о том, что кто-то из приятельниц или сослуживцев ее навещает. О каком карантине может идти речь? В семье четыре человека, их нужно изолировать, а никакой изоляции нет, дочка посещает занятия в институте и помогает по хозяйству, сын с кардиологическим заболеванием лежит в соседней комнате и нуждается в уходе, гости навещают... Короче, инфекцию я тоже отметаю.

Мне было крайне любопытно, к какой точке придут рассуждения нашего доктора. То, что Зиночка Лагутина — первостатейная лгунья, уже давно понятно. Но если человек в своем уме, то он не лжет без причины. Какова была причина на этот раз? Какую болезнь на самом деле скрывала Зина, рассказывая всем, что упала на улице и ударилась головой?

— Я перебрал все заболевания, при которых по старым протоколам можно было так долго находиться дома на больничном, и пришел к выводу, что ни одно из них не укладывается полностью в картину, представленную нам в дневниках, — продолжал доктор. — Ни одно, кроме собственно сотрясения мозга. Которого у вашей родственницы, совершенно очевидно, не было, что вытекает из исследования почерка.

— Каков же итог? — в нетерпении спросил я.

— Она не болела ничем, была совершенно здорова.

— А таблетки? Как же таблетки, за приемом которых так внимательно следила Ульяна?

Качурин повел бровями, при этом левая поднялась заметно выше правой, что придало его длинному лошадиному лицу вид иронический и почти симпатичный.

— Таблетки — это и есть самое главное, — сказал он очень серьезно. — Зинаида их не принимала, поскольку была здорова и в препаратах не нуждалась. Именно это и заметила девочка. Понимаете? Ульяна заметила не то, что мама пару раз вовремя не приняла лекарство, а то, что мама никакие лекарства из прописанных доктором не пьет вообще. Тогда возникает вопрос: а почему мама сидит дома? И почему ей дали больничный по сотрясению, если она не нуждается ни в каком лечении?

— Потому, что ей просто нужно было побыть дома, и она договорилась с врачом, который по знакомству или за взятку выписал липовый больничный, — быстро проговорил Вилен, который, разумеется, в советских реалиях прекрасно ориентировался, в отличие от меня. — Или врач добросовестно заблуждался, слушая симулятивные описания симптомов. Могло так быть, Эдик?

— Легко. После нашей встречи на даче я дополнительно проконсультировался с опытным неврологом, который работал еще в советской медицине. Он сказал, что при такой ситуации, как описала Зинаида, должны были назначить рентген черепа, чтобы исключить перелом. Перелома не оказалось, а сотрясение на рентгене все равно не видно, тут диагноз выставляется только по симптомам, других способов инструментальной диагностики тогда не было. Достаточно сказать, что упала, ударилась, указать на однократный эпизод потери сознания и рвоту, пожаловаться на головную боль, головокружение, тошноту, слабость, нервозность, бессонницу — и все, диагноз готов. Хорошо, если врач еще припишет в карте горизонтальный нистагм и будет каждые три дня посещать больного на дому. Может быть, речь и шла о взятке или злоупотреблении, а возможно, Зинаиду кто-то из знакомых врачей хорошо проконсультировал, и она действительно ловко обманула медиков из своей поликлиники, симулируя сотрясение.

Я не понимал, зачем нужен был этот вал лжи, чтобы просто побыть дома? Почему нельзя было взять отпуск? Ведь, кроме так называемых очередных отпусков, наверняка существовали отпуска за свой счет, или по семейным обстоятельствам, или как там они еще могли называться по советскому трудовому праву.

— Совершенно верно, — кивнул Эдуард в ответ на мои недоуменные вопросы.

По его лицу пробежало нечто похожее на улыбку.

— Зинаиде нужно было именно побыть дома. Если бы она взяла отпуск, пусть даже за свой счет, это никак не избавило бы ее от необходимости куда-то ходить и вообще отсутствовать дома. Она принадлежала к тому социальному слою, представители которого не сидят дома во время отпуска. Либо они уезжали на роскошную подмосковную дачу, на курорт, в санаторий, пансионат, дом отдыха, на море, а то и за границу, в Болгарию или в Чехословакию, либо у них были очень веские причины оставаться в Москве. Если же у тебя больничный, то ты спокойно находишься у себя дома, и ни у кого это не вызывает ни малейших вопросов. Таким несложным путем мы приходим к выводу, что Зинаиде абсолютно необходимо было пребывать дома, и ради того, чтобы месяц не выходить из квартиры, она пошла на обман и подлог. Вопрос: почему?

Я растерянно молчал. Такая простая схема мне даже в голову не приходила.

— А я задам тебе, Эдик, встречный вопрос, — неожиданно произнес Вилен. — Почему ты подумал об этом именно сегодня? Ты пришел послушать обсуждение — и вдруг выдал нам свою версию. Что тебя натолкнуло?

Качурин на этот раз улыбнулся вполне полноценно, и я успел заметить, что у него отличные зубы: белые, ровные, крепкие.

— Разговоры о шантаже. Вы же много раз говорили о том, что Ульяне легко удалось то, что не удалось ее брату Владимиру: она училась там, где хотела. Правда, поступила она все-таки туда, куда ее затолкали родители, но после первого курса перевелась в Текстильный. И вы всё не понимали, почему ей разрешили заниматься дизайном тканей, а Володе не разрешили стать учителем. И вдруг несколько дней назад, слушая, как обсуждают «Старика», я подумал: а если все дело как раз в шантаже? Если Ульяна шантажировала мать или обоих родителей? Тут и про таблетки вспомнил, которые Зинаида якобы забыла вовремя выпить, а Ульяна заметила. А дальше уже все одно к одному стало складываться и сегодня, наконец, я почувствовал, что готов озвучить свои соображения. Ульяна поступает на первый курс Института иностранных языков, хотя ей этого совсем не хочется, и почти сразу у брата делается аппендицит, а мама падает и ударяется головой. Конечно, девочка не медик, в симптомах не разбирается, но посоветоваться с кем-нибудь вполне могла. И заметила, что мама вроде жалуется на тошноту, а аппетит у нее прекрасный, продукты из холодильника убывают на глазах, пока дочка в институте. Мама жалуется на бессонницу, но при этом спит по ночам. А вот таблетки и капли не убывают совсем. Ни анальгетики, ни витаминчики группы В, которые обязательно должны были назначить, ни успокоительные, которые рекомендованы при тревожности и бессоннице. Девчонка-то глазастая, наблюдательная и неглупая, все видит, все замечает и все обдумывает. Мама жалуется на слабость и головокружение, а по квартире носится как угорелая и по телефону часами болтает. Не вяжется одно с другим, правда?

— Вы полагаете, что девочка могла угрожать матери рассказать про липовый больничный? — недоверчиво переспросил я. — И именно этими угрозами вынудила родителей разрешить ей перевестись в другой институт? Как-то сомнительно звучит. На одной чаше весов какой-то жалкий больничный лист, разрешивший всего месяц не ходить на работу, на другой — судьба и карьера дочери, возможности для нее выезжать за границу, пользоваться деньгами на валютном счете. Нет баланса.

— Вы не поняли, Дик, — мягко перебил меня Вилен. — Эдик прав, дело не в том, что Зинаида в течение месяца не работала. Дело в том, что она в течение этого месяца безвылазно сидела дома. Это один фактор. И врач, который выдал ей этот больничный, а потом каждую неделю вносил в карту фиктивные записи и продлевал листок нетрудоспособности у заведующего отделением, совершил должностное преступление, это второй фактор. Огласка неминуемо привела бы к тому, что врача привлекли бы к ответственности. А это потянет за собой ответственность и для Зинаиды. Привлекают ведь не только того, кто взятку брал, но и того, кто давал. Так что угроза раскрыть секрет была достаточно весомой.

— Думаете, она от кого-то пряталась? Скрывалась? Она чего-то боялась? — недоверчиво спросил я.

Мне трудно было представить свою родственницу, работающую в аппарате Мосгорисполкома, постоянно контактирующую с сотрудниками КГБ и тщательно следящую за тем, чтобы «соответствовать советскому стандарту», в криминальной ситуации, при которой нужно скрываться от нависшей угрозы. Такого просто не могло быть. Зина этого не допустила бы. А если бы, паче чаяния, где-то непоправимо ошиблась, то побежала бы за помощью к своим знакомым в КГБ, а не отсиживалась бы в квартире. В отличие от своего сына, опускающего руки и впадающего в анабиоз, Зинаида Лагутина была деятельной, энергичной и предприимчивой.

— Дик, напомню вам еще раз: Зинаида — лгунья, это правда, но она и мать.

— Вы хотите сказать, что Зине нужен был этот месяц, чтобы ухаживать за сыном, у которого больное сердце? — удивился я. — Но почему тогда не сказать об этом начальству и не попросить отпуск? Причина вполне уважительная, ее бы поняли и пошли навстречу, я уверен. Судя по тому, что о кардиологической проблеме Владимира она сама прямым текстом написала в дневниках, скрывать болезнь сына от сослуживцев не было никакой необходимости. Зачем же надо было придумывать болезнь для себя?

— Именно для того, чтобы ее ни по какому поводу не выдергивали из дома. Не знаю, как в США или в Голландии, а в России это всегда было принято — вызывать для решения срочного вопроса человека, находящегося в отпуске, если он не уехал из города, — пояснил Качурин. — И звонят, и привозят документы на подпись, но это еще полбеды, а стоит возникнуть какому-нибудь затруднению на работе — сразу без церемоний просят приехать, сделать, подменить, заменить. А то и не просят, а приказывают, вызывают официально.

— Хорошо, — кивнул я, — это мне понятно. Зине нужно было находиться дома и никуда не отлучаться. Зачем? Что за необходимость?

— А вот теперь, — голос доктора зазвучал вкрадчиво и таинственно, — мы подходим к самому главному: к болезни Владимира.

Я подумал, что сейчас Эдуард развернет очередную серию разоблачений, в результате чего окажется, что и Владимир был совершенно здоров и никаких кардиологических проблем у него не было. Просто решили мама с сыночком устроить себе каникулы вдвоем взаперти. Просто-таки Ван Клиберн и Рилдия Би. Правда, непонятно, почему он так рано умер, если был здоров...

— Напомню: официальная версия состоит в том, что Владимиру провели экстренную аппендэктомию, после чего проявились осложнения на сердце. Учитывая, что между первой и второй манифестациями заболевания прошло три года, а между второй манифестацией и летальным исходом — шесть лет, в течение которых Зинаида ни разу не упоминала о том, что сын болен или что у него снова приступ, вряд ли можно говорить о по-настоящему тяжелой патологии. Патология, разумеется, была, но не такая, чтобы мамочке нужно было сидеть рядом с сыном с утра до ночи. Кроме того, все мы уже согласились с тем, что уход за сыном-сердечником — причина вполне уважительная, такая, которую не нужно маскировать и скрывать. И мне пришло в голову, что речь могла идти о суицидальной попытке. В этом случае все детали подходят друг к другу просто идеально.

Вилен нахмурился. Я смотрел на него и почему-то совсем некстати думал о том, насколько же разными природа создает человеческие лица. Стоит некрасивому Эдуарду начать двигать бровями — и его лицо оживает, окрашивается эмоциями и становится привлекательным, а вот Вилена с его классически правильным лицом сдвинутые брови сразу делают некрасивым.

— Но при чем тут аппендицит?

— Это прекрасная возможность госпитализировать человека. Операция не опасная, не тяжелая, хорошо отработанная. По этому вопросу я тоже консультировался со старым хирургом, и знаете, что он мне сказал? Что аппендэктомию довольно часто рекомендовали сделать чисто профилактически. Допустим, у человека то и дело возникают боли определенной локализации, симптомы указывают на возможность развития воспаления, а пациенту предстоит длительная командировка. Если в крупный город, то нормально, там и врачи есть, и больницы. А если куда-нибудь на стройку, на целину, в тайгу? Или, что еще хуже, за границу? За границей оказаться на столе у хирурга — это совсем плохо, потому что придется тратить валюту, которую государство бережет как зеницу ока и старается побольше накапливать и поменьше расходовать. Вот в подобных случаях операции делали даже без острого живота, просто в превентивных целях. Удалить отросток и забыть о проблеме навсегда, чем плохо?

Брови Вилена вернулись на прежнее место, и психолог снова стал красавцем.

— Ты думаешь, что Зинаида после суицидальной попытки быстренько спрятала сына в стационар, где он постоянно находился под надзором, а за это время разработала схему с сотрясением мозга, чтобы безотлучно находиться с ним дома? — уточнил он у Эдуарда.

— Думаю, да. После аппендэктомии дольше двух недель в стационаре не держали, выписывали на амбулаторный режим, но и находиться дома месяц Владимиру никто не дал бы, максимум — неделя. Этого было явно мало, учитывая психологическое состояние парня, но показывать сына в таком виде, отпускать его на люди Зинаида не рискнула. Володю нужно было выдержать дома, пока он не придет в себя, и постоянно контролировать, следить, чтобы он не предпринял новую попытку суицида. Не знаю, было ли у него и в самом деле осложнение на сердце после операции или это очередная выдумка Зинаиды, чтобы была справка и сына не отчислили из института за прогулы, но если моя версия верна, то это уже не столь важно.

Звучало логично, но неубедительно, во всяком случае, для меня, всю жизнь прожившего в США и Западной Европе.

— Но почему не обратиться к специалисту? К психологу, психотерапевту, психиатру, в конце-то концов? Почему не поместить сына в клинику, где обеспечены и надзор, и охрана, и лечение? Для чего это доморощенное варварство с самолечением, подложными документами и обманом врачей и всех вокруг?

Боже мой, как они хохотали, мои доктор и психолог! Я чувствовал себя полным идиотом. Впрочем, возможно, я им и был, по крайней мере, в их глазах. Отсмеявшись, они объяснили мне, что суицидальная попытка считалась в советской психиатрии безусловным основанием для принудительной госпитализации, а медикаментозное лечение в «дурке», как называли психиатрические больницы, приводило к таким последствиям, что о карьере дипломата и загранкомандировках можно было забыть навсегда. Даже если само по себе лечение проходило успешно, все равно отчисления из МГИМО не миновать. Разве можно держать на дипломатическом поприще человека, у которого проблемы с головой? Да и ни на каком поприще нельзя. После выписки из психиатрической больницы человека автоматически ставили на учет в психоневрологический диспансер по месту жительства, а в большинстве профессий при приеме на работу требовалось предоставить в отдел кадров справку о том, что ты на учете в ПНД не состоишь. В Советском Союзе слово «психиатрия» прочно ассоциировалось у населения с понятиями «сумасшедший» или «шизофреник», без каких бы то ни было нюансов. Да, о жизни в советской стране я, как выяснилось, знал совсем мало, а ведь был уверен, что информирован вполне достаточно, чтобы взяться за исследование, в ходе которого нужно интерпретировать дневники людей, живших в то время... Как же я был самонадеян! Но в то же время какой я молодец, что придумал свой квест! Без психолога Вилена, доктора Эдика, без нашей милой Галии, без всех этих чудесных молодых ребят, привыкших к свободе выбора и не понимающих, почему нужно придерживаться заранее составленного плана жизни и почему нельзя поменять профессию или место жительства, у меня совершенно точно ничего не вышло бы.

Теперь, выслушав Эдуарда, я вспоминал и совершенно иначе воспринимал все пассажи из «Записок», где Владимир останавливался на самоубийствах персонажей. Особенно ярким показался мне отрывок, посвященный пьесе «Мещане». И вообще, неудачные суицидальные попытки привлекали внимание Володи намного сильнее, чем попытки удачные. Если наш доктор не ошибается, то что попытался сделать Владимир? Отравиться? Повеситься? Вскрыть вены? Выпрыгнуть из окна? А может, застрелиться? Муж Зинаиды — фронтовик, у него вполне могло иметься оружие, либо наградное, либо оставшееся после войны. Правда, я не знаком с правилами хранения оружия, которые были в советское время, но об этом можно спросить у Назара, он-то наверняка в курсе.

Я заметил, что Качурин то и дело посматривает на часы.

— Торопитесь? — спросил я.

— Пока нет, но в двадцать два часа вынужден буду вас покинуть. У нас очередной тур соревнования между Назаром Захаровичем и Наташей, договорились встретиться в десять вечера. Галия Асхатовна — главный судья, а я арбитр.

Назар на вечерние посиделки не пришел, сказал, что ему вполне достаточно услышанного на обсуждении днем, и предупредил, что пойдет в кафе ужинать и решать накопившиеся в Москве вопросы. На соседней улице мой друг нашел заведение с устойчивым бесплатным вай-фаем, куда и ходил, прихватив с собой ноутбук, когда нужно было поработать с почтой или хотелось пообщаться по скайпу с близкими и друзьями. Иногда я тоже брал свой ноутбук и ходил вместе с Назаром: меня слишком долго нет дома, а дела не ждут, они возникают и накапливаются.

Я устал. Отпустив Эдуарда и Вилена, решил выйти прогуляться. Жара давно сменилась дождливой прохладой, я с удовольствием шагал по плохо вымощенным, щербатым грязноватым тротуарам, вдыхая влажный воздух и рассматривая жизнь, так не похожую на жизнь в маленьком голландском городке. Наш дом был одним из трех уже расселенных и подготовленных к сносу, и хотя улица была достаточно длинной, выглядела она сиротливо. Еще совсем недавно здесь находились и магазин, и ломбард, и мастерская по ремонту электронной техники, и офис филиала какого-то агентства недвижимости, и заведение, в котором, судя по рисунку на вывеске, торговали пончиками и напитками. Теперь же все опустело, закрылось, и только покосившиеся вывески над мертвыми темными окнами напоминали о том, что раньше здесь кипела жизнь.

Пройдя до угла, я свернул на оживленную улицу, которую разрушение пока не коснулось. Андрей Сорокопят, показывая мне существующий и будущий планы поселка, говорил, что поскольку эта улица переходит в трассу между курортной зоной и городом, то здесь предусматривается не снос и полная переделка, а, наоборот, ремонт и благоустройство. То и дело я ловил на себе взгляды прохожих и не понимал, чего в них больше — подозрительности или неодобрения. Мне

семьдесят шесть лет, на них и выгляжу, по крайней
мере, по европейским меркам, а для провинциальной
части России я, вероятно, уже глубокий старик, место
которого где-нибудь на завалинке, а то и на кладбище,
и моя прямая спина, высоко поднятая голова, элегант-
ная оправа очков, джинсы, кроссовки и вполне мо-
лодежного вида ярко-красная ветровка с логотипом
дорогого известного бренда вызывают у местного
населения вполне понятные чувства. На меня смотрели
как на одетого не по возрасту и неуместно молодяще-
гося дедушку. Видели бы они, в каких ярких одеждах
ходят пожилые люди в Европе!

Вот и кафе, куда ходит Назар, через оконное стекло
мне видна его голова и часть монитора. Шевелятся
губы, шевелятся морщины на лице, и я понимаю, что он
разговаривает по скайпу. Я остановился, поразмышлял,
не зайти ли, и решил продолжить прогулку. У Назара
свои дела, и мои уши могут оказаться посторонними,
мешающими. После того памятного последнего разговора со скрипачкой во мне на всю жизнь поселился
страх превратиться для кого-то в обузу, стать лишним,
помешать. Лучше встречу своего друга, когда он будет
возвращаться, ведь Эдуард сказал, что они договорились собраться в десять, то есть через двадцать минут.

На противоположной стороне улицы я увидел Ирину, Евдокию и Артема: все трое с видимым наслаждением ели мороженое, купленное в находящемся рядом
киоске. Я не знаток моды, но даже мне было заметно,
насколько отличалась их одежда от той, в которую
одеты прохожие. На Ирине надета длинная, почти
до земли, юбка и какая-то невзрачная майка, на Евдокии — бесформенное платьице из чего-то, на вид
напоминающего марлю, Артем красовался в нескладных-
ных свободных брюках, отдаленно напоминающих

джинсы. Меня они не видели и, когда я подошел к ним, изрядно смутились.

— Как это понимать? — строго спросил я.

Сердиться мне не хотелось, я был в превосходном настроении, но дисциплину надо соблюдать.

— Откуда мороженое в такое время? Мороженое в стаканчиках можно покупать только днем. После восьми вечера всякая торговля закрывалась. Забыли? Если хочется мороженого после восьми, будьте любезны отстоять очередь в кафе.

— Извините, — пробормотала Ирина, виновато глядя на меня.

— Это я девушек сбил с толку, — решительно сказал Артем. — Если нужно кого-то наказать, то наказывайте меня, я виноват.

Похвальный порыв. Всех троих я знал одинаково плохо, но, насколько мог судить, Артем тут вообще ни при чем. Вилен неоднократно отмечал, что этот мальчик по десять раз уточнит суть правила, прежде чем что-то сделает, и ни за что не станет ничего нарушать. Скорее всего, мороженого захотелось Ирине, а молодежь ее поддержала. Вот негодники!

Я снисходительно улыбнулся.

— Какое мороженое едите?

— У меня крем-брюле, — ответила Евдокия.

У Ирины и Артема оказался обычный пломбир. Ну ладно, хотя бы в этом вопросе не нарушили. Я отчетливо помнил инструкции Галии: мороженое в стаканчиках могло быть сливочным, пломбиром, крем-брюле или фруктовым. Шоколадное — только в кафе. И никаких фисташковых, банановых, ореховых, лимонных и прочих.

Встав так, чтобы видеть вход в кафе, где сидел Назар, я поболтал с Ириной и Артемом, порадовался, что

Евдокия тоже участвует в разговоре, а не молчит, как прежде, спросил, куда они направляются.

— Так просто гуляем, без дела и без цели, — ответил Артем, пожимая плечами. — У вас правила жесткие, вечером никакого дела и никакой цели в их рамках не придумать. Сегодня Галина Александровна как раз читала лекцию о том, как проводили досуг, про кружки всякие в Домах пионеров рассказывала. Честно сказать, я в ужас пришел. Ну ведь, в самом деле, по вечерам вообще деваться было некуда, только во дворах и в сквериках компаниями собираться и дешевое пойло глушить. А если погода плохая, то в подъезды забивались, домофонов-то не было, можно было в любой дом войти свободно.

— Поэтому и читали много, — вздохнула Ирина. — Либо сидели дома и читали, либо тусовались в таких вот компаниях.

— Можно в кино сходить, — подсказала Евдокия.

— Да, — согласилась Ирина, — кино — это единственное, что нам сейчас доступно. Но в настоящий кинотеатр вы же не разрешаете идти.

— Не разрешаю. Вам говорили в самом начале, что поход в кинотеатр заменяется коллективным просмотром фильма на диске, и не в квартире у кого-то из вас, а на четвертом этаже, в общей комнате. Фильмы, отобранные для имитации кинопросмотра, находятся там же. И там же, если вы помните, стоят два блока по четыре кресла, взятые из старых кинотеатров.

Эти кресла были ужасными: деревянными, обшарпанными, с откидными сиденьями. Я попробовал посидеть на них, но выдержал не больше десяти минут. Избаловала меня современная мебель с ортопедическими спинками. А может, я просто состарился, поэтому тело стало капризным? Или наоборот: состарилось тело, а капризным стал я? Как бы то ни было, перспектива высидеть в таком кресле полтора часа казалась мне малопривлекательной. Но молодой и здоровый Артем имел иное мнение.

— В самом деле, дамы, а давайте устроим киносеанс? Ричард, еще не поздно? Как там у вас по правилам?

Вопрос застал меня врасплох. Ответа я не знал, а из кафе как раз в этот момент вышел Назар. Евдокия тоже заметила его и замахала рукой, крича:

— Дядя Назар!

— Вот и отлично, — решил я. — Сейчас мы все вместе пойдем домой и спросим у Галины Александровны, когда начинался последний сеанс в кинотеатрах.

Евдокия торопливо доедала мороженое, стараясь успеть до того, как Назар подойдет, но он всё понял и укоризненно покачал головой.

— Нарушаешь, Дуняша. Не стыдно?

— Стыдно. Но очень вкусно.

— Мы тоже нарушили, — тут же признался Артем, — только мы с Ирой быстрее съели.

— Рыцарь! — усмехнулся Назар.

Молодежь и Ирина шли впереди, мы с Назаром двигались следом, в нескольких метрах от них. Мне хотелось как можно скорее обсудить с ним выводы, сделанные доктором и Виленом, но, к моему огорчению, Назар был твердо намерен сначала принять участие в соревновании.

— Зайду к тебе сразу, как закончим. Мы же договорились, люди ждут, неудобно. Галия и Эдик, конечно, не скучают, они люди взрослые, им есть чем заняться. А вот девчонки совсем зачахнут. Нельзя лишать их законного развлечения.

— Особенно Марина зачахнет, — ехидно заметил я. — Я думаю, она, вместо того чтобы слушать строчки из старых песен, с удовольствием погуляла бы в обществе Эдика где-нибудь в тихом месте. А эти ваши соревнования отбирают у девочки значительную часть вечера.

— Ты старый циник, — укоризненно произнес он.

Окно квартиры Галии было распахнуто, Качурин сидел на подоконнике и о чем-то разговаривал с нашим профессором, бурно жестикулируя руками. Шедший впереди Артем ускорил шаг и почти подбежал к окну. Когда мы подошли, уже выяснилось, что позже 22:00 киносеансы не начинались.

— Супер! Мы как раз успеваем! — радостно воскликнул Артем, обернувшись к нам.

— На последний сеанс, билеты в последний ряд — и скорее целоваться, — язвительно бросил доктор. — Эх, молодость!

— Ирочка, только не забудьте журнал, — напутствовала Галия. — Журналы в отдельной стопке.

— Конечно, Галина Александровна, — пообещала Ирина. — Я все помню.

Хлопнула дверь подъезда, молодежь помчалась в кино.

— Какие журналы? — послышался из квартиры девичий голосок, а через секунду я увидел Марину. — Современные? Их можно почитать?

Следом за ней в поле моего зрения появилась и Наташа. Оказывается, девочки уже здесь! Галия объяснила, что речь не о полиграфической продукции, а о киножурналах, которые в обязательном порядке демонстрировались перед художественным фильмом. Собственно, в современных кинотеатрах тоже перед фильмом показывают нечто вроде журнала, но это в основном реклама других фильмов и прочих развлекательных мероприятий. Разновидностей этих десятиминутных фильмов было немного: документальные «Новости дня» о достижениях в строительстве коммунизма и «Зарубежная кинохроника», где в четкой очередности «через один» рассказывалось о том, как плохо и несправедливо устроена жизнь в капиталистических странах и как хорошо и радостно жить в странах социалистического содружества; если же попадались мультфильм, «Фитиль» или «Ералаш», состоящие из забавных сатирических новелл, то считалось, что кинозрителю привалила большая удача. После журнала в зале включался свет, и двери открывались для тех, кто опоздал к началу.

— А я и забыл совсем про то, что были журналы, — покачал головой Назар. — Хорошо, что Галия все помнит и Юре вовремя подсказывает, хотя он и сам не промах. Ну, что, друзья мои, начинаем?

— Все давно в сборе, — ответил доктор, — только вас ждем.

Назар вытащил сигарету, прикурил, посмотрел на меня.

— Сейчас Наталья выйдет — и начнем. Мы с ней всегда здесь стоим, на улице. А судьи на нас сверху смотрят, как и положено на настоящих соревнованиях. Это я так себя уговариваю, — усмехнулся он. — На самом деле стою на улице, чтобы в квартире у Галии не курить. Она сама-то не возражает, но мне неловко чужую хату прокуривать.

Наташа выскочила из подъезда и встала рядом с нами, бросив на меня удивленный взгляд.

— Вы хотите послушать?

— Если участники и судьи не возражают, — улыбнулся я. — Интересно.

Мне и в самом деле было интересно. Конечно, об этих соревнованиях Назар мне подробно рассказывал каждый день, и я более или менее представлял себе, как они проходят, но все равно любопытно было посмотреть своими глазами и послушать.

— Сегодня будете соревноваться по Окуджаве, — объявила Галия.

— Окуджава уже был, в самый первый день, — возразила Марина.

— Ну и что? У нас цикл по пять песен на игру, а Окуджава сколько всего написал? — отозвался доктор. — Можно целый месяц играть и ни разу не повториться. Только, Галина Александровна, давайте не так, как в первый день, не берите самые популярные песни, которые каждый знает, про Арбат или про последний троллейбус. Давайте что-нибудь потруднее.

— У-у, — протянул Назар, — я так не согласен, эдак я и проиграть могу.

— Ничего, справитесь, — насмешливо отозвалась Галия. — Поехали! «Умереть — тоже надо уметь». Назар Захарович сегодня первый.

Я вздрогнул и невольно поежился. Она что, подслушала мысли, преследующие меня все последние дни?

— «Умереть — тоже надо уметь», — начал Назар.

— «На свидание к небесам...»

— «Паруса выбирая тугие».

— «Хорошо, если сам».

— «Хуже, если помогут другие...»

Зрелище меня заворожило, оно было одновременно пронзительным и сюрреалистическим, словно я находился внутри фантастического фильма о жизни на далекой планете. Летний вечер, еще совсем светло, улица пустынна, нет привычных глазу автомобилей, не переливается световая реклама, не доносится современная музыка. Под открытым окном, на фоне старого облезлого кирпича, из которого построен дом, стоят старик и юная очаровательная девушка, пере-

брасываются изысканными поэтическими фразами,
но это не спектакль, а соревнование, в котором есть
судьи...

— «Предпоследние слезы со щек...»
— «А последнее — Богу»,
— «Последнее — это не наше»,
— «Последнее — это не в счет...»

Я никогда не был излишне сентиментален. Во всяком
случае, мне приятно было так думать о себе. Но ей же
Богу, я с трудом удержался от слез.

— «Есть просто движенье...»

Отзвучала последняя фраза, Галия указала на ошибки, доктор записал результат. Назначили следующую
песню.

— «Замок надежды». Начинает Наталья.
— Ой, — растерянно пискнула Наташа. — А можно
что-нибудь другое? Я это не смогу.
— Не знаешь? Или слова подзабыла? — спросил
Назар.
— Нет, я помню, помню...

Голос девушки дрогнул.

— Хорошо, я попробую, давайте.

Она глубоко вздохнула и начала:

— «Я строил замок надежды. Строил-строил».
— «Глину месил. Холодные камни носил», — под-
хватил Назар.
— «Помощи не просил. Мир так устроен...»
— «Была бы надежда — пусть не хватает сил».

Да, я плохо разбираюсь в людях, это правда. Мое
затворничество значительно ограничило опыт в сфере
коммуникации. Но будь я проклят, если эта милая девочка сейчас не расплачется! Даже мне, тупоголовому
ослу, видно, что она еле сдерживается.

— «Все лесные свирели, все дудочки, все баяны»,

— «Плачьте, плачьте, плачьте вместо меня», — закончил Назар.

Она все-таки разрыдалась. Отчаянно, горько, спрятав лицо в ладони. Назар обнял ее, прижав голову Наташи к своему плечу.

— Ну что ты, дочка, что ты, — бормотал он, гладя ее по спине. — Ну, успокойся.

Я трусливо отвел глаза от плачущей девушки и утешающего ее старика и стал смотреть на Качурина и Марину, чтобы отвлечься. Меня, честно признаться, слова песни пробрали до костей. Приходится констатировать не без горечи, что к старости я стал слабее душой. Или я таким был всегда, просто не замечал? Может быть, эта черта роднит меня с давно умершим Володей Лагутиным? Все же мы из одной семьи, хоть и из разных поколений, и предки у нас общие. Эксцентричный Джонатан, готовый ради собственных идей пожертвовать любыми человеческими контактами и отношениями, а также любыми денежными суммами. Страдающая мигренями Эмилия, не выдержавшая битву с жизнью и добровольно сдавшаяся смерти, покончив с собой. Их дочь Грейс, не смевшая перечить отцу, вышедшая замуж по его указке, всю жизнь любившая одного мужчину и преданно служившая ему и его науке. Мы с Владимиром — яблочки от этой яблоньки. Между прочим, Зинаида тоже. Только сейчас, в этот самый момент, мне пришло в голову, что стремление Зины во что бы то ни стало добиться для своих детей возможности пользоваться деньгами Уайли-Купера по сути мало чем отличалось от стремления самого Джонатана Уайли увековечить собственное имя. Механизм-то, как частенько говорит наш Артем, один и тот же: упорно идти к цели, не считаясь с чувствами и желаниями близких. И чем же, в таком случае, отличаюсь от них я, поставивший перед собой цель во что бы то ни стало помешать Энтони Лагутину, внуку Зинаиды, получить деньги для продолжения своих исследований? Да ничем! Пожалуй, в затее Джонатана, растянутой на сто пятьдесят лет, есть кое-какой смысл...

Мне показалось, что Марина не поняла ни слова из этих стихов. На ее лице я не заметил ни сочувствия, ни печали. Я видел только сияющее лицо влюбленной девушки, обращенное к мужчине. Даже не так... Не «обращенное к», а «погруженное в» этого мужчину. Казалось, она забыла обо всем, даже о том, где и зачем находится, всем своим существом окунувшись в осознание присутствия рядом с ним, совсем близко, почти вплотную.

Однако я ошибся. Впрочем, как обычно. Оказалось, Марина все-таки что-то уловила в стихах, хотя, как всегда, свое. Не про смысл жизни, а исключительно про любовь. Хотя, возможно, это одно и то же?

— «Жизнь коротка. Не успеешь, дурак...» Рискую. Женщина уходит посмеиваясь. Леплю, — тихо повторила она, как заклинание.

Мне показалось, что доктор слегка наклонился в ее сторону. Совсем чуть-чуть, еле заметным движением, но это было очевидное движение навстречу. К ней. Галия перехватила мой взгляд и усмехнулась одними краешками губ. Она тоже заметила.

Наташа уже не рыдала, она отстранилась от Назара и, шмыгая носом, вытирала лицо тыльными сторонами ладоней.

Галия как ни в чем не бывало подвела итог и предложила:

— Может быть, возьмем что-нибудь полегче? Не такое печальное?

— Все, что полегче, хорошо известно, — возразил Эдуард. — Это будет не соревнование, а профанация, даже я смогу участвовать.

— Не скажите, Эдик. Вот, например... — она задумалась и вдруг тряхнула головой: — «Круглы у радости глаза». На каждом углу эту песню не пели, а она вполне оптимистичная.

— Надо же, — задумчиво протянул доктор, — я и не знал такую... А ведь был уверен, что Окуджаву всего знаю.

Назар ободряюще взглянул на Наташу.

— Давай-ка, дочка, покажем этому эскулапу, что такое настоящий знаток.

Наташа молча кивнула и снова хлюпнула носом.

— «Круглы у радости глаза и велики — у страха»,

— «И пять морщинок на челе от празднеств и обид...»

— «Но вышел тихий дирижер, но заиграли Баха»,

— «И все затихло, улеглось и обрело свой вид».

Да, золотые слова: все затихло, улеглось и обрело свой вид. Именно так и должно все происходить.

Я тихо покинул поле битвы, не дожидаясь окончания поединка.

\* \* \*

Назар обещал зайти ко мне, когда закончит соревноваться с Наташей, и клялся, что не останется пить чай у Галии. Я прикинул, что раньше одиннадцати вечера вряд ли увижу своего друга, поэтому решил не тратить время и немного поработать, записать хотя бы кратко соображения Качурина. Не спеша заварил кофе, разложил бумаги и блокноты на столе и уже приготовился заняться делом, как тренькнул звонок.

На пороге стоял Назар, как я, собственно, и ожидал, а за спиной у него возвышался Эдуард. Обычно сонные его глаза под полуопущенными веками сейчас сверкали возбуждением и нетерпением.

— Прошу извинить, я без приглашения, — сразу заговорил доктор. — Но Назар Захарович сказал, что если это касается дела, то можно приходить в любое время.

Я отступил назад, давая гостям войти. Энтузиазм Качурина меня порадовал. Неужели он придумал что-то еще, кроме неудачного самоубийства Володи Лагутина?

Оказалось, нет, ничего нового, просто еще один аргумент в пользу высказанной доктором версии. Но аргумент, следовало признать, сильный.

— Помните фразу о том, что «любви последней не получилось»?

Пришлось признаться, что не помню.

— В самом конце эссе про «Старика», где текст, написанный в измененном состоянии.

Я раскрыл папку с распечатками, нашел нужное место, перечитал и кивнул.

— Можно взглянуть на скан рукописного текста?

Я собрался было удивиться, но потом вспомнил наши посиделки на даче и послушно включил компьютер. Вставил флешку со сканами, нашел папку «Записки, том 2», открыл нужную страницу. В нетрезвом состоянии почерк Володи, и без того неразборчивый, делался совершенно неудобочитаемым. Если бы добросовестные сотрудники Берлингтонов, курирующие проект, не требовали обязательного перепечатывания всех рукописей с целью сделать их пригодными для чтения и анализа, то у исследования не было бы шансов оказаться выполненным. Никто не стал бы тратить недели, месяцы, а то и годы, чтобы разбираться в чужих каракулях.

Эдуард уселся за стол, вытянул шею, приблизив лицо к монитору, и впился глазами в текст.

— Так я и знал! — торжествующе воскликнул он. — Как чувствовал, что с этой фразой что-то не так. Посмотрите сами, что здесь написано.

Он пошевелил мышкой, подведя курсор к нужной строчке. Ничего, кроме невнятных каракулей, я разобрать не смог, но... Даже мне, человеку не искушенному, было видно, что от руки написано не то, что в распечатке. «Любви последней не получилось». Одно слово покороче, два более длинных и одна частица. В рукописи же я видел четыре слова разной длины и еще три совсем коротеньких, не то частиц, не то предлогов, не то местоимений. Разобрать этот коряво выполненный текст я вряд ли сумел бы.

— Но это же невозможно прочитать! — воскликнул я.

— Правильно, — кивнул Качурин. — И человек, который набивал в компьютер текст для переводчика, тоже не справился. Но он пытался. И сделал что сумел.

Я всмотрелся более внимательно. Первое слово в рукописной фразе начиналось с «Л», а через букву от нее сверху виднелся хвостик, свидетельствующий, вероятнее всего, о букве «б». Любовь? Любви? Может быть, тот, кто печатал, не так уж сильно ошибся?

— Не мучайтесь, Дик, я прочту, — уверенно произнес доктор. — Я же медик, я хорошо умею читать неразборчивые почерки своих коллег, опыт большой. Видите, сколько букв в первом слове?

Он аккуратно перемещал курсор последовательно от начала к концу слова и считал вслух:

— Один, два, три, четыре, пять, шесть... Согласны?

— Ну да.

— А в слове «любви», как в распечатке, их только пять.

— Откуда же лишняя буква?

— Она не лишняя, Дик. Она как раз на своем месте. Вот она, видите? Буква «о».

— Любови? — уточнил Назар голосом, полным сомнения. — Что это означает?

— Здесь написано: «Любови из «Последних» из меня не получилось». Владимир был весьма нетрезв, поэтому кавычками пренебрег. И что должна была подумать несчастная сотрудница, которой поручили перевести текст из рукописного вида в читабельный, когда она прочитала «Любови из последних из меня не получилось»?

— Вероятно, она решила, что либо автор рукописи тронулся умом, либо сама она устала и плохо соображает, — предположил я.

— Вероятно, — согласился Эдуард. — В любом случае она попыталась придать фразе хоть какой-то смысл. Для того чтобы расшифровать эти каракули полностью адекватно, нужно быть досконально знакомым с текстами Горького, а от сотрудников вашей американской фирмы вряд ли справедливо ожидать такого. Речь идет о разделе, касающемся пьесы «Старик», поэтому человеку постороннему никак невозможно догадаться, что слово «последних» обозначает название произведения. Мы совсем недавно работали с пьесой «Последние», поэтому могу с уверенностью утверждать, что речь идет о Любови, горбатой дочери Коломийцевых.

— Как же вы догадались? — восхитился я.

Назар рассмеялся своим дробным журчащим смехом.

— Ты бы видел эту картину, Дик! Мы с Наташей отсоревновались, Галия разбирает ошибки, а Эдик уткнулся в свой блокнотик, куда он очки записывает, и все бормочет, бормочет строчки из той песни, с которой мы начали сегодня: «Последнее — богу, последнее — это не в счет... Последнее — богу, последнее — это не в счет...» Марина стоит рядом, млеет, тает, а он ничего не замечает, бормочет, как ополоумевший.

Я испугался, что пассаж насчет Марины прозвучал грубовато и доктор может обидеться или смутиться, но Эдуард, казалось, пропустил эти слова мимо ушей. Во всяком случае, никакой эмоциональной реакции с его стороны я не заметил. То ли он толстокожий, то ли циничный, то ли просто не обидчивый.

— И вдруг как подскочит! — азартно продолжал Назар. — С подоконника спрыгнул, блокнотик в карман засунул и говорит: «Назар Захарович, вы выиграли, пойдемте скорее к Дику, мне нужно кое-что посмотреть». Марина как стояла, так и замерла с раскрытым ртом. Ты уж, Эдик, поосторожнее с девушками-то, нельзя так, они нежные, обижаются легко.

— Я ей ключ дал, — абсолютно спокойно ответил Качурин. — Она меня дома дождется. Не знаю, в курсе ли вы, но я приходил послушать, когда Виссарион Иннокентьевич и Ирина читали «Последних», я тоже присутствовал, так что с текстом ознакомлен.

— В курсе, а как же, — насмешливо протянул Назар. — Мы тут обо всем в курсе, сынок, мимо нас не проскочишь, хоть мы и богадельня.

Похоже, смутить Эдуарда или сбить с толку — задача не для каждого. Он продолжал говорить невозмутимо и ровно, словно зачитывал доклад.

— Так вот, в самом конце пьесы, когда умирает Яков Коломийцев, Любовь говорит: «Только так можно уйти из этого дома... Одна дорога...» А ее младший брат Петр подхватывает: «Другая — смерть души...» Вот о чем писал Владимир! Эти две реплики дают ответы на два вопроса сразу. Первый: почему фраза о последней любви оказалась рядом с перечислением персонажей, на которых Владимир считает себя похожим? Ответ: потому что

Любовь Коломийцева тоже стремится вырваться, но видит для себя только одну дорогу — в смерть. Этим аргументом мы подпираем версию о попытке суицида. Второй вопрос: почему, анализируя пьесу «Последние», Владимир так много рассуждает о дорогах, которые мы выбираем? На первый взгляд, складывается впечатление, что он мыслями перескочил с Горького на О'Генри, но это не так. На обсуждении я не присутствовал и «Записок» в этой части не читал, но Назар Захарович, пока мы поднимались к вам на пятый этаж, рассказал мне об этом и о том, что вы считаете, будто уход в тематику «дорог» есть не что иное, как проявление сильного опьянения. Теперь мы можем с уверенностью утверждать, что, хотя Владимир был действительно сильно пьян, от пьесы он не отклонился. Любовь видит одну дорогу, ее брат Петр — другую, он говорит о смерти души, то есть либо об умышленном безразличии и цинизме, либо о пьянстве. И весь посыл мысли Владимира, как представляется, можно интерпретировать следующим образом: я пытался пойти по одной дороге, хотел умереть, покончить с собой, но не получилось, и у меня остается только другая дорога — пить и ни о чем не думать.

Я не мог не признать, что рассуждения доктора Качурина отличались изяществом и убедительностью. Что ж, еще один кусочек пазла встал на место.

— Господа, вы, по-моему, увлеклись и забыли обо мне, — с упреком сказал Назар. — Я, конечно, с наслаждением поучаствую в вашей дискуссии, но хотелось бы понимать, о чем мы тут рассуждаем.

Я вспомнил небрежно брошенные слова Качурина о ключе от квартиры, который он оставил Марине, и снова на ринг выступили двое: вредный старик, делающий вид, что ничего не знает и не понимает, и мужчина, проживший довольно бурную личную жизнь и искренне сочувствующий романтическим увлечениям других людей. Старик собрался настаивать, чтобы доктор остался и сам изложил Назару ход своих размышлений и озвучил выводы о неудачной попытке Володи Лагутина покончить с собой. Противник же старика готов был отпустить Эдуарда к нежной влюбленной девушке, которая ждет его в пустой квартире.

Старик проиграл эту схватку. Эдуард ушел, а Назар основательно устроился в кресле и приготовился слушать.

\* \* \*

Мы снова засиделись допоздна. Назару соображения доктора Качурина показались весьма интересными и правдоподобными.

— Если речь идет об осени семьдесят пятого года, то понятно, что я ничего не заметил, — кивнул он, выслушав меня. — К этому времени я уже все понял про Зинаиду Михайловну и появлялся у них крайне редко. Наверное, в мае с Днем Победы заходил поздравить, а потом уже только на следующий год на Восьмое марта пришел с цветами. Так что в самый острый момент, когда Зинаида и ее сынок сидели дома, я у них и не бывал.

Мне не хотелось отпускать Назара, тем более, завтра в 9 утра мы не собираемся, день выделен на чтение «Фомы Гордеева» и очередное комсомольское собрание, назначенное на 17:00, и можно будет встать попозже. Я предложил выйти прогуляться перед сном, но Назар только насмешливо фыркнул:

— Ты не в Голландии! Два старика поздно ночью в плохо освещенном поселке — это, знаешь ли, даже глупостью не назовешь.

— Согласен, — рассмеялся я. — Это полный идиотизм.

— Именно! Уж на что местный полицейский начальник нам благоволит, но тут, боюсь, даже он не поможет.

— Да уж... Имя у него какое-то затейливое, как я помню...

— Кочубей, это фамилия такая у него. А зовут Виталием. Его в поселке сильно уважают и боятся, вон девчонки наши, Ира с Дуней, рассказывали, помнишь? Потому мы и живем тут спокойно даже при незапертом подъезде. Если б не Кочубей, мы бы уже столько проблем поимели!

— Ну да, ну да. Значит, сегодня ты опять у Наташи выиграл?

Наверное, я слишком резко сменил тему, и Назару потребовалось некоторое время, чтобы сообразить, о чем я спрашиваю. Ход моих мыслей был мне абсолютно понятен: Назар упомянул о подъезде дома — я вспомнил о том, как стоял возле этого подъезда и слушал стихи, которые по одной строчке произносили мой друг и Наташа.

— Я-то? — переспросил Назар. — А, да, выиграл. А чего ты ушел, не дослушал? Не понравилось?

— Я не ценитель поэзии, — признался я. — Не люблю и не понимаю.

— Это ты зря. Мы все сейчас в такой ситуации, когда нужно креативность взращивать. Ты же нас не отдыхать сюда вывез, а для дела, чтобы мы думали, соображали, одно к другому приставляли. Нельзя ничем пренебрегать, никогда не угадаешь, в какой момент и на каком слове мысль получит волшебный пинок.

Про волшебный пинок я не понял.

— Что получит?

— Идиома такая. Мысль получит толчок. Видишь, как у Эдика сегодня получилось? Слушал стихи, а сообразил про пьесу Горького. Так что ты приходи, послушай. Завтра у нас по Анчарову соревнование. Кстати, тебе и полезно будет, в некоторых его стихах без пол-литры не разберешься.

— Без пол-литры? — снова уточнил я, думая, что ослышался.

— Тьфу ты! Ну, без культурного контекста, чтоб тебе понятней было. Анчаров вообще интересный был человек! Начинал учиться в архитектурном институте, потом война, он записался добровольцем, его послали иностранные языки учить, японский и китайский, он выучил и служил военным переводчиком с китайского. Во какой был парень! Потом учился в художественном училище, потом на сценариста, по его сценарию, между прочим, сняли первый советский телевизионный сериал. Вся страна смотрела! А песню про полустаночек и полушалочек из этого сериала потом еще много лет пели. Анчаров и прозу писал, и стихи, и песни, разносторонний человек. Так что приходи, скучно не будет, обещаю.

— Ты же сказал, что я без этой самой... пол-литры не разберусь.

— Ну, мы с Галией разобъясним тебе, если чего не поймешь. Эдик опять же поможет. Ничем не надо пренебрегать, — снова повторил Назар.

Поскольку идею с прогулкой мой друг не поддержал, я предложил обсудить хронологию событий в семье Лагутиных с учетом допущения, сделанного Качуриным.

Итак, в 1972 году осенью Владимир на олимпиаде по иностранным языкам знакомится с некоей Аллой. Летом 1973 года он оканчивает школу, получает аттестат и успешно поступает в МГИМО. Через два года, осенью 1975 года, начинает учиться на третьем курсе и предпринимает суицидальную попытку. Почему? Что происходило с ним в последние два года перед этим? И куда исчезла Алла?

Зинаида Лагутина, понимая, чем грозит огласка, предпринимает значительные усилия к тому, чтобы по возможности скрыть попытку самоубийства. Вероятнее всего, о ней знает, кроме нее самой, только отец Владимира, Николай Васильевич. Дочери Ульяне выдается та же версия, которая предназначена для всех: острый живот, аппендэктомия, осложнение на сердце — у брата, сотрясение мозга — у матери. Или все-таки Ульяна с самого начала знала правду?

— Вряд ли, — уверенно заметил Назар, когда мы дошли в своих рассуждениях до этого места. — Молоденькая, любопытная, всюду сует свой нос, подслушивает, подсматривает, одним словом, вся в мамашу. А коль в мамашу, то сплетница, всем все пересказывает, да еще и приукрашивает. Зина-то, конечно, базар фильтровала, понимала, кому что можно сказать, а что — нельзя, но она опытная, вон какую карьеру в госаппарате выстроила, стало быть, умная была и осторожная. А Ульяна еще маленькая, на нее надежды нет. Сколько ей тогда было? Семнадцать, на первый курс поступила. Но она хоть и маленькая была, но умненькая, и стержень внутри оказался железным, не то что у братца.

С этим я согласился. Моего единственного личного контакта с Ульяной, когда они все приехали в Америку, оказалось достаточным, чтобы этот стержень почувствовать. Если Зинаида показалась мне скользкой и лживой, то ее дочь производила впечатление человека жесткого и абсолютно бессовестного и безжалостного. Если Ульяна с раннего детства внимательно слушала телефонные разговоры матери, то к семнадцати годам наверняка усвоила, что и лукавый обман, и прямая наглая ложь — вещи не только допустимые, но и полезные и в использовании этих инструментов нет ничего зазорного.

Брат болеет, мать болеет... Но мать болеет как-то странно. Брат целыми днями лежит в своей комнате, ни с кем не разговаривает, телевизор вместе со всей семьей не смотрит, почти не ест — одним словом, действительно производит впечатление человека нездорового. А вот у мамы жалобы, произносимые вслух, как-то не соответствуют ее поведению. Трудно сказать, догадалась ли она о том, что происходило с братом, но вот о том, что сотрясения мозга у Зинаиды не было, догадалась точно. И обернула эту ситуацию в свою пользу, добившись у родителей согласия на перевод после окончания первого курса в другой институт. Интересно, как далеко зашла Ульяна в сборе инструментария для шантажа? Ограничилась только собственными наблюдениями и подслушиванием разговоров? Или добралась до врача, выдавшего больничный Зине, и до хирурга, диагностировавшего у Владимира «острый аппендицит»? Что она говорила родителям? Что всем расскажет правду? Или пошла дальше и пригрозила, что все вовлеченные будут сидеть за взятки и злоупотребление служебным положением? Так или иначе, но она сделала это. Добилась своего.

И Владимир прекрасно знал, почему его сестре позволили то, что не позволили ему самому: учиться там, где хочется, а не там, где мама с папой приказали. В эссе о пьесе «Старик» он прямым текстом пишет о том, что перечитал ее на третьем курсе и увидел, что это великое произведение о шантаже. На третьем курсе, то есть как раз тогда, когда Ульяна развернула свою деятельность по смене места обучения.

— И все-таки я не до конца понимаю, почему все так сложно, — сказал я. — Что мешало Ульяне просто забрать документы из одного института и пойти учиться в другой? Неужели при советской власти в вашей стране для этого требовалось какое-то официальное разрешение родителей?

— Конечно нет, — рассмеялся Назар. — Но в таком деле не получить согласия родителей — штука рискованная. Впрочем, как и в любом другом. Девочка финансово зависима от папы с мамой, зависима от их возможностей, живет с ними под одной крышей и уйти никуда не может, понимаешь? Никуда! Если родители согласны отпустить ребенка, то они, разумеется, помогут деньгами, а вот если уйти, хлопнув дверью и рассорившись, то остаешься в буквальном смысле с голой задницей, не имея ничего, кроме стипендии в сорок рублей, и то при условии, что в зачетке нет троек. Одна тройка — и привет горячий, стипендии лишают до результатов следующей сессии. Ульяна не может жить в студенческом общежитии, потому что у нее московская прописка и общежитие ей не положено. Она не может снять квартиру, потому что это для нее дорого. Она ничего не может! И она понимает, что ей придется жить вместе с родителями, которые ее не одобряют. Родители, конечно, тоже разные бывают, но в данном случае мы говорим конкретно о Лагутиных. Хозяин, Николай Васильевич, перестанет с дочкой разговаривать. Мадам Зинаида перестанет доставать для нее красивые шмотки из «Березки» или из-под прилавка. Она не будет ездить отдыхать на море. Ей не будут ни в чем помогать, не будут давать деньги, она будет жить в атмосфере затяжного конфликта, от которого ей никуда не уйти. Парень на такое мог бы пойти легче, но девочка... Девочкам очень важно, что о них думают и как к ним относятся. У них порог толерантности к конфликтам в среднем ниже, чем у мальчиков.

В такой логике я, честно говоря, усомнился. Да, согласен, поступить наперекор воле родителей — путь к конфликту. Но разве шантаж не приведет к тому же самому?

— Смотря как сказать, кому и в какой момент, — возразил Назар. — Можно грубо схватить за горло и прижать к стенке. После этого тяжелый конфликт, само собой, неизбежен. А можно лисой подкрасться, говорить ласково, выражать, как принято говорить в вашем американском судопроизводстве, обоснованные сомнения. Можно смотреть маме в глаза и причитать: «Какой ужас, мамочка! А вдруг кто-то узнает? Ведь если я догадалась, то и другие могут... Володю запихнут в психушку и сломают ему карьеру, а вас всех привлекут к ответственности и снимут с работы. Какой кошмар!» Все дело в подходе, Дик. В выборе метода.

Что ж, если Назар прав, то можно добавить определенные черточки и к портрету Ульяны. Я склонен был довериться мнению своего друга, ибо он, во-первых, жил в той стране и среди тех людей, а во-вторых, намного больше меня контактировал с Зинаидой и ее семейством.

Владимир доучился в своем институте и получил мелкую должность в МИДе. Полученное образование не ценил, работу свою не любил, делать дипломатическую карьеру не стремился. Ему все было неинтересно. Скучно. Тошно. Он хотел быть учителем литературы в средней школе. Примерно тогда же, когда начал работать, Володя сделал первый подход к «Запискам молодого учителя», ему в ту пору было 23 года. Начал, бросил... Как-то жил, днем работая, по вечерам прикладываясь к бутылке. Спустя два года вновь вернулся к «Запискам», работал над ними систематически, но попивать не прекращал. Более того, имеющийся в «Записках» пассаж об интенсивном общении с теми, кого с полным правом можно отнести к «отбросам общества», позволяет сделать предположение о том, что мой родственник в какие-то моменты пил довольно сильно, причем делал это в компании со спившимися и окончательно опустившимися доходягами (именно такой термин употребил Назар). Скорее всего, такие эпизоды имели место в те два года, которые прошли между началом работы над «Записками» и ее продолжением. В период регулярного посещения библиотеки молодой человек, как мы установили, уже не нуждался в компании и пил в одиночку, иными словами — твердо встал на путь алкоголизма.

Таким образом, после перерыва Владимир пытается взять себя в руки, возвращается к «Запискам», но все-таки окончательно бросает их, не доведя дело до конца. Теперь он хочет писать большой роман, наброски к которому назвал почему-то «Роман-перенос». Но и эту затею он тоже оставил довольно скоро. А спустя некоторое время (весьма короткое) умер.

И все последние годы своей жизни Владимир Лагутин называл себя трусом, дураком и подлецом. И еще почему-то регулярно покупал спиртное в таком гадюшнике (опять же, по выражению Назара), к которому приличные люди стараются без особой нужды даже не приближаться.

\* \* \*

Если я ходил в столовую, а не просил Надежду принести еду на пятый этаж, то почти всегда заставал там Полину либо в обществе Галии, либо болтающей с нашим поваром или с Юрой. Сегодня утром, однако, Полина завтракала в одиночестве, и не в большой комнате, а в дальней, «для руководства».

— Все обрадовались, что к девяти утра не нужно собираться, и решили поспать, — пояснила она. — А я — жаворонок, просыпаюсь рано.

— Как ваша подопечная? — спросил я. — Роман читать начала или на сегодня отложила?

— За нее не беспокойтесь, Дик, она теперь все задания будет выполнять с полным усердием.

Я понимающе кивнул.

— Эдуард?

— Конечно. Девочка влюблена до смерти и будет стараться изо всех сил, чтобы выглядеть нужной вашему квесту. Она же понимает, что сотрудники анализируют и обсуждают каждое сказанное участниками слово, мы ведь этого не скрываем, и ей хочется, чтобы на этих заседаниях ее выделили, похвалили, сказали, какая она умная. И чтобы Эдик это услышал.

— То есть там все серьезно?

— Мне кажется, да. Что самое забавное — с его стороны тоже.

— Неожиданно... — протянул я.

— Неожиданно, — согласилась Полина. — Помнится, я сама утверждала, что девочка приехала искать себе подходящего патрона с деньгами или патронессу со связями. И уверена, что не ошибалась, Марина на момент приезда была именно такой. Вот что скука с людьми делает!

— Скука? В каком смысле? Вы полагаете, что она флиртует с доктором от скуки?

— Нет, что вы, Дик, она действительно влюблена, по-настоящему, уж мне ли не видеть этого! Но в обычной своей жизни она ни за что не обратила бы внимания на Эдика. У нее на это просто не хватило бы интеллектуального ресурса. Она — обычная современная девочка, она привыкла постоянно быть чем-то занятой, жить не выпуская телефон из рук. Она, как и все нынешние молодые, каждую минуту получает кучу разной информации: то читает что-то в интернете, то переписывается. Информации много, но ее же надо осмысливать! Ее надо анализировать, отфильтровывать, критически обдумывать. Понимаете? А они этого не делают. Они не приучены к такой вещи, как «просто сесть и подумать». Они даже слов таких не знают. Зачем думать, когда можно готовый ответ найти в Сети? У них же самый употребительный глагол — погуглить. «Гугл» — наше всё. Главное — правильно сформулировать поисковый запрос. Так, во всяком случае, всегда говорит внук моего мужа. С мужем я давно рассталась, но его дети от предыдущего брака и внуки почему-то ко мне привязаны, — добавила она с невеселой улыбкой. — Часто приходят, с собой зовут, когда за город едут, на выставки и в кино приглашают. Зачем им нужна такая старуха, как я? В театре я занята так мало, что если меня не станет — никто и не заметит, ни труппа, ни зрители.

Она умолкла и стала смотреть в окно, уйдя в собственные мысли. Но мне хотелось продолжить разговор о скуке, и пришлось вернуть Полину к теме.

— Да, они не знают скуки, они не понимают, что это такое, и это, конечно же, прекрасно, — продолжила она. — Но они и не знают, что такое «просто думать». Копаться в своих мыслях, обдумывать собственные ощущения, прислушиваться к ним, пытаться понять, откуда они взялись и почему они именно такие, а не другие... Для этого нужен покой и свободное время, а у теперешней молодежи нет ни того, ни другого.

— Нужно еще кое-что, — заметил я. — Нужно понимание того, что все вышеперечисленное необходимо и полезно. Если будет понимание, то найдется и время, и спокойная обстановка. Вилен наблюдает за Артемом и говорит, что мальчик каждый день подолгу лежит на диване, закрыв глаза и закинув руки за голову, и просто думает. Потому что понимает, что это необходимо.

— Артем у нас тут один такой. Все остальные — любители смотреть и слушать, но не любители обдумать. Так вот, по поводу Марины: ей в голову со всех сторон поступает информация, как бы это сказать... м-м.. гламурного толка. Ну, вы понимаете, что я имею в виду, правда?

— Конечно.

— Оценить ее критически девушка не в состоянии. Но все, что в этой информационной куче имеется, кажется ей невероятно важным и необсуждаемо правильным. Если в потоке информации появляется хоть малейший зазор, Марина использует его для дополнительного получения информации именно этого плана, а не какой-то другой. Иными словами, о жизни вне гламура она ничего не знает и знать не хочет, потому что это кажется ей не важным. И вдруг в потоке образовалась огромная дыра. Ничем не восполняемая и не затыкаемая. Первые пару дней девочка маялась и страдала, это было очень заметно, да она и не скрывала. Ныла, злилась, грубила мне. Но мозгу же не прикажешь, он живет по своим законам. Хочешь ты, не хочешь — а голова работает сама по себе. Оказавшись в пустоте, Марина начала понемногу присматриваться к жизни, к людям, к собственным чувствам и мыслям. И заметила Эдика.

Я недоверчиво покачал головой.

— Мне всегда казалось, что такая внезапная сильная влюбленность — это чистая химия. Одно дело, когда человека давно знаешь, хорошо изучил, уважаешь его, ценишь какие-то качества в нем, и совсем другое — когда вот так, сразу... Вилен наблюдал, как они начали разговаривать в очереди в один из первых дней. По его мнению, между ними сразу искра пробежала, ведь так по-русски говорят? И еще он был уверен, что Эдуард почувствовал эту искру сразу же, а Марина вроде как ничего не поняла в первый момент, но уже отреагировала.

— Вероятно, так и было, — согласилась Полина. — Насколько я могу судить по ее поведению дома.

— Но если все дело в химии, а не в сознательном выборе, то какое отношение к этому имеет скука?

— Возможно, я ошибаюсь, но для того чтобы почувствовать эту самую химию, нужно иметь свободный кусочек души и мозгов. Я имею в виду: свободный от гламурной мифологии, в которой все параметры самца, пригодного к употреблению, жестко структурированы и выдаются за единственную достойную цель. Покуда голова забита этой дурью, никакая химия сквозь нее не пробьется. Девочка что-то такое почувствует, вроде как настроение поднялось, потом испортилось, потом снова поднялось, вроде как на душе смутно, волнение какое-то непонятное, но на этом все и закончится, если она в своих внутренних движениях изначально не сориентирована на любовь. Знаете, Дик, я ведь только здесь поняла, что скука — величайший двигатель человечества. Раньше было принято шутить, что двигатель технического прогресса — лень, и если продолжить эту мысль, то можно утверждать, что двигателем мысли является скука.

— Да, я слышал такую шутку. Вы считаете, что люди начинают глубоко задумываться о чем-то, когда им скучно и нечем больше заняться?

— Полагаю, в большинстве случаев — да. Если человек занят с раннего утра до поздней ночи трудами и хлопотами, то у него не остается ни времени, ни сил на то, чтобы просто думать. Осмысливать окружающую действительность. Наблюдать. Делать выводы. Познавать мир. Получать новые знания. Даже потребность такая зачастую не появляется. Так вот Марина, как мне кажется, пала жертвой этой самой скуки. Поскольку больше все равно заняться нечем, она полностью отдалась новым ощущениям и переживаниям. Но, насколько я понимаю, вашими правилами это не возбраняется?

— Ни в коей мере, — заверил я Полину. — Все должно развиваться так, как оно было в жизни. Ведь в советское время подобные отношения юных девушек и взрослых мужчин допускались?

— Сплошь и рядом. Разумеется, они не очень-то поощрялись, но в реальности существовали повсеместно, а в научном мире были не просто нормой, а просто-таки показателем успешности. Если мужчина — доктор наук и при этом не спит с молоденькой аспиранткой, то это как будто и не настоящий доктор наук. Союзы преподавателей со студентками тоже постоянно имели место. Начальники и секретарши — то же самое. Марина теперь все свободное время проводит в медпункте у Эдика.

— И...?

Полина глянула на меня с иронией, но тепло и дружелюбно.

— И. Я жестко потребовала от девочки соблюдения приличий. Когда утром я просыпаюсь, она должна быть дома. А уж в котором часу она вернулась, меня как бы не касается, то есть предполагается, что я легла спать в полночь или чуть позже, а она пришла минут через пять после того, как я уснула.

— А как на самом деле? — живо поинтересовался я.

— На самом деле она приходит без четверти пять. Я в это время уже не сплю, но еще лежу в постели и все отлично слышу. Скука пошла Марине на пользу.

— А если Эдуард разобьет ей сердце?

— И пусть. Разбитое сердце — прекрасный опыт для молодой девицы. Люди, не имеющие подобного опыта, становятся пресными и скучными.

Полина лукаво посмотрела на меня, отщипнула вилкой кусочек творожной запеканки, отправила в рот. Сметана в фарфоровой соуснице стояла перед ней нетронутой. Эта дама действительно очень заботилась о сохранении своей тонкой талии.

— Я кажусь вам циничной и злой, да?

— Ну, с возрастом все мы становимся циниками, — возразил я. — Это нормально.

— Значит, с тем, что я злая, вы не спорите, — задумчиво констатировала актриса. — Жаль.

Я подумал, что представился вполне удобный случай спросить ее о Виссарионе.

— Полина, дорогая, я ни в коем случае не считаю вас злой, но тем не менее не могу не отметить, что между вами и Виссарионом не все ладится. Я прав? Вы его не любите?

Глаза Полины внезапно вспыхнули, красиво очерченные губы стали суше и тоньше.

— Хотите правду?

Я кивнул.

— Я его ненавижу. И всех таких, как он, ненавижу. Поэтому не принимаю участия в домашних спектаклях, которые он проводит с Ирочкой. Думаете, мне не хотелось? Еще как хотелось! Но я вынуждена была отказаться, чтобы не проводить время в его обществе сверх необходимого сугубо по работе. Я всегда ненавидела это партийно-комсомольское вранье, лицемерие, демагогию, а Вася для меня — живое олицетворение всего этого. Комсорг-парторг, будь он неладен! И ведь даже не стыдится в этом признаваться, размахивает своим прошлым, как знаменем.

— Он просто играл по правилам, — мягко заметил я. — Он был хорошо адаптирован. Может быть, имеет смысл простить его?

Полина внезапно успокоилась. Теперь она смотрела на меня с тихой улыбкой.

— Мне не за что его прощать, лично мне он не сделал ничего плохого. Но по-человечески он мне неприятен. Если вы скажете, что для вашего проекта нужно, чтобы я проводила с ним больше времени, я буду это делать. Если вы считаете, что я должна принимать участие в чтениях, — я буду принимать. Но лицемерие, демагогию и ложь я не смогу полюбить и принять. Увольте.

— Однако на комсомольских собраниях у вас отлично получается быть лицемерной.

— Я все-таки актриса, — усмехнулась Полина. — Меня научили не только передавать мысль и эмоцию вымышленного персонажа, но и испытывать их. Думать чужой головой и чувствовать чужим сердцем. Это профессия. Кстати, умение очень полезное и в обычной жизни, не только на сцене. Я вот сейчас вспомнила соседского мальчика, хороший был мальчишка, хулиганистый, но в меру возраста, а родители — сильно пьющие, старший брат — уголовник, сидел несколько раз. Я жила в коммунальной квартире, все друг у друга на виду, все слышно. Бывает, иду по длинному коридору, а паренек стоит лицом к стенке: родители ремнем отхлестали за какую-то провинность и поставили вот так стоять, в виде наказания. Я ему говорю: «Ты же знаешь, что накажут, зачем же ты снова это делаешь?» Он отвечает: «Скучно». Потом его начали в милицию забирать, к родителям приходила сотрудница из инспекции по делам несовершеннолетних, пугала специнтернатом. Ничего не помогало, все равно парень хулиганил, дрался, стекла бил, школу прогуливал. Думаю, что и подворовывал.

— Как же вы можете называть его хорошим мальчишкой? — удивился я. — Вор, драчун, хулиган, прогульщик — и хороший?

— Хороший, — твердо повторила Полина. — Потому что честный. Он не врал и не лицемерил. Ему просто было скучно. Когда он в очередной раз попался и его снова привели домой с милицией, я ему сказала: «Как же ты не боишься, что тебя в интернат отправят?» И знаете, что он ответил? «Пусть отправляют, там по-любому лучше, чем здесь». Вот тут мне стало по-настоящему страшно за него. И страшно, и жалко. Он же не виноват, что у него родители такие. И я стала учить его всему тому, что сама уже знала и умела. Перевоплощаться. Мыслить как другой человек. Чувствовать как другой человек. Вести себя как другой человек. Сформировать в голове выдуманный мир и жить в соответствии с его законами. В этом мире у него нормальные вменяемые родители, спокойные, непьющие. Учила его не слышать, как они орут пьяные песни. Учила не видеть, как они напиваются. Учила чувствовать себя сильным, умным и неуязвимым, тем, кто не бросается сразу на обидчика с кулаками, а находит способ выйти из конфликта, сохранив собственное достоинство и не нажив врагов. Посоветовала прочесть хотя бы несколько приключенческих книг, выбрать героя, на которого хотелось бы походить, и научиться думать и принимать решения как он.

— Интересный метод. Помогло?

— Нет конечно. — Полина печально засмеялась. — Все равно через несколько лет парня посадили. Но зато на зоне все то, чему я его учила, ему очень пригодилось: он участвовал в самодеятельности, получал от начальства всякие поощрения и преференции, а когда вернулся, то сказал мне, что благодаря нашим урокам сумел во время отсидки избежать конфронтации и открытых конфликтов. Не было бы парню скучно — он бы даже на разговор со мной двух минут не потратил, а так — хоть какая-то польза вышла.

В комнату заглянула Надежда, предложила добавки, я с благодарностью согласился, а Полина, конечно же, отказалась.

— Тихое утро сегодня выдалось, — заметила повар. — Все спят. Когда у вас в девять часов начинаются занятия, все толпой в одно время являются, только успевай поворачиваться. А сегодня — благодать! Давайте, пока я свободна, сделаю вам омлетик, вкусный, воздушный, с сыром. А тебе, Поля, могу без сыра и из одних белков, совсем безопасно получится. Хотите?

Я был уверен, что Полина откажется и от «безопасного» белкового омлета, но она, вопреки моим ожиданиям, кивнула и улыбнулась. Ничего-то я в людях не понимаю! Даже простейшие поступки предсказать не могу. Или это русские женщины такие особенные и не поддающиеся прогнозированию?

* * *

Сегодняшнее комсомольское собрание прошло превосходно. Не зря Евдокия так старательно его «готовила». Доклад, который достался для прочтения Наташе, был написан Ириной и посвящался Хельсинкским соглашениям 1975 года. Молодежи роман «Фома Гордеев», судя по выражениям их лиц, не нравился, и перерыв на собрание казался возможностью развлечься, однако содержание доклада, похоже, выглядело для них еще более нудным, чем текст Горького. Участники Варшавского договора... Первый этап... Второй этап... Третий, завершающий, этап... Нерушимость границ... Десять основополагающих принципов... Уведомление на добровольной и двусторонней основе... Охрана окружающей среды... Похоже, развлечения не получилось. Все ждали, когда же представится случай оторваться на обсуждении Артема, назначенного быть героем персонального дела.

Оторвались на славу! То ли в квесте произошел переход количества в качество, то ли день сегодня сложился удачно, но от собрания я получил несказанное удовольствие. В ударе были все до единого, и участники, и сотрудники. Особенно убедительным выглядел Артем, явившийся на собрание сразу после лекции, которую сегодня перенесли на час раньше. Видимо, наша профессор-культуролог сумела ввести молодого человека в нужное состояние духа и мысли. Возвращаться к чтению романа никому, по-видимому, не хотелось, и каждый член «комсомольской группы» стремился высказаться, причем говорили ребята долго и эмоционально, нимало не смущаясь тем, что повторяют и сами себя, и других выступающих. Что ж, в борьбе со скукой все средства хороши.

После собрания разошлись на дочитывание, и физиономии у нашей молодежи были унылыми. Зато в десять вечера под окнами Галии я наблюдал настоящий аншлаг! Помимо Марины, находящейся по ту сторону барьера, рядом с Эдуардом, и Наташи, участвующей в соревновании, возле подъезда стояли все трое юношей. Не было только Евдокии. Неужели слова Полины, сказанные за завтраком, не преувеличение? Неужто и впрямь молодые люди от скуки готовы делать даже то, к чему у них нет интереса, лишь бы чем-то заняться? Ну ладно, не хочешь про Фому Гордеева — пойди к Вилену, попроси интересную книгу, он всем дает с удовольствием, выполняя функцию библиотекаря, а Артему даже и просить не надо, книги все перед ним. Так нет! При выборе между «почитать» и «посмотреть-послушать» предпочтение отдается именно второму, а не первому. Почему так? Легче? Проще? Привычнее? Или все дело в тяге к стайности, к компании? Читаешь-то один на один с книгой, а тут и поговорить можно, и посмеяться, и почувствовать себя частью сообщества. Даже гаджет в руке — ощущение, что ты на связи с миром, ты не выключен из жизни, и когда ты один, но при интернете, ты не одинок.

Назар был прав, когда предупреждал, что в стихах Анчарова я мало что пойму, но послушать будет полезно. Соревнование началось, Назар и Наташа принялись перебрасываться строчками, и я почти сразу понял, что логические связки от меня ускользают.

— «Пару бубликов и лимончик...»
— «Пару с паюсной и "Дукат"...»
— «Мы с тобой все это прикончим...»
— «Видишь, крошка, сгорел закат».

Да, поэтический стиль у этого автора более чем своеобразный. Наверное, нужно быть до кончиков ногтей русским, жить в этой стране, знать ее реалии, чувствовать ее настроение, чтобы понимать такие стихи и песни и любить их. Я бы, наверное, никогда не смог стать поклонником такого жанра. И уж совершенно точно никто из знакомых мне литературных переводчиков (обо мне и речи нет, художественную литературу я переводил только на заре своей карьеры, потом плотно ушел в науку) не смог бы сделать достойный, адекватный и понятный читателям из другой культуры перевод подобных текстов.

Видимо, все эти мысли явственно отразились на моем лице, потому что Галия, разобрав ошибки в этом стихотворении, предложила:

— Господа, стилистика Анчарова трудновата для Ричарда, я постараюсь выбирать менее типичные произведения, но зато более понятные. Не возражаете? Например, песню...

— ...про маленького органиста, который на концерте Аллы Соленковой заполнял паузы, пока певица отдыхала, — одновременно и хором произнесли Назар и Наташа, улыбаясь друг другу.

— Ни фига себе! — выдохнул Тимур. — Как это у вас получилось? Вы сговорились заранее, что ли?

Наташа рассмеялась счастливым смехом.

— Нет, просто мы с дядей Назаром...

Но Назар перебил ее, не дав договорить:

— «Мы с тобой одной крови — ты и я», — тягуче прогудел он низким голосом, совсем не похожим на тот тенорок, который я обычно слышал.

Тимур смотрел на него озадаченно, потом перевел взгляд на Артема и Сергея, стоящих рядом.

— Это из «Маугли», — подсказал Сергей. — Не читал, что ли?

— Не-а. Про что?

— Ну хотя бы про Киплинга слышал?

— Чё-то слышал, — неуверенно ответил Тимур. — Слово знакомое вроде...

Наташа фыркнула и произнесла странные, как мне показалось, слова:

— «Я вовсе не обманщик, я — Киплинга солдат».

— А в самом деле, — вдруг подхватил Назар, — давай-ка вспомним эту песню, хорошая ведь песня! Правда, это не Анчаров, а Кукин, но все равно.

И тут же начал, не дожидаясь согласия Наташи и судей:

— «Опять тобой, дорога, желанья сожжены...»

— «Нет у меня ни бога, ни черта, ни жены...»

Эти стихи звучали для меня более привычно, по крайней мере, логику я улавливал и метафоры понимал.

— «Тринадцатым солдатом умру — и наплевать...»

— «Я жить-то не умею, не то что убивать...»

— «Повесит эполеты оставшимся страна...»

— «И к черту амулеты, и стерты имена...»

— А мы уходим рано, запутавшись в долгах...

— «С улыбкой Д'Артаньяна, в ковбойских сапогах...»

— «И миражом в пустыне сраженный наповал...»

— Стоп!

Кажется, я почти кричал. Во всяком случае, самообладание я утратил на несколько мгновений. Все замерли, уставившись на меня с испугом, тревогой и недоумением.

Этого не могло быть. Просто не могло. Потому что так не бывает.

И тем не менее оно было. Я только что это слышал собственными ушами. И все остальные тоже слышали. Только, кажется, не поняли. Или я схожу с ума, и на самом деле ничего этого нет, мне привиделось, померещилось?

Первым прервал затянувшуюся паузу Назар.

— Все в порядке, Дик? Ничего не случилось? — осторожно спросил он.

Заплетающимся языком я попросил прочесть стихотворение еще раз с самого начала. Назар пожал плечами, но возражать не стал и вопросов не задавал.

— Наташенька, дочка, прочти сама целиком, — обратился он к девушке. — Только не торопись, декламируй помедленнее, видишь, Дик не успевает сообразить, что там к чему. Все-таки поэзия — это тебе не доклад по химии.

Та послушно кивнула и принялась читать, стараясь артикулировать четко и внятно. Вот она дошла до того места, которое привлекло мое внимание.

Тринадцатый солдат...

Эполеты...

Амулеты...

Долги...

Д'Артаньян...

Нет, мне ничего не померещилось, все так и есть. Картинки, нарисованные Володей Лагутиным в тетради после текста, посвященного пьесе «Старик». Тщательно прорисованные эполеты у одного из офицеров. Загадочной формы подвеска, виднеющаяся в вырезе распахнутой на груди рубахи, — амулет. Рассыпавшаяся карточная колода — долги. Мушкетерская шляпа и тонкие усики. И тринадцать маленьких фигурок солдат, разбросанных по всей странице вокруг портретов.

Это не могло быть случайностью. Значит, Владимир рисовал и твердил про себя слова этой песни. Почему? Что в этой песне было и есть такого, что связывало пьесу «Старик» и самоощущение моего молодого родственника на тот момент? Нужно проанализировать весь текст, строчку за строчкой, слово за словом.

Я бросил взгляд на Назара и увидел: он тоже понял.

— Эполеты, — пробормотал мой друг. — Вот же черт возьми!

— Вы о чем? — нервно спросил Сергей.

Разумеется, он сразу начал подозревать, что вокруг него плетется страшный заговор.

— Эполеты? — переспросил Качурин, слегка сдвинув брови, и вдруг воскликнул: — Да, точно! Карты, мушкетер...

Соревнование оказалось сорванным, но никто, кажется, не обратил на это внимания и не расстроился. Участники квеста сканов не видели, и пришлось потратить некоторое время на то, чтобы объяснить им, о чем идет речь. Назар вызвался подняться на пятый этаж и принести из моей квартиры распечатку нужной страницы, я дал ему ключ и проинструктировал, в какой папке эта страница находится и где лежит сама папка. Галия отправилась готовить чай, и вскоре все мы уже сидели вокруг стола, в центре которого поместили листок с рисунками. Я попросил Наташу написать текст стихотворения.

— Да мы тебе с любого места слова на память скажем, — пытался возразить Назар, но я настаивал на своем. Ведь часто бывает, что на слух что-то не воспринимаешь, а глазами сразу ухватываешь, и наоборот.

Листок с текстом я положил рядом с рисунками.

— У кого какие соображения?

Артем остановился на строчке «Чужим остался Запад, Восток — не мой Восток».

— Может быть, Владимир чувствовал себя неприкаянным, чужим в том мире, в котором ему приходилось существовать? — предположил он. — Нигде места себе не находил.

— Годится, — согласился я. — Еще какие мысли?

— Он сделал что-то необратимое, непоправимое, — робко проговорила Наташа. — Видите: «А за спиною запах пылающих мостов».

— Ну да, — поддакнул Артем. — Сожженные мосты — метафора для обозначения того, что пути назад нет, то есть нельзя вернуться и все исправить.

— Да фигня! Если бы он думал именно об этой строчке, он бы мост и нарисовал. Мост в огне. Прикольно!

Тимур, как обычно, демонстрировал поверхностность и легкомыслие, но нельзя не признать, что здравый смысл в его словах определенно был.

Сергей задумчиво проговорил:

— «Сегодня вижу завтра иначе, чем вчера»... Может быть, Владимир что-то переоценил? Понял, что какие-то его убеждения неправильны?

Марина молчала. По-моему, она даже не смотрела ни на рисунки, ни на листок с текстом стихов. Она вообще, насколько я успел заметить, теряла способность и желание говорить, когда находилась так близко от Эдуарда.

А вот Артем был, как всегда, собран и сосредоточен. Он заметил ошибку, вернее, неточность Сергея и тут же отреагировал:

— Он видит «завтра» иначе. То есть сегодня он видит свое будущее иначе.

— Ну и в чем разница? — недовольно огрызнулся Сергей.

— Он переоценивает не убеждения, а перспективы.

— А что, у человека не может быть убеждений, касающихся его будущего, его перспектив?

Мне показалось, что Сергей чем-то раздражен и ищет повод, чтобы сцепиться с Артемом. Или с Тимуром. В общем, все равно с кем, лишь бы выпустить пар. Кстати, любопытно: именно об этом совсем недавно говорила Евдокия. Женщины стремятся «уйти из ситуации», а мужчины выпускают пар. Наглядная иллюстрация получается!

Положение спас Эдуард, заговоривший размеренно, академично и длинно, словно не замечая назревающего конфликта.

— Я предложил бы рассмотреть эту фразу в связи со следующей, а не в отрыве от нее. «Сегодня вижу завтра иначе, чем вчера. Победа, как расплата, зависит от утрат». Давайте предположим, что после «вчера» стоит двоеточие. Таким образом, слова о победе и расплате за нее, то есть об утратах, являются разъяснением слов о переоценке. Человек рвется к победе, к определенной цели, но победа состоится не сегодня, а в будущем, однако жертвы, на которые мы идем во имя этой победы, этой цели, мы уже принесли сегодня или вчера. Знаете, тут вполне может быть накопительный эффект. Мы так сильно чего-то хотим, что постоянно чем-то жертвуем для этого, немножко пожертвуем позавчера, немножко вчера, немножко сегодня, потом еще немножко завтра... А послезавтра, когда цель окажется достигнутой, а победа одержанной, мы начинаем вспоминать, скольким мы ради этого пожертвовали, суммировать жертвы каждого дня, сопоставлять с достоинствами вожделенной цели, и очень часто оказывается, что оно того не стоило. Иными словами, Владимир мог воспринять эти две строчки в контексте переоценки собственных убеждений о достоинствах стоящих перед ним целей.

— Ага, — вклинился весельчак Тимур. — Переоценивал-переоценивал, да и бросил свои «Записки», хотя угрохал на них кучу времени. Решил, что оно того не стоит. Так получается? Только вот засада: не нарисовал про это ничего.

— Тим, ну что тут нарисуешь? — В голосе Наташи зазвучала укоризна. — Сегодня? Завтра? Вчера? Или победу с расплатой? Сережа правильно говорит, и Эдуард Константинович, и Артем, а ты только чушь какую-то лепишь, не думая.

Следующая строчка в песне была про тринадцатого солдата. «Тринадцатым солдатом умру — и наплевать...» Почему солдат — тринадцатый? Кроме чертовой дюжины, в голову ничего не приходило. Мы с Галией пытались вспомнить римскую, греческую и скандинавскую мифологии, но упоминаний о тринадцатом солдате не выискали. Тринадцатый — несчастливый? Невезучий? Но если Володя Лагутин нарисовал тринадцать солдатиков, стало быть, эта строчка что-то значила для него. Приковывала внимание. Отзывалась в душе то ли болью, то ли радостью, то ли предчувствием.

А может быть, все намного проще и мы ищем потаенный, скрытый смысл там, где его и вовсе нет? Может быть, в этих стихах больше нечего рисовать, кроме того, что нарисовано? Хотя Тимур говорил про мост в огне.

Я снова заскользил глазами по строчкам, исписанным красивым изящным почерком. Да, до «тринадцатого солдата» неискушенному художнику, пожалуй, под силу было бы изобразить только пылающий мост. А вот в последнем четверостишии есть мираж в пустыне...

*И миражом в пустыне сраженный наповал,*
*Иду, как по трясине, по чьим-то головам,*
*Иду, как старый мальчик, куда глаза глядят...*
*Я вовсе не обманщик, я — Киплинга солдат.*

Человек, идущий по головам. Старый мальчик. Да и мираж тоже. Вполне можно нарисовать, даже не обладая истинно художественным даром. Но Володя Лагутин ничего этого не нарисовал. Он почему-то сосредоточился только на шести строчках из середины стихотворения.

Следующая строчка: «Я жить-то не умею, не то что убивать». Вполне понятные слова, если учесть что герой стихотворения — солдат, причем воюющий, а не просто проходящий срочную службу. Он не боится смерти, ему на нее наплевать, потому что жить он все равно не умеет, да и нет такого места, где он мог бы жить, он же всюду чужой, как следует из нашей интерпретации первого куплета.

— Сходится, — удовлетворенно сказал Эдуард. — Полностью согласуется с ранее высказанной версией о попытке суицида.

Я собрался было что-то ответить, но наткнулся взглядом на огромные синие глаза Наташи, в которых стояли слезы.

— Да, Наташа? Вы хотите что-то сказать?

— Откуда он знает, что не умеет убивать? Он что, пробовал?

Я оторопел от неожиданности. И тут же раздался веселый, как обычно, голос Тимура:

— Ну ты даешь! Он же солдат! Он на войне! Конечно, он убивает направо и налево, по сто человек в день.

Слезы скопились и стали двумя ручейками стекать по щекам и нежной шее.

— Наташенька, дочка, что ж ты так разволновалась-то, — ласково зажурчал Назар. — Это же только стихи. Или тебе какая-то мысль в голову пришла? Так ты уж поделись с нами, а плакать не надо.

Сергей сориентировался первым, вытащил из кармана вскрытую пачку бумажных салфеток и протянул девушке.

— Ай-яй-яй, — протянула Галия. — Откуда салфетки? Таких упаковок не было в семидесятые годы. Все носили с собой тканевые платочки и для соплей, и для слез, и просто лицо и руки вытереть. А бумажные салфетки были только столовые.

— Извините, — пробормотал Сергей. — Я пиво покупал, у кассирши со сдачей был напряг, и она мне две упаковки бумажных платков дала. Извините. Но ведь пригодились же!

— С кем ходил за пивом? — строго спросил Назар.

— С Семеном.

— Так. Семен видел, что ты покупаешь салфетки?

— Не видел. Он... ну... отвернулся в этот момент, ему позвонил кто-то. Он проследил, когда я в торговом зале товар выбирал, а на кассе он уже не следил... Он же не знал, что на кассе так может получиться... Он не виноват!

— Да ясен пень, что не виноват, — проворчал Назар и повернулся к Наташе: — Ну что, дочка, успокоилась? Скажешь нам, о чем подумала? Из-за чего расстроилась так сильно?

Девушка вытащила из упаковки еще одну салфетку, насухо вытерла глаза, нос и щеки.

— Спасибо, Сережа, — тихонько проговорила она, возвращая ему пачку. — Ты меня спас.

— Не за что, — широко улыбнулся тот. — Обращайся. Я теперь нарушитель, но зато салфетки всегда есть.

Посмотрел на Назара и добавил:

— Только не предъявляйте Семену, пожалуйста, ладно? Честное слово, он не виноват, он ничего не видел, а я как-то не подумал, что это может быть нельзя.

— Ладно, разберемся, — с деланой суровостью ответил Назар. — Марина с Тимуром в подъезде порядок навели, а на четвертом этаже хорошо бы полы и окна помыть, вот и займешься завтра в качестве штрафа.

— А деньги? Деньгами тоже накажете?

— Обойдешься. На денежный штраф ты не наколбасил. Ну, давай, дочка, излагай.

Наташа глубоко вздохнула, набрав в грудь побольше воздуха, и начала сбивчиво объяснять свою мысль.

\* \* \*

Сергей чувствовал себя ужасно неловко, когда оказалось, что он невольно подставил Семена. Он, конечно, пытался выкрутиться, соврал, что Семен якобы контролировал его в торговом зале, хотя на самом-то деле Семен даже в магазин не зашел, стоял на улице и разговаривал по телефону. Но получилось не очень убедительно. А про ситуацию с кассиршей он сказал чистую правду, все так и было, и Сергей в тот момент действительно не подумал, что бумажных платков могло не быть сорок лет назад и брать их нельзя. Бумажные платки — такая простая вещь! Ну как это может быть, чтобы их не было? Не Средневековье же, в космос летают, ядерное оружие разрабатывают, а платков нет...

Однако неловкость тут же исчезла, как только он начал вслушиваться в слова Наташи.

— Если взять весь отрывок, который нарисован, то получается, что есть рисунок про первую строчку, третью, четвертую, пятую и шестую. А про вторую нет...

— Ты же сама сказала, что там нечего рисовать, — нетерпеливо перебил Тимур.

— Заткнись, — прошипел Артем.

Наташа с благодарностью посмотрела на Артема и снова вздохнула.

— Может, Тим прав, такое и в самом деле не нарисуешь. Но я подумала... Мне пришло в голову... Не знаю... Просто...

Она снова начала нервничать и с трудом подбирала слова.

— Понимаете... Вот если, например, пораниться, то рану же надо обработать, правильно? Продезинфицировать, помазать чем-то. А страшно очень, потому что жжет и щиплет. И вот водишь тампоном вокруг ранки, водишь, а до самой ранки дотронуться боишься. Боишься, что будет невыносимо больно. И вот когда я смотрю на листочек с текстом и сравниваю с рисунками, у меня такое же ощущение... Владимир обрисовал все вокруг одной строчки, а саму строчку не тронул, как будто это ранка... Эта строчка, ну то есть эти слова — они как-то очень болезненно в нем отзывались... И знаете, я представила себе, как он сидит и рисует, и боится это место тронуть, задеть, и так ему горько, одиноко, страшно... Он думает о том, что не умеет жить и лучше бы ему умереть... И он совсем один, ему даже поделиться этим не с кем...

Сергею показалось, что Наташа сейчас снова заплачет, и он предусмотрительно полез в карман за пачкой салфеток, которая уже стала заметно тоньше.

— Наташка, ты гений! — возбужденно заговорил Артем. — Как ты классно слово подобрала: обрисовал все вокруг одной строчки! Смотрите, какой вербальный ряд у нас получается: скучно, тошно, убежать, тюрьма, вина, неумение жить, неумение умереть. Все это в первую очередь привлекало внимание Владимира, это было для него самым важным.

— А неумение умереть-то откуда взялось? — удивился Тим. — Про «не умею жить» — да, сказано, но, между прочим, не нарисовано, а про «не умею умереть» вообще ни слова нигде нет.

Да что ж он такой тупой-то! Сергей еле сдержался, чтобы не отвесить фотографу подзатыльник.

— Тим, ты лучше молчи вообще, если ничего в голове не держишь, — зло сказал он. — Мы сто раз на обсуждениях говорили, что Владимир обращает особое внимание на неудавшиеся самоубийства. Эдуард Константинович тоже пришел к выводу, что парень пытался покончить с собой, нам же только вчера об этом рассказывали.

— То было вчера и вообще раньше. А сегодня у нас — вон! — текст лежит, и в нем черным по белому написано: «не умею жить, не умею убивать». Убивать, а не умирать. И нефиг меня лечить по каждому поводу, тоже мне, самый умный нашелся, — огрызнулся Тимур.

— Ну-ка прекратить свару! — прикрикнул на них Назар Захарович. — Помолчите все полминуты.

Внутри у Сергея все кипело от негодования, ему стоило большого труда замолчать и перестать объяснять Тиму, какой он придурок, и не только в данный момент, но и тотально во всем. Одна только история с телефоном Гримо чего стоит!

Чтобы успокоиться, он стал смотреть на Наташу, потому что больше остановить взгляд было не на ком и не на чем. Мебель убогая, на стенах ничего не висит, за окном темно. Не мужиков же рассматривать! А из женщин — только Галина Александровна, Маринка и Наташа. Галина старая и некрасивая, никакого удовольствия на нее смотреть. Маринка хорошенькая, спору нет, но, во-первых, глупая совсем, а во-вторых, в доктора втюрилась. Правда, это не точно, но Тим уверял, что это со слов Юры, а Юра никогда не ошибается. В упор смотреть на чужую даму неприлично, этому Сергея еще дед учил, отец Геннадия, а академик Гребенев в таких делах разбирался хорошо, большим любителем флирта был, ни одной студентки-аспирантки мимо себя не пропускал, это все знали. Вот и остается одна Наташа.

Какие у нее глаза невероятные! Синие-синие. Огромные. Блестят от недавних слез. Интересно, почему она расплакалась? Вспомнила что-то тяжелое из собственной жизни? Или так глубоко, от всего сердца пожалела несчастного одинокого молодого человека, которому не с кем разделить свои самые черные мысли? «А ведь я точно такой же, как Владимир, — подумалось неожиданно. — Мне тоже не с кем поделиться своими черными мыслями о том, что никому нельзя доверять и самые близкие могут вдруг оказаться чудовищами, а те, в ком ты был уверен, могут внезапно предать... Все так зыбко и ненадежно, оказывается... И опереться не на что, кроме земли под ногами, а там грязищи по колено».

— Сомнительная ситуация с болезнями Владимира и Зинаиды имела место осенью семьдесят пятого, — неторопливо и негромко заговорил Назар Захарович. — Допустим, Эдуард не ошибается и была попытка самоубийства. А летом того года, в августе, застрелился один из моих начальников. Мы все были уверены, что это из-за сына: сын у Димыча был проблемным и Димыч имел веские основания подозревать его в совершении убийства. Не выдержал... Да мы изначально тоже этого сына подозревали, и опера, и следователь, а потом выяснилось, что парень не имеет отношения к тому убийству. В общем, зря Димыч стрелялся, как оказалось. То есть мы все так думали, что зря. А теперь я начинаю сомневаться. Может, и не зря.

Речь звучала загадочно. Во всяком случае, Сергей мало что понял.

— Почему не зря? — спросил Артем, и Сергей с неожиданной неприязнью подумал, что Артем, похоже, все понял, в отличие от него самого. — Думаете, то убийство действительно совершил сын Димыча?

— Нет, сынок, я так не думаю. Сын Димыча ничего такого не совершал, просто подрался с кем-то по пьяни, морду разбил, мы и свидетелей тогда нашли, и мужика, с которым драка была, тоже нашли, он все подтвердил.

— А кто же тогда убил? — снова вылез неугомонный Тимур.

— Угадай с трех раз, — сердито бросил ему Сергей, до которого наконец стало доходить, о чем говорит Назар Захарович.

Ему было досадно, что он не догадался сразу. И еще он подумал, что Наташа тоже, конечно, вряд ли догадалась, но узкое место она интуитивно почувствовала абсолютно точно. «Не то что убивать...» В этих словах и заключается та рана, которую Владимир так боялся задеть. В них то зерно, из которого выросли рисунки. Получается, Володя Лагутин совершил убийство, но никто никогда об этом не узнал. Но зачем? Зачем он это сделал?

— А кого он убил? — спросил Сергей. — Кого-то из знакомых?

— Спившегося бомжа, — коротко ответил Назар Захарович. — Поэтому убийцу искали в первую очередь среди таких же, как он сам, маргиналов, алкашей, бродяг. На такого мальчика из хорошей семьи, как Володя, студента МГИМО, никто никогда в жизни не подумал бы, просто в голову такое не пришло бы.

— Но зачем? С целью ограбления? Что у спившегося бомжа можно взять?

— Тюрьма, — неуверенно проговорил Артем. — Так скучно, что хочется несчастья.

— Кожу бы всю оставила, только бы вырваться, только вырваться, — добавила Наташа.

Сергей заметил, что Ричард выглядел ошеломленным, но одновременно очень довольным.

— Друзья мои, это прорыв! — сказал он. — Это настоящий прорыв, который многое расставляет по своим местам. Вы даже представить себе не можете, какие вы все молодцы! Сегодня мы сделали гигантский шаг по направлению к конечной цели! Наташа, Артем, Сергей, Тимур, Назар, каждое ваше слово, каждая мысль оказались поистине бесценны!

Сергею стало немного смешно от высокопарности формулировок, но он тут же пристыдил себя: все-таки человек — иностранец, хоть и великолепно владеющий русским языком.

— Вы тоже молодец, — храбро заговорила Наташа. — Вы же первым услышали про эполеты и тринадцатого солдата. Мы с дядей Назаром просто слова произносили, а вы услышали.

Она вдруг смутилась, покраснела и в этот момент показалась Сергею невероятно милой, трогательной и какой-то беззащитной. Почему-то захотелось ее обнять. «Тьфу, глупость какая!» — одернул он себя.

— Но все равно непонятно, почему вашему начальнику нужно было стреляться, если того пьяницу убил Лагутин. Какая связь? Я ее не вижу, — заметил Артем.

И Сергею стало одновременно приятно и неприятно. Приятно оттого, что Артем, как выяснилось, тоже не все схватывает на лету. А неприятно оттого, что он, Сергей, этому порадовался. Позавидовал быстроте ума Артема, его нестандартным ходам. Зависть — это плохо само по себе, но еще хуже, когда обнаруживаешь ее в собственном нутре.

— Заведующий отделом в горкоме партии и заведующий отделом в Мосгорисполкоме — это очень влиятельные люди в масштабах города, — начала объяснять Галина Александровна. — Можно с высокой степенью вероятности утверждать, что они не допустили бы привлечения своего сына к уголовной ответственности. Нажимали бы на все кнопки, брали за горло. Значит, пришлось бы привлекать кого-то другого. Невиновного. Или оставили бы преступление нераскрытым, но это очень плохо для отчетности. И если в первый же момент появились подозрения насчет сына начальника, то на него все стрелки и перевели бы.

— Ух ты! А еще говорят, что при совке не было такой коррупции, как сейчас. Врут, да?

Поистине, Тимура ничем нельзя вывести из хорошего расположения духа! Так накосячил с Артемом и с телефоном Гримо, практически подставил Сергея, отработал штраф — и как с гуся вода. Счастливый!

— Конечно, врут, — усмехнулся Назар Захарович. — Те источники, в которых ты черпаешь информацию, всегда врут, так что ты на них особо не надейся. И вообще, вранья кругом много, с этим надо смириться. Теперь я, кажется, понял, почему наш Дим Димыч Волосов сделал то, что сделал. Если раскрывать преступление добросовестно, как следует, то под подозрение попадет сын Лагутиных и Лагутины начнут давить на все доступные рычаги, чтобы перекрыть кислород. Не обратить внимания и довести дело до конца означает подставить себя, свою семью и всех коллег, потому что такие, как Лагутины, не прощают и не забывают. За год до того Димыч получил наконец квартиру, много лет в очереди стоял. И сына в институт сумел запихнуть, чтобы от армии уберечь. Подозреваю, что с кем-то из Лагутиных, а может, и с обоими он был лично знаком, просил помочь, они посодействовали. Мы обычно знали, какие весомые руководители проживают на нашей территории, и Димыч наверняка знал, так что мог и познакомиться при случае, например, когда отчитывался в горкоме. Смею предположить, что либо Димыч был чем-то обязан Лагутиным, например, квартирой или институтом для сына, или еще чем-то, либо боялся их, так сказать, профилактически. Понимал, что они могут сделать и как поступить и что за этим последует. Конечно, за нераскрытое убийство по головке не погладят, но это в любом случае лучше, чем скандал и конфликт с такими могущественными чиновниками. Зинаида со своими возможностями в области дефицита была нужна всем в Москве, она своими связями весь город опутала. Волосову и его семье никакой жизни не стало бы. И все бы ничего, Димыч выкрутился бы, если бы не сын, который так неудачно попался именно в ночь убийства со следами крови на рубашке. И под описание свидетеля, видевшего, как кто-то убегал с места убийства, он полностью подходил. Рост, возраст, джинсы, светлая не то сорочка, не то тенниска, вот как раз примерно такая, в каких вы все тут ходите. Сын Димыча был сильно пьян, показания давал путаные, мало что помнил. Одним словом, притянуть его к трупу бомжа — раз плюнуть, было бы желание. Никаких анализов на ДНК в ту пору не знали, кровь определяли только группой, и тут можно и на экспертов надавить, а могло и вообще так сложиться, что группа совпадет, их же всего четыре да два резуса, один из которых крайне редкий. А следователь, которому отписали вести дело по убийству, Димыча ненавидел, об этом знали и весь райотдел, и вся следственная часть районной прокуратуры. Между ними давняя война шла. И Димыч, я думаю, понимал, что следователь этот с огромным удовольствием спляшет на его костях и посадит сына, чтобы выслужиться перед Лагутиными и заручиться их поддержкой на долгие годы вперед. Вот перед лицом такой коллизии наш Димыч и сломался. В голове помутилось, перед глазами все черно, руки опустились, сил сопротивляться не осталось... Да, вот теперь я, кажется, понял Дим-Димыча.

— А я — нет, — дерзко произнес Сергей.

— Чего же ты не понял? — ласково осведомился Назар Захарович.

— Вы так говорите, как будто уверены, что ваш Димыч точно знал про Лагутина. Ну, про то, что это он убил того бомжа. А откуда он вообще мог это узнать?

Назар Захарович кивнул одобрительно и выставил вверх указательный палец.

— А вот это, сынок, и есть самый интересный вопрос. Вопрос важный, можно сказать, ключевой. Ты молодец, что задал его. Но ответа у меня нет.

Подумал немного, улыбнулся и добавил:

— Пока нет.

Обвел глазами присутствующих, снова покивал каким-то своим мыслям.

— Если кто что придумает — несите в клювике прямо ко мне, будем рассматривать каждую версию. Каждую, — подчеркнул он. — Какой бы невероятной она ни выглядела. Своих учеников я всегда учил: невероятными могут быть только нарушения законов естественных наук — физики, химии и всего такого. Кирпич не может упасть вверх, реки не будут течь вспять. Все, что происходит в области человеческих поступков, — возможно, даже если лично вам это кажется невероятным.

\* \* \*

Возвращаясь к себе, Сергей надеялся, что Гримо уже спит и не придется с ним разговаривать. Конфликт вроде бы улажен, но мерзкий осадок все равно остался и не давал свободно и спокойно общаться с актером. Сергей и на соревнование сегодняшнее пошел только для того, чтобы не находиться в квартире рядом с человеком, посмевшим заподозрить его в воровстве.

Но Гримо не спал. Он предавался любимому занятию: репетировал, расхаживая по квартире с томиком пьес в руке и произнося одни и те же реплики по нескольку раз на разные лады.

— Долго гуляешь, внучок. Тебе бабушка раз пять за вечер уже звонила.

— Какая бабушка? — удивился Сергей.

— Твоя. Которая профессор физики. Очень просила, чтобы ты ей перезвонил, когда вернешься. В любое время.

Сергей испугался. Что-то случилось? Он дал бабушке номер своего нынешнего телефона, так, на всякий случай, но был уверен, что мать Гены им не воспользуется, если только не произойдет чего-то по-настоящему ужасного. Машинально потянулся к карману, чтобы достать телефон и посмотреть, который час, потом спохватился и взглянул на наручные часы. Без пяти двенадцать. Наверное, поздно звонить, бабушка уже спит. Черт, был бы мобильник — послал бы сообщение, мол, не спишь? Если в течение двух минут ответ не приходит, значит, человеку не до тебя, он либо спит, либо занят более важными вещами. Но в любом случае понятно, что звонить не нужно. А вот без мобильника как разобраться, звонить или не звонить?

— Бабушка чем-то расстроена? Как вам показалось? — спросил он.

Гримо развел руками.

— Ничего такого не услышал. Хорошая бабушка, внятная, четкая, сразу видно, что ученый человек. Очень деловая. Никакой паники в голосе, никаких слез. Ты, кстати, Ричарду про нее сказал?

— Нет.

— Что так? Боишься, что он ее не вспомнит и ты будешь выглядеть жалко, как будто пытаешься навязаться Ричарду и сократить дистанцию?

Вообще-то Гримо попал в самую точку, именно так все и было. Но признаваться в этом не хотелось. Однако и врать попусту не хотелось тоже. Поэтому Сергей решил совсем не отвечать, будто не слышал вопроса.

— Не бойся, — продолжал актер. — Твоя бабушка не из тех людей, которых забывают сразу, как только они скрываются с глаз. Я всего несколько раз побеседовал с ней по телефону, в общей сложности пяти минут, наверное, не наберется, но впечатлился. Чего ты не звонишь-то? Она сказала, что спать не ляжет, будет ждать.

Бабушка и в самом деле не спала, сняла трубку после первого же гудка.

— Хочу, чтобы ты спал спокойно, поэтому решила проинформировать тебя сразу же, — заявила она. — Ни о чем не волнуйся, я все уладила.

— Правда?!

— Правда, Сереженька. Все оказалось очень просто, хотя и очень грязно.

— Но как? Что ты сделала? Поговорила с Геной? Или с моей мамой? Припугнула ее?

— Нашла внебрачных детей твоего деда. Ты же помнишь, каким он был, — она скупо усмехнулась, — в смысле девушек.

— Ну да... И что теперь?

— Видишь ли, Сереженька, твой дед очень любил умных женщин. У них могла быть какая угодно внешность, но мозги и внутренняя честность у них наличествовали всегда. Я знала, что как минимум трое дедовых прелестниц родили ему детей, и он всегда их поддерживал, разумеется, предполагалось, что тайком от меня. Но я все знала. И сама догадывалась, и доброжелатели доносили, мир не без добрых людей. Официально он отцовства не признавал, в свидетельства о рождении детей не вписан, но генетическая экспертиза — отличный вариант, беспроигрышный. А главное — очень долгий и очень затратный. Я без труда разыскала всех троих, одна из бывших девушек призналась, что одновременно с моим мужем поддерживала отношения еще с одним мужчиной, поэтому положительных результатов экспертизы гарантировать не может. Я ж говорю: умные и честные. — Она снова хмыкнула. — И где только твой дед их находил? Мне, например, за всю жизнь ни одна такая не встретилась. Ладно. А вот две другие клятвенно заверили меня, что экспертиза подтвердит отцовство наследодателя и, следовательно, право их детей на долю в наследстве. Я связала их обеих с толковым адвокатом, и он завтра утром подаст нотариусу соответствующие заявления. Сначала будет иск об установлении отцовства, а после его удовлетворения последуют претензии на наследство. И все закрутится так, что твоей маме, Сереженька, станет очень кисло. Дело дойдет до суда, наследственную массу арестуют до решения дела по существу и до вступления решения в законную силу, а это годы и годы. Апелляции, кассации, неявки, заявление и удовлетворение разных ходатайств, переносы слушаний — там целый арсенал. И все достаточно сложно юридически, так что моему сыну и твоей маме придется изрядно потратиться на адвоката, который будет представлять Гену в процессе. Не думаю, что твоей матери этого захочется. Любой адвокат ей скажет, что, когда Гена получит наконец свою долю, она вся и уйдет на оплату услуг юриста. И еще адвокат объяснит, что, если не будет мирового соглашения и раздел произведут строго по закону, мой сын и оба новых наследника получат по одной восьмой части в каждом объекте наследования. По одной восьмой квартиры, дачи, машины и гаража. Одна восьмая часть антикварного столика — тоже привлекательный кусочек. И что потом делать с этими восьмушками? Кому нужна квартира, у которой четыре собственника? А машина? Кто купит эту одну восьмую часть? Твоя мать хочет делить наследство по закону? Ради бога! Результат будет вот таким.

— Ба, но как же экспертиза? Как ее проводить? Деда-то похоронили четыре месяца назад.

— У меня есть его вещи: расчески, зубные щетки, все, чем он пользовался в последние дни своей жизни. Я ничего не выбросила. Все упаковала сразу же и положила в шкаф. Не хотела, чтобы эти предметы постоянно попадались на глаза, но избавиться от них сердце не позволило и рука не поднялась. Я проконсультировалась, мне сказали, что из этих вещей можно собрать достаточно биоматериала для экспертизы. Да это уже и не суть важно. Я уверена, что до самой экспертизы дело не дойдет, твоя мама сдаст свои позиции намного раньше, как только поймет, чем ей грозит появление еще двух законных наследников.

— Рисковая ты, ба... А вдруг экспертизу проведут, отцовство подтвердят и эти тетки откажутся от мирового соглашения и захотят долю наследства?

— Не захотят. — Бабушка оставалась уверенной и спокойной. — Я слишком хорошо знаю твоего деда. И знаю, каких женщин он выбирал. Он никогда не связался бы с жадной и подлой сучкой.

— Но наследники же не тетки, а их дети. Как ты можешь быть уверена, что дети выросли такими же умными и честными, как их мамы?

— Дети, Сереженька, еще не выросли, решения за них пока принимают мамы. Одному ребенку четырнадцать, другому восемь.

— Сколько?!

Сергей решил, что ослышался. Дед же был таким старым... Как это может быть, чтобы девять лет назад от него кто-то забеременел? Да и пятнадцать лет назад академик Гребенев отнюдь не был молодым.

— Ты слышал сколько. Да уж, с мужской силой у твоего деда все было в полном порядке, можешь мне поверить. Со своим легендарным обаянием и остротой ума он мог уложить в постель кого угодно, хоть саму царицу Савскую.

— А Гена? Он знает, что ты затеяла? Ты ему сказала?

— Разумеется нет. Зачем? Мой сын добрый и порядочный человек, но слабый. Твоей маме он противостоять не сумел. Любовь, Сереженька, страшная штука. Сильного она делает еще сильнее, а слабого превращает в абсолютную тряпку. Гена может не выдержать давления обстоятельств и предупредить твою мать, что все эти заявления и прочие наезды — чистой воды камуфляж, розыгрыш. Нет, я не стану так рисковать. Завтра нотариус получит заявления, пригласит Гену в контору и все ему объявит, Гена вернется домой и расскажет жене, а там уж как пойдет. Но думаю, пойдет именно так, как я запланировала.

Бабушка помолчала, потом спросила:

— Когда ты вернешься?

— Наверное, скоро. А что?

— Просто хочу, чтобы ты знал: ты можешь жить со мной. Я буду рада.

— Спасибо, ба, — искренне поблагодарил он.

Надо же, как бывает: мысль о пребывании под одной крышей с родными по крови матерью и сестрой вызывает обморочную тошноту и желание схватить бейсбольную биту и со всего размаху обрушить ее на что-нибудь стеклянное, а от приглашения пожить какое-то время вместе с неродной бабкой на сердце становится тепло.

* * *

Назар расхаживал по своей квартирке взад-вперед, то массируя виски, то потирая пальцем точку между носом и верхней губой, то бросаясь к своему ноутбуку и рассматривая выведенную на монитор старую карту Москвы, ту самую, на которой он несколько дней назад прочерчивал возможные маршруты Владимира Лагутина от дома до библиотеки и магазинов. Что-то не давало ему покоя, но что именно — Назар не говорил, однако едва я предпринимал попытку уйти к себе, повелительным жестом останавливал меня.

— В чем дело, Назар? — не вытерпел я. — Скажи вслух, не молчи.

Он остановился, уставился на меня невидящими глазами.

— Ты таблетки свои принимаешь?

Вопрос меня удивил. Он явно не относился к тому, о чем мой друг в данный момент так напряженно думал.

— Принимаю.

— Каждый день?

— Да. Почему ты спросил?

Но ответ удивил меня еще больше, чем заданный Назаром вопрос.

— Не знаю.

Я вспомнил, как обычно формулирует свои вопросы Вилен, и решил попробовать.

— Почему ты спросил про таблетки именно сейчас? — повторил я.

Ответ прозвучал еще более странно.

— Да... Да... Я спросил про таблетки, потому что подумал об аптеке... Точно!

Его лицо просияло и расслабилось.

— В этом доме была аптека. А вход в жилые подъезды — со двора.

— Может, объяснишь, наконец? — сердито попросил я.

— Я пытаюсь вспомнить адрес дома, где обнаружили тело мертвого бомжа. Сорок лет прошло...

— Ты так говоришь, как будто в том районе была одна-единственная аптека. Назар, лучше найти точную информацию, а не копаться в памяти.

— Точную? — Он посмотрел на меня с явным сочувствием, и я понял, что опять сказал какую-то глупость. — Точная, Дик, только в архиве, а кто меня пустит в архив? Я никто, я пенсионер. Кроме того, архив в Москве, а мы с тобой здесь. Конечно, завтра прямо с утра я налажу кого-нибудь из своих московских ребят, они съездят, найдут дело, посмотрят адрес, чтобы я не сомневался. Но я, если честно, уже и не сомневаюсь. Хорошо помню, что адрес, куда мы выезжали на тот труп, находился далеко от райотдела, ну, разумеется, по меркам одного района. Иди сюда, посмотри.

Мы оба, как любопытные подростки, прильнули к экрану.

— Райотдел был вот здесь, — Назар поставил на карте жирную точку с флажком. — Лагутины жили вот тут. Магазин, где торговала Щука, — вот он. А дом с аптекой и трупом бомжа — вот.

На карте появились еще три точки, две из которых находились совсем близко друг от друга. Значит, вот почему Володя Лагутин ходил за спиртным к Щуке. Вот откуда появились в его голове такие странные размышления о персонажах «Вассы». Он наказывал себя. Он умышленно причинял себе боль, проходя мимо места, где совершил ужасное и непоправимое, или пребывая в непосредственной близости от него.

Да, занятным человеком был мой родственник... В условиях окружающей его лжи ему было невыносимо душно, он хотел вырваться, куда угодно, только бы оттуда, как верно подметила Евдокия. За границу не уедешь, а внутри своей страны те правила жизни, которые так давили на Владимира, существовали в любом месте, в любом городе, так что переезд ничего не решал. Уж лучше в тюрьму. Если совершить что-нибудь малозначительное, то могут и не посадить, дать условный срок или назначить наказание, не связанное с лишением свободы, как объяснил Назар. Тут надо было действовать наверняка. С размахом, так сказать. И обязательно в одиночку, чтобы у суда потом не было возможности заявить, что подсудимого Лагутина плохие мальчики втянули в дурную компанию и заставили присутствовать при совершении преступления, а сам он ничего не делал, только рядом стоял.

— А суд сказал бы именно так, можешь мне поверить, хозяин и мадам постарались бы изо всех сил. Он пошел бы как соучастник, но остался бы на свободе. Но могли даже и так вывернуть, что Лагутин и не соучастник вовсе, а случайный прохожий, мимо шел, увидел, остановился. Если обнаглеть окончательно, то можно и совсем круто замесить: случайный прохожий не просто остановился, а начал требовать от преступников прекратить противоправные действия и пытался их задержать в одиночку, но не справился. У нас в те годы командно-административной была не только экономика, но и правосудие, сам понимаешь. Впрочем, как и сейчас. Так что вынести можно было любой приговор, на какой хватит фантазии.

Трудно сказать, вынашивал ли Володя свой замысел долгое время или решение принималось спонтанно, под влиянием тяжелого настроения и подходящих обстоятельств. Но если мы не ошибаемся в своих предположениях, то в августе 1975 года мой родственник совершает убийство и ждет, что за ним вот-вот придут. Никто не приходит. День, другой, неделя, две... В голове проясняется, молодой человек осознает, что натворил: лишил жизни человека. Да, бездомного алкоголика, собирающего на улицах и помойках пустые бутылки, чтобы купить самого дешевого пойла, и устраивающегося на ночлег на скамейках, в подъездах, на вокзалах, но — человека! И в сентябре последовала попытка покончить с собой.

Все выглядело довольно логично. По крайней мере, для меня. Но не для Назара, который так и не нашел объяснения тому факту, что его начальник Волосов знал о Лагутине. Откуда он мог знать? А если не знал, то почему застрелился? В дилемме «Лагутин или родной сын» хотя бы можно было найти мотив действий Дим-Димыча, как его называл Назар. А без этой дилеммы никакого мотива не просматривалось.

* * *

В «Записках молодого учителя» о романе «Фома Гордеев» Владимир Лагутин подробно останавливался только на двух моментах. Первый — утверждение крестного, что Фома должен быть лучше других, «вперед людей уйти, выше их стать». Этими словами крестный Маякин будил и укреплял честолюбие Фомы, который восхищался образованными людьми благородного происхождения, хотел встать вровень с ними, разговаривать, не стесняясь собственного невежества, но при этом даже не пытался читать, получать новые знания и овладевать науками. На вопрос дочери крестного, Любы, о светском обеде Фома искренне отвечает: «Беда! Я точно на угольях сидел... Все — как павлины, а я — как сыч...» Однако к книгам, которые во множестве читает Люба, Фома относится крайне пренебрежительно: «Брось... никакого толку не будет от книг твоих!.. Вон отец-то у тебя книг не читает, а... ловок он!» Люба ему втолковывает: читаешь — и точно пред тобой двери раскрываются в какое-то другое царство, в котором и люди другие, и речи, и вся жизнь другая, но Фома упрямо и недовольно отнекивается: «Не люблю я этого... Выдумки, обман». После чего автор «Записок» углубился в длинные рассуждения о том, чем должна быть литература: хроникой реальной жизни или отражением мира, созданного фантазией творческой личности. Здесь же Владимир снова вернулся к пьесам «На дне» и «Мещане», вспомнил пару «Лука и Сатин» и рассуждения Татьяны Бессеменовой о том, что в книгах все не так, как в жизни бывает, и пришел к выводу, что вопросы правды и лжи интересовали Горького не меньше, чем самоубийства.

Вторым моментом была сцена на корабле с разоблачениями чужих пороков и поднявшимся из глубин души диким желанием Фомы унизить и уничтожить людей, которых он не понимал и которые не понимали его самого. В конце эпизода Фома, уже связанный и понимающий, что его отвезут в сумасшедший дом, говорит: «Я пропал... знаю! Только — не от вашей силы... а от своей слабости... да! Я пропал — от слепоты... Я увидал много и ослеп... Как сова...» Далее Фома вспоминает, как мальчишкой гонял в овраге сову, которая ничего не видела при солнечном свете и все время обо что-нибудь ударялась, избилась вся и пропала, и тогда отец сказал ему: «Вот так и человек: иной мечется, мечется, изобьется, измучится и бросится куда попало... лишь бы отдохнуть!» Слова отца Фомы Гордеева подчеркнуты волнистой линией.

Этим двум моментам Владимир посвятил по нескольку страниц в своих тетрадях. Более сдержанного анализа удостоились некоторые другие эпизоды, в частности, то место в романе, которое наиболее ярко (по мнению автора «Записок») рисует внутренний диссонанс главного героя, который чувствует в себе кипящее напряженное желание остановить бессмысленную возню людей, сказать какие-то громкие, твердые слова, направить их всех в одну сторону, а не друг против друга. Желание-то есть, а вот ни огня, ни нужных слов не находилось, было только желание, понятное ему, но невыполнимое. И если люди, которым он попытается сказать, что так жить нельзя, спросят его: «А как надо жить?» — ответить ему будет нечего. «Он прекрасно понимал, что после такого вопроса ему пришлось бы слететь с высоты кувырком, туда, под ноги к людям, к жернову. И смехом проводили бы его гибель». И здесь же выписана цитата, подчеркнутая тремя линиями: «Желание свободы все росло и крепло в нем. Но вырваться из пут своего богатства он не мог».

Одним словом, ничего нового. Тоска от непонимания, смутные желания, которые непонятно как реализовывать, яростное стремление вырваться. «Изобьется, измучится и бросится куда попало». В случае с Володей Лагутиным — в тюрьму, в смерть, в пьянство.

Молодежь в ходе обсуждения романа ничем меня не удивила, да и немудрено: если автор «Записок» во всех произведениях Горького видел одно и то же, то почему другие читатели должны видеть разное? Да, каждый из них замечал что-то свое, но от произведения к произведению это «свое» оставалось более или менее стабильным. Да это и понятно, ведь участники квеста на протяжении двух недель находились приблизительно в одном и том же состоянии, в их жизнях мало что происходило такого, что могло бы повлиять на переоценку имеющегося опыта. Исключением оказалась, пожалуй, только Марина, ухитрившаяся влюбиться в нашего доктора и начавшая поэтому фиксировать внимание не на вопросах замужества, а на любви. В данном случае ее заинтересовала история любви Фомы к аристократке Медынской.

Больше в «Записках» изучать было нечего. Но оставался еще один оставленный Владимиром текст, имеющий довольно странное название «Роман-перенос». Это было нечто вроде синопсиса, очень сырого и непроработанного, с множеством помещенных в скобки уточнений, вариантов и вопросов.

# РОМАН-ПЕРЕНОС

Виктор Добрынин, молодой врач, возвращается в Москву после трехлетней работы по распределению где-то в сельской местности. Его мать изо всех сил хочет выгодно пристроить сына и ищет ему работу в престижном месте и подходящую партию для женитьбы. Сам Виктор жениться не против, потому что после трех лет неустроенности хочет устойчивого уютного быта. При этом он ненавидит свою мать и не хочет жить с ней, поэтому перед ним стоит задача уйти. (Прикинуть, какие жилищные условия и почему невозможно нормально разменяться. Например, у них однокомнатная квартира... Хотя мать должна быть при должности. Значит, не меньше «двушки». Или «двушка» такой уродской планировки, что ее никак не разменять на две однокомнатные без доплаты, а на доплату не хватает денег. Либо мать категорически против размена, ей нравится район, близко от места работы, не хочет переезжать в коммуналку... Подумать.)

Начинает встречаться с Юлией, матери девушка нравится, семья устраивает: мама врач, отец — инженер на крупном заводе, сама Юлия тоже недавно окончила мединститут (или скоро оканчивает, подумать). Но семья Юлии подает документы на выезд. Мать Виктора развивает активность по поиску другой невесты. Виктор врет матери, что порвал с Юлей и больше с ней не встречается, на самом деле встречается. Семья Юлии получает отказ. Виктор делает Юле предложение и собирается уехать вместе с ней. Они зарегистрируют брак, и когда через какое-то время можно будет снова подавать документы на выезд, он тоже подаст. Юлия согласна. Виктор и Юлия тайком от матери Виктора подают заявление в ЗАГС, регистрация брака назначена через три месяца. Внезапно родителей Юлии вызывают в КГБ и говорят: если вы подадите документы прямо сегодня-завтра, то вам быстро дадут разрешение и не заставят выплачивать компенсацию за полученное вами высшее образование; если сейчас не подадите, то будете сидеть в отказе долгие годы, вас все равно не выпустят, вам выставят счет за два медицинских образования и одно инженерно-техническое, вы никогда в жизни столько денег не соберете. Вопрос о компенсации за получение бесплатного образования для них очень существенный: эта норма принята недавно, ставки компенсации чрезвычайно высокие (самые высокие — за медицинские и инженерно-физические вузы, каждая сопоставима со стоимостью автомобиля), и в среде тех, кто собирается эмигрировать, постоянно ходят разговоры о том, что размеры выплат могут повысить. Но эти выплаты назначают не всем подряд, а «по усмотрению», и когда в КГБ говорят, что с них денег не возьмут, это играет решающую роль. Они рассчитывают, что «быстро» — это несколько недель, подают документы, но разрешение получают через пару дней с предписанием: покинуть пределы СССР в течение трех суток. Юлия и Виктор не успевают пожениться, Юлия уезжает. Виктор страдает.

Мать Виктора, Зоя Владимировна: дама неопределенных лет с выцветшим лицом, волосы цвета верблюжьей шерсти, костлявая. Какая-то начальница, имеет подчиненных, говорит о них: сами по себе обыкновенные, но в моих руках — золотые, вопросов не задают, делают что велю. Строит из себя даму, обожает сплетни, любопытна. Подслушивает, подглядывает, много привирает. Считает, что у нее хороший голос, любит в гостях или при гостях петь салонные романсы под гитару. На самом деле голос ужасный и слуха нет, поет невероятно фальшиво, но все заискивают перед ней (подумать, какие у нее административные возможности) и хвалят. Только однажды какая-то приятельница сказала ей правду, Зоя смертельно обиделась и порвала с ней отношения. Может быть, примерно так: Зоя в гостях спела несколько романсов, потом стали пить чай, Зоя ела варенье и сладко улыбалась тем, кто восторгался ее вокалом. Приятельница говорит, что вокал дерьмовый, и на лице Зои начатая за вареньем улыбка постепенно тает и превращается в гримасу.

Зоя обладает счастливой способностью выжимать какие угодно обстоятельства в свою пользу. Когда она узнает, что семья Юлии получила предписание покинуть страну в течение трех суток (а семья очень небедная), Зоя помчалась к ним одной из первых. Имущество нужно было срочно распродать, а там было что продавать. Ковры, фарфор, сервизы, картины. У Зои потекли слюнки от одной мысли, что все эти вещи можно будет приобрести за бесценок. Она залетела в квартиру Юлии, как первая ворона, почуявшая еще теплую падаль. Пример: «Ах, какая прелестная ваза! Какой милый коврик! — шептала Зоя Владимировна, ощупывая вещи дрожащими руками. Она вперед смаковала свою добычу и прикидывала в уме, какие вещи она возьмет себе, а какие уступит еще одной приятельнице, которая явилась следом за ней».

После отъезда Юлии с семьей Зоя находит сыну еще одну невесту. Хронология: эту вторую невесту, Елену, Зоя присмотрела уже давно, познакомила с ней Виктора, но Виктор большого энтузиазма не проявил, хотя и признал, что девушка удивительно красивая. Зоя давила, Виктор сопротивлялся (он же тайком встречался с Юлией и хотел на ней жениться). Когда Юлия уехала, Виктор впал в депрессию и утратил способность сопротивляться, вот тут Зоя его и додавила. Ему было в сущности все равно, на ком жениться, если не на Юле, лишь бы не жить рядом с матерью, и он начал общаться с Еленой. Для Зои Елена важна, потому что ее отец — директор торга (варианты: начальник отдела в Министерстве торговли, директор крупного универмага, еще что-то подобное, но обязательно связанное с торговлей). У Зои административные возможности и связи именно в области торговли, но финансами семья Добрыниных не богата, поэтому Зоя хочет выгодно обменять свои ресурсы на ресурсы и деньги отца Елены. Она точно знает, что он ворует (или берет взятки, в зависимости от того, какую должность я ему в конце концов определю).

Елене Виктор Добрынин тоже не особо нравится, она влюблена в модного поэта. Поэт модный в узких кругах, непризнанный, не член Союза писателей, не печатается, но в определенной среде считается кумиром и непонятым гением. Читает свои стихи на квартирниках. Томный, многозначительный, таинственный. С поэтом Елену познакомила одноклассница, которая, собственно, является его подругой (невестой, любовницей). Сначала Елена пытается заинтересовать поэта собой, для этого она начинает плотнее общаться с одноклассницей, с которой раньше контактировала более формально, присматриваться к ней и подражать. Внешность, манеры, темы для разговоров, обстановка в комнате, одежда. Со стороны поэта никаких знаков особого внимания не наблюдается, но Елена уверена в своих преимуществах: она красивее, у ее отца больше денег и возможностей. Она предлагает себя поэту, не сомневаясь, что он с готовностью бросится на такую добычу. Поэт отказывает. (Подумать, деликатно или нет.) Елена в ярости. Как многие девушки в подобных обстоятельствах, она немедленно ищет вариант «подумаешь, не больно-то и хотелось», то есть собирается выйти замуж как можно быстрее, за кого угодно, лишь бы не показать ущемленное самолюбие и разбитое сердце.

Примерно в это же время под отцом Елены закачалось кресло, и от Зои Владимировны в определенной степени зависит, сохранит он должность или нет. Даст она против него показания или не даст. Тут все и сошлось. Отец Елены встречается с Зоей, происходит серьезный разговор, они все решают. Елена и Виктор женятся.

Елена: захваленная красавица, обладательница оригинальной красоты. Пример описания: она принадлежала к тому редкому типу, о котором можно сказать столько же, сколько о тонком аромате какого-нибудь редкого растения или об оригинальной мелодии — слово здесь бессильно, как бессильны краски и пластика. Контраст: при всей своей изысканной красоте Елена внутренне груба, лишена тонкости, может взахлеб хохотать над плоскими мужланскими шутками, обожает казарменный юмор, пошлые розыгрыши. Хочет быть модной и светской, поэтому постоянно таскает Виктора по каким-то квартирам, где ведут умные разговоры и много пьют, по мастерским скульпторов и художников, где тоже собираются любители выпить и поговорить о судьбах искусства.

Мать Елены в воспитании дочери участия практически не принимала (подумать почему: болезнь, характер, обстоятельства?) Ее растили отец и его близкий друг, которого Елена с детства привыкла воспринимать как родственника, члена семьи. Отец и его друг — коллеги, находятся в служебной связи друг с другом (подумать, на каких они должностях, сначала решить с отцом, потом пристроить его друга). Друг отца по-мужски влюблен в Елену, но во избежание скандала ждет, когда она наконец выйдет замуж, чтобы сделать ее своей любовницей. Балует ее, потакает всем ее прихотям и капризам, становится поверенным ее сердечных тайн. Таким образом, Елена получила чисто мужское воспитание, а отец говорит о ней: «У нее железные проволоки вместо нервов благодаря нашему воспитанию».

Елена не особенно умна, мышление не развито. В тех разговорах, которые ведутся там, куда она так любит ходить и таскает за собой мужа, она не понимает и половины. Отец ее обожает, но при этом отдает себе отчет в интеллектуальном потенциале дочери, против такого ее времяпровождения не возражает, наоборот, считает, что «общество умных людей — самая лучшая школа».

Отец Елены — маленького роста, тощий, вечно мерзнет, дома ходит в теплой кофте поверх халата и повязывается шерстяным шарфом. Очень подвижный и темпераментный. Любит деньги, жадный, при этом избегает показной роскоши, квартира большая, но запущенная, ремонт давний и дешевый. Смертельно боится ОБХСС, прикидывается нищим, постоянно твердит, что живет на одну зарплату, выговаривает дочери за купленный на рынке новый веник: «Старый еще был вполне хороший, ты меня по миру пустишь своими неразумными покупками!» Любит приговаривать, что в каждом деле важен метод, последовательность. Если не придерживаться метода и не соблюдать последовательность, то истраченная сегодня копейка завтра обернется убытками в сотни рублей. Дочь балует, считает ее сокровищем, напрямую говорит об этом Виктору: «Ты не ценишь сокровище, которое попало в твои руки. Твоя жена, как всякое редкое растение, не перенесет никакого насилия над собой».

Друг отца дарит Елене на день рождения щенка крупной породы. Елена обожает собаку, старается воспитать ее настоящим охранником, занимается дрессировкой больше, чем домашними хлопотами и уходом за мужем, когда собака подрастает и становится крупным кобелем — позволяет ей спать в одной кровати с ней и Виктором. Виктор хотел тихой семейной жизни, а Елена постоянно устраивает шумные многолюдные затеи (гости, поездки на дачу, шашлыки, пикники) с обильными возлияниями. Если сначала Виктор надеется, что они привыкнут друг к другу и наладят совместное существование, то чем дальше — тем больше он понимает, что они раздражают друг друга и отдаляются. Он терпит, потому что отец Елены устроил им отдельную квартиру, но прописана там только Елена, сам он по-прежнему прописан у матери, и если разводиться, то площадь поделить не получится. Виктор до такой степени не выносит свою мать, что готов терпеть даже раздражающую его жену, которую он никогда и не любил. Когда он только еще ухаживал за Еленой, он видел определенные особенности ее характера, но неправильно их оценил и полагал, что в браке, в повседневной семейной жизни они модифицируются и сгладятся. Пример: то, что он считал случайными чертами в характере Елены, оказывалось его основанием. Елена — черствая, расчетливая и не способная увлекаться натура, в вечной погоне за сильными ощущениями. (Подумать над примерами: мотоцикл? Моторная лодка на море в шторм? Прыжки с парашютом? Походы на байдарках через пороги? Горы?)

Постепенно Виктор все больше времени начинает проводить на работе, чтобы не приходить домой. На третий или четвертый год супружеской жизни Елена отказывается ехать с ним в отпуск. Он хочет на юг, на море, спокойно лежать на пляже, она хочет активного отдыха с адреналином и шумной компанией. К этому моменту Елена уже начинает изменять мужу, Виктор это чувствует, подозревает. Они ссорятся, он уезжает один. Уходит в жуткий загул, весь отпуск не просыхает, ходит в подпольные катраны играть, по два раза в день меняет женщин. Пытается таким способом утихомирить душевную боль, все время вспоминает о Юлии, перед глазами встает картина комсомольского собрания, на котором ее исключали из комсомола (для подачи документов на выезд необходимо принести справку, что ты не состоишь в рядах комсомольской организации). Виктор постоянно слышит внутри голос Юлии, вспоминает, как она рассказывала о том собрании, как ее унижали, называли предателем Родины и втаптывали в грязь. Он винит себя за то, что ей пришлось подвергнуться такому испытанию, ведь она готова была остаться в Москве, не уезжать с родителями, выйти за него замуж, а он настаивал на том, что они поженятся и уедут. Если бы не его оголтелое желание эмигрировать, она бы не стала подавать документы на выезд, она готова была расстаться с родителями, чтобы жить с ним... А он настоял... И вот как все вышло в итоге...

После возвращения из отпуска охлаждение между Виктором и Еленой нарастает все быстрее, и в один прекрасный момент она бросает мужа, подает на развод и начинает открыто жить с другом отца, который наконец дождался своего светлого часа (подумать, куда он дел жену, или, как вариант, он холост, вдов, разведен). Опасность уголовного преследования для отца Елены миновала, наверху сменились кое-какие руководители, и благодаря этому позиции отца стали намного более устойчивыми, так что Зоя Владимировна ему больше не нужна. Более того, эти новые руководители не ладят с самой Зоей, и, оставшись без поддержки отца Елены, она чувствует себя крайне неуверенно. Виктор возвращается в квартиру матери. Зоя сидит на развалинах своих блестящих планов и льет горькие слезы.

Жизнь становится для Виктора совершенно невыносимой. Мать начинает искать ему новую жену и другую работу, более престижную, дающую хорошие связи (например, в ЦКБ), все разговоры только об этом. Виктор пьет все сильнее и начинает думать о...

* * *

На этом наброски к будущему роману обрывались, оставшиеся страницы в тетради были девственно чисты. Основной метод квеста «сравнить восприятие одного и того же текста» здесь не годился. И я не мог решить, нужно ли обсуждать эти наброски с участниками или после разбора «Фомы Гордеева» можно всех отпускать и сворачиваться. Я не понимал, как правильно поступить, поэтому после «Фомы» назначил на следующий день очередное комсомольское собрание, чтобы получить еще немного времени. Собрание будет, по всей вероятности, последним, но участники об этом пока не знают.

Мне было, в общем-то, понятно, что в образе Зои Владимировны Володя Лагутин собрался выписывать свою мать Зинаиду, но радикально изменил ее внешность. Зина, насколько я ее помнил, была крупной красивой женщиной, а вовсе не костлявой, и «волосы цвета верблюжьей шерсти» — это совсем не про нее. Отца и сестру он решил не трогать, вероятно, чтобы сделать семью Добрыниных не узнаваемой и не пробуждать ненужных аллюзий. Однако при этом не побоялся сделать мать своего героя влиятельной чиновницей в сфере управления торговлей. Неосторожно! Главный же герой Виктор Добрынин, должен был думать и чувствовать, как сам Владимир, но при этом иметь совсем другую биографию. Профессию Виктор выбирал добровольно, а не под давлением родителей, он хотел быть врачом и стал им. Молодой Лагутин никогда не был женат, так что прототип Елены искать бессмысленно, равно как и прототипы ее отца и его друга. Выдумано было абсолютно все, кроме характеров героя и его матери.

— Н-да, писателя из вашего родственника не получилось бы, — насмешливо протянула Галия, ознакомившись с текстом того, что называлось «Роман-перенос». — Как говорится, замах на рубль — удар на копейку. Нет системности в подходе к работе, нет упорства, нет генеральной линии. То мчится на всех парах через годы, то увязает в мелких деталях. Видите, он придумал в голове вот такую Елену и вот такого отца, но не озаботился логикой.

— В каком смысле?

— Если отец прожил такую жизнь, которая привела его в итоге к той должности, которую ему собрался предписать Владимир, то как получилось, что Елена любит казарменный юмор и пошлые шуточки? В каких условиях она росла? В порту? В гарнизоне? В приюте? Если он обожал дочь и баловал ее, то как это вяжется с тем, что он жадный, считает каждую копейку и безумно боится демонстрировать благосостояние? Дик, вы же не можете не понимать, что у такого отца просто не может вырасти вот такая дочь, как хочется Владимиру. Я понимаю, ему это удобно для задуманного сюжета, но от правды жизни вряд ли позволительно отходить настолько далеко. Фантазия у Володи работала хорошо, но ведь фантазию-то надо в рамочки помещать, чтобы не получилась фантасмагория.

Внезапно Галия нахмурилась, потом лоб ее разгладился, глаза снова стали веселыми и смешливыми.

— Впрочем, я, наверное, придираюсь. У профессиональных литераторов с большим опытом тоже случаются подобные недоработки. Я совершенно точно помню, что когда-то меня сильно резануло очень похожее несоответствие между характеристиками отца и дочери... Только вот где, у кого, в какой книге... Но автор был маститый.

— Значит, вы считаете, что у Володи не было писательского таланта?

— Не могу судить. Но совсем бездарным он, конечно, не был. Вот эта «начатая за вареньем улыбка» — это очень хорошо! Описание красоты Елены, образ вороны, почуявшей падаль, — все это совсем неплохо.

Она снова о чем-то задумалась, то и дело посматривая на лежащий перед ней распечатанный текст.

— Вспомнила! — радостно воскликнула культуролог. — У Мамина-Сибиряка в «Приваловских миллионах» есть такие персонажи: Игнатий Ляховский и его дочь Зося! Да-да-да, все правильно, они именно такие! Ляховский — суетливый и скупой, обожает дочь, а Зося очень красивая и при этом любит грубые и пошлые шутки и развлечения.

Я огорчился. За последние недели Володя Лагутин стал вызывать у меня сочувствие, я начал его понимать, я сроднился с ним, и обидно было выяснить, что он позволил себе столь очевидный плагиат. Плагиат — это воровство, и оно не украшает. Впрочем, возможно, это было сделано неумышленно. Когда-то прочитал, в голове отложилось, потом вспомнилось и стало казаться самостоятельно придуманным, поскольку прочитанное давно забылось...

Галия с такой постановкой вопроса согласилась.

— Может быть, и так. Я тоже совсем плохо помню то, что читала в юности и больше ни разу не перечитала. Вам важно точно понимать объем заимствований для характеристики Владимира?

— Хотелось бы.

— Тогда попросите Юру отвезти меня в город. Я найду книгу либо в магазине, либо в библиотеке и быстро просмотрю. И у вас будет абсолютно точное представление о степени авторской самостоятельности Владимира.

Я с недоумением воззрился на нее. Зачем искать бумажную книгу, если можно найти любой текст в интернете? Дойти до ближайшего кафе и подключиться к вай-фаю — в чем проблема?

— Тоже вариант, — кивнула Галия, — если кто-нибудь одолжит мне ноутбук или айпад. Я свою технику не привезла, знала же, что дом без интернета, а для общения с родными и друзьями мне вполне хватает телефона. Можно, конечно, с мобильника выйти в Сеть, но очень уж мелкий шрифт на экране, мне уже не по возрасту, а увеличивать шрифт и двигать пальцами каждую строчку — увольте, роман придется читать не меньше недели. Для получения кратко изложенной информации электронный текст годится, а вот для вдумчивой работы, да с пометками и выписками, закладками и стикерами, лучше пользоваться бумажными книгами. Мне так привычнее. Но начальник здесь — вы, Дик, поэтому как скажете, так я и сделаю.

Ноутбук и его содержимое — вещь интимная, это часть личного пространства каждого человека, и я знал, что никогда не посмею ни потребовать, ни даже попросить, чтобы кто-нибудь, например тот же Назар, отдал Галие свою технику. Но отчего-то мысль о поездке в город для поиска бумажной книги мне не нравилась, казалась какой-то архаичной, несовременной и даже слегка опасной. Если уж отдавать компьютер, то только свой. В конце концов, весь квест затеян в моих интересах, и терпеть неудобства пристало в первую очередь мне самому. Я принял соломоново решение: взял свой ноутбук, дошел до кафе, где частенько сиживал Назар, нашел в Сети и закачал роман «Приваловские миллионы» в первом попавшемся формате, убедился, что программы моего ноутбука данный формат не читают, чего и следовало ожидать, и после нескольких несложных манипуляций проблему решил, отправил файл самому себе на почту, и тут же открыл текст из почты на айпаде. В доме почта не откроется, а вот загруженный из нее текст так и будет висеть, и Галия прекрасно сможет его читать, в то же время я не лишусь ноутбука, в котором находятся все мои материалы. Да, я привез множество папок с распечатанными текстами, но ведь это было далеко не все. Распечатывал я только то, что, как мне казалось, может понадобиться на данном этапе, но жизнь показала, что иногда возникает необходимость посмотреть содержимое и других файлов, как получилось, к примеру, со сканами.

Я видел, что Галию перспектива читать электронную версию на айпаде не сильно вдохновляет, но она, в конце концов, сама сказала, что начальник здесь — я.

* * *

По части уборки помещений Сергей мастером не был. Он смотрел на выданные ему тряпки, ведро и тазик и пытался решить, с чего начать. С мытья полов? Или окон? Глупость какая-то... На комсомольском собрании говорили про какие-то субботники, когда люди выходили на работу в свой законный выходной день и всем скопом производили генеральную уборку помещений или приводили в порядок территорию. Зачем все это? Есть уборщицы, дворники, они получают за это зарплату, уборка — их обязанность, и почему нужно, чтобы люди тратили свой выходной на то, чтобы бесплатно выполнить чужую работу? Он не видел в этом ни смысла, ни логики.

Однако есть смысл или его нет, а штраф нужно отрабатывать. Угораздило же его так глупо влипнуть! Бумажные носовые платки... Немыслимо!

Он все еще пребывал в задумчивой растерянности, когда услышал чьи-то шаги. Наташа. Смотрит робко и одновременно настороженно, и Сергей вдруг вспомнил свой вчерашний порыв: обнять ее, защитить, успокоить. Смешно!

— Давай я тебе помогу, — неуверенно проговорила девушка.

— С чего вдруг? Я же проштрафился, не ты.

— Ты из-за меня подставился. Если бы я не заревела, как дура, ты бы не достал эти салфетки... Никто бы ничего не узнал. Это все из-за меня. Значит, я тоже виновата.

А в самом деле: вдвоем-то повеселее будет. Почему нет?

— Давай, — согласился он. — С чего начнем? С пола или с окон?

— Пол моют в самую последнюю очередь, когда все остальное уже чисто. Маринка с Тимом окна в подъезде мыли и потом рассказывали, что на стекле разводы остаются, потому что не было всяких средств, которыми мы сейчас пользуемся. Они мучились-мучились, потом догадались у Надежды спросить, она им посоветовала в воду уксус добавлять и стекла насухо протирать газетной бумагой. Тим даже за газетами бегал, покупал.

— Так что, мне за газетами бежать, что ли? — озадаченно спросил Сергей. — Уксус можно у нас в магазине взять, а газет там нет, придется в киоск смотаться.

Наташа опустила глаза и тихонько сказала:

— Я принесла. И уксус, и газеты. Тим отдал что осталось.

— Супер!

Они принялись за работу. Сергею очень хотелось спросить, из-за чего Наташа вчера плакала, но он все не мог решиться. Ему отчего-то казалось, что если он спросит, а она ответит, это будет означать, что оба они пересекли какую-то невидимую, неощутимую черту, перешагнув которую они уже не смогут вернуться назад, отступить. И все-таки он собрался с духом, хотя готов был услышать в ответ грубоватое «не твое дело» или отстраненное «да так...»

— Мне стало очень жалко Владимира, — неожиданно спокойно ответила Наташа, старательно оттирая оконную раму тряпкой, смоченной в воде с разведенным стиральным порошком. — Я представила, как ему страшно, горько и одиноко и не с кем поговорить, не с кем поделиться, никто его не понимает. Прямо сердце сжалось от сочувствия. Мне всегда жалко тех, кто чувствует себя одиноким и непонятым.

Ее рука с тряпкой быстро скользила вверх и вниз вдоль старой растрескавшейся рамы, и Сергей заметил на коже несколько круглых пятнышек — следы от комариных укусов. Его мгновенно затопила такая нежность, какую он прежде никогда ни к кому не испытывал.

Зачем он ее поцеловал? Почему? Думать не хотелось, хотелось просто целовать эту нежную хрупкую синеглазую девушку, которой всех жалко. И он целовал. Самозабвенно, с удовольствием, радостно ощущая ее ответ.

\* \* \*

Галия, держа в руках мой айпад, ворвалась в дальнюю комнату столовой, где мы с Назаром неспешно поглощали ужин. Сегодня Надежда решила побаловать нас курицей в помидорно-чесночном соусе. Блюдо имело какое-то нерусское название. На гарнир полагался картофель, но если в общем зале участникам предлагали картофельное пюре, приготовленное, как полагалось, с изрядным добавлением воды и маргарина, то нам, в «зал для руководства», подавался молодой отварной картофель, посыпанный укропом. Среди дымящихся клубней в тарелке томно плавился, изнемогая от тепла, кусок сливочного масла. За соседним столом Вилен и Виссарион уплетали уже по второй порции, а недавно присоединившийся к ним доктор Качурин с таким наслаждением опустошал свою тарелку, что я не сомневался: он тоже попросит добавку.

— Дик! Назар! Кажется, я все поняла, — заявила Галия, усевшись за наш стол. — В общем-то, решение лежало, оказывается, на поверхности, если знать, где искать.

Лицо ее сияло, темные глаза под густыми бровями искрились смехом.

Следом за Галией в комнате появилась Надежда Павловна.

— Галечка, что ж ты мимо меня пролетела, как метеор, и не сказала ничего? Ты что будешь есть? Тебе принести сюда или возьмешь, как все, общем зале?

— Ой, Надюша... Даже не знаю... — растерялась Галия.

— Рекомендую остаться с нами, — хитро подмигнул Назар. — Надюша нам сегодня исполнила такое чахохбили — пальчики оближете!

— Рассказывайте, Галия, — нетерпеливо потребовал я.

— На «волосы цвета верблюжьей шерсти» у некой костлявой дамы я наткнулась на первых же страницах и сразу почуяла неладное. У Мамина-Сибиряка это Хиона Алексеевна Заплатина, но по тексту ее называют просто Хиной. Так вот, Хина страшно любопытна, отъявленная сплетница и большая мастерица подыскивать подходящие партии, да и в целом эдакая деловая леди, старающаяся поддерживать множество контактов. Один-в-один — описание матери главного героя, Зои Добрыниной. И, кстати, у Хины есть служанка, девочка на побегушках, и Хина говорит о ней, мол, ничего особенного, но в моих руках — золотая.

Глаза у Галии горели, она говорила возбужденно и не понижая голоса, и очень скоро ужинающие за соседним столом психолог, актер и доктор повернулись в нашу сторону, потом встали и подошли поближе. Им тоже было интересно.

По словам Галии выходило, что Володя Лагутин позаимствовал у Мамина-Сибиряка практически все, за исключением социального положения главного героя. Что ж, это понятно, обладатель миллионов Сергей Привалов никак не мог бы появиться в советской стране, а молодой специалист, отработавший по распределению и вернувшийся в родительский дом, — явление самое что ни есть обычное. Для своего будущего романа Владимир решил использовать не только типажи, но и детали.

— Разумеется, без самоуправства не обошлось, — со смехом рассказывала Галия. — У Мамина-Сибиряка тот, кто был другом семьи и вместе с отцом воспитывал Зосю, и тот, кто подарил девушке медвежонка и сделал потом ее своей любовницей, — это все-таки два разных персонажа. Оба значительно старше нее, оба по-мужски увлечены ею, но это совершенно разные люди. А Лагутин объединил их. Ну и, конечно же, медвежонка заменил на щенка крупной породы. Вообще все «вкусные» детали замечал и модифицировал, подгоняя под реалии советской жизни. Вот, кстати, яркий пример с той же Хиной: настоящая Хина обожала демонстрировать в обществе свое владение французским языком и насмерть рассорилась с приятельницей, которая посмела заметить ей, что ее французский весьма нехорош и лучше бы ей не позориться. Владимир поменял французский язык на пение салонных романсов, но при этом «начатую за вареньем улыбку» дословно украл из «Приваловских миллионов». Или взять сцену в доме Бахаревых после банкротства: Хина первой прибегает туда и начинает высматривать красивые вещи, которые можно теперь приобрести за бесценок. Весь пассаж про ворону, почуявшую запах падали, дословно взят оттуда. Я еще кое-какие заимствованные фразы нашла. Но в целом, повторяю, дело не в деталях, а в использовании чужих типажей, их характеристик и мотивов поведения. И сделано это было сознательно. Именно поэтому наброски и называются «Роман-перенос».

Владимир хотел перенести описанную у Мамина-Сибиряка историю, происходящую в девятнадцатом веке, на современную почву, потому что увидел, что люди не меняются и коллизии остаются все теми же, несмотря на изменение социального строя. В общем-то понятно, откуда у него появились такие мысли. В театре в те годы стало модной тенденцией осовременивать классику, одевать актеров в современные костюмы, чтобы показать, что люди не меняются и конфликты не устаревают.

— О да! — подхватил Виссарион. — Любимовский «Гамлет» на Таганке — это была бомба! Многие критики не могли понять, как это так: принц Гамлет в джинсах! Зато другие критики и зрители захлебывались от восторга.

— Но в литературе, — продолжала Галия, — так никто не поступал. Никому не приходило в голову взять и переписать роман классика, адаптировав сюжет к реалиям сегодняшнего дня. Не думаю, что у Владимира были подобные амбиции и он собирался сказать новое слово в литературе. Полагаю, он просто хотел выговориться, излить на бумагу то, чем не мог ни с кем поделиться.

— Зачем же брать чужое произведение? — спросил я. — Придумал бы свое собственное и изливал душу сколько угодно.

Галия внимательно посмотрела на меня и кивнула.

— Вот именно в этом пункте, Дик, и кроется самое главное. Ваш родственник не умел придумывать. Моя первоначальная оценка оказалась ошибочной. У него была бедная фантазия, ему не хватало воображения. Он был умным и тонким молодым человеком, он хорошо умел адаптировать события прошлого к современной ему действительности, но придумать их, создать свой собственный мир он не мог. Не умел. Природой не дано. Я просмотрела по диагонали весь роман Мамина-Сибиряка, восстановила его в памяти. Все, что есть в набросках, нашлось и в романе, вплоть до загула с запоем и карточной игрой. Все нашлось, кроме одной детали. В романе Привалов до женитьбы на Зосе Ляховской поддерживает интимные отношения с замужней дамой, женой того самого персонажа, который дарит Зосе медвежонка и становится ее любовником. С ним Зося в конце концов и уезжает за границу. В набросках же мы никакой замужней дамы не видим, хотя почему было не перенести и этот момент? Ситуация абсолютно понятная и широко распространенная в нашей стране, здесь нет никакой специфики, связанной с социальным строем или экономическими условиями. Но вместо замужней дамы мы видим у Лагутина девушку Юлию, которая вместе со своей семьей эмигрирует, вероятнее всего, в Израиль, потому что других вариантов в те времена не существовало.

Он ничего не умел придумывать... Значит, Юлию и ее отъезд Володя тоже не придумал. И если он взял эту историю не из романа «Приваловские миллионы», значит, взял ее из собственной жизни.

Я вопросительно посмотрел на Галию: верно ли я понял ее мысль?

— Да, — кивнула она. — Кажется, мы нашли Аллу, которая так внезапно и необъяснимо исчезла из жизни Владимира. И еще мне кажется, что я поняла, почему ваш родственник решил перенести на современную почву именно этот роман, а не какой-то другой. У Мамина-Сибиряка есть семья Бахаревых: муж, жена, две дочери и сын. Когда старшая дочь, Наденька, просит у отца благословения на брак с инженером Лоскутовым, которого она безумно любит, отец устраивает скандал и выгоняет дочь из дома, лишив ее содержания. Жених, видите ли, не годится, а дочь уже позволила Лоскутову взять ее девичью честь. В то же время когда сын — пьяница, гуляка и бабник — совершает убийство и ждет суда, его из дома никто не выгоняет, более того, его поддерживают, помогают ему. Почему сыну прощают страшный грех, а дочь сурово наказывают за прегрешение куда менее значительное? Почему одному можно все, а другому нельзя ничего?

Она права. Мы ведь тоже изрядно поломали голову над вопросом, почему Зинаида и Николай Лагутины не позволили одному своему ребенку того, что позволили другому? Если этот вопрос беспокоил нас, то он не мог не беспокоить и Владимира. Вполне возможно, он знал правильный ответ, но от этого сама по себе ситуация не становилась менее болезненной.

\* \* \*

— Все равно я не понимаю, почему Алла ни разу не упомянута в записях Зинаиды, — недоумевал я. — Этому нет объяснения! Сын дружит с хорошей девочкой из приличной семьи, так почему не написать об этом?

— Эх, Дик, — вздохнул Назар, — трудно тебе понять нашу жизнь. Тебе кажется, что если папа инженер, а мама врач, то этого достаточно для Лагутиных. На самом же деле Зинаида готова была породниться только с равными себе или с более сильными с точки зрения связей и возможностей. Никакие врачи и инженеры Лагутиным не годились, они для своих детей хотели семьи совсем другого уровня. Дочка руководителя управления в союзном министерстве — это да, это годится. Сын замминистра — тоже отлично, но лучше, конечно, чтоб министра. Внук члена Политбюро. А врач и инженер — это для Зины не вариант.

Я ушам своим не верил.

— Ты хочешь сказать, что Володя уже в десятом классе понимал все эти расклады?

— Молодец, — засмеялся Назар, — слово «расклад» научился использовать. Нет, конечно, в десятом классе мальчики и девочки все знают, но еще плохо понимают и не принимают всерьез. Тут другое. Я, конечно, не большой знаток подростковой психологии, но сына как-никак вырастил и кое-что усвоил на его примере. Когда мой Юрка пошел в первый класс, жена знала всех его друзей, и тех, кто к нам приходил, и тех, к кому Юрка ходил, и тех, с кем во дворе в футбол гонял, и так было класса до шестого примерно. Лет в двенадцать-тринадцать начинается то, что в наше время называлось переходным возрастом. Подросток хочет чувствовать себя взрослым и стремится всеми возможными способами избавиться от родительского контроля. Подростки стараются как можно меньше рассказывать родителям, ничем с ними не делиться, скрывать своих друзей-приятелей, одним словом, создать себе то, что можно считать «собственной жизнью», о которой мама с папой ничего не знают и в которую они не лезут. Говоря современным языком, они формируют свое приватное, личное пространство. Ходят друг к другу домой только тогда, когда нет взрослых. По вечерам, когда взрослые дома, подростки тусуются на улице, в подворотне, в скверике, во дворе. У них свой мир, своя жизнь, своя компания, свои правила, своя борьба за авторитет и влияние. И все это тщательно оберегается от вмешательства родителей. Ну ты сам подумай: вот мальчик привел товарища к себе домой, и где им уединиться, чтобы обсудить свои мальчишеские дела? На кухне мама что-то готовит, в одной комнате папа смотрит телевизор, а то и бабушка с ним вместе, в другой комнате сестра уроки делает. Куда приткнуться? Жили-то тесно, скромно, не забывай об этом. Это у вас в Америке принято жить в отдельных домах, где у каждого ребенка своя комната, да еще с отдельным санузлом, а в России в семидесятые годы мы жили совсем по-другому. Не все, конечно, — добавил он, усмехнувшись, — но в основной массе. Короче, прими как аксиому: родители десятиклассников, как правило, плохо знали, с кем общаются их дети. Могли слышать имя и даже фамилию, но при этом не знать в лицо друзей своих детей. Мало кто из подростков приводил друзей домой и знакомил с родителями. Это первое, что тебе нужно иметь в виду.

Значит, будет еще и второе... Да уж, непросто понять жизнь в чужой стране, да еще сорок лет тому назад.

— Ты помнишь, я рассказывал, как впервые попал к Лагутиным? Для меня их квартира выглядела сказочными хоромами, а ведь я не пацаном зеленым был, я был капитаном милиции, кое-что повидал в жизни. Но я обалдел. Квартира с огромной прихожей и двумя санузлами — для меня тогда это было запредельно. А представь, какое впечатление такая квартира произведет на подростка? И сама квартира, и все, что в ней имеется, и еда, которую достают из холодильника, все эти невероятные баночки с яркими этикетками, на которых написано по-иностранному, а содержимое имеет удивительный вкус! В той школе, где учились Володя и Ульяна, почти все дети в основном были из таких вот квартир, их трудно было удивить. Помнишь, в «Записках» Володя упоминает одноклассницу Женечку, у которой дедушка — член ЦК? Вот такие у него были одноклассники. Думаю, что против приглашения в гости товарища или подружки из своего класса Зина не возражала, это было безопасно. Но вот чужих, не из своей школы — ни-ни. Такое не приветствовалось. Поэтому ничего удивительного, что Володя с самого начала не рассказывал дома про Аллу и не показывал ее родителям. Сначала скрывал, как все дети, а потом, когда стал студентом и начались бесконечные разговоры о поиске подходящей партии для подкрепления будущей дипломатической карьеры, понял, что Аллу мать и отец не примут. Вот и молчал как партизан. А уж когда семья Аллы подала документы на выезд, сам бог велел дома ничего не рассказывать. Желающие эмигрировать тут же записывались в предатели Родины, поддерживать с ними контакты было опасно. Лагутины-старшие такую девочку даже на порог не пустили бы.

Что ж, это в какой-то мере объясняло отсутствие упоминаний об Алле в записях моей троюродной сестры. Зина и в самом деле могла вообще не знать о существовании девушки, которую любил ее сын.

— Но история с внезапным разрешением на выезд выглядит как-то уж слишком сказочно, — заметил я. — Правда, я совсем не знаю ваших реалий в то время, особенно в сфере миграционной политики. Ты считаешь, что это нормально? Так часто бывало?

Назар покачал головой и потянулся за сигаретами. Я не возражал против курения в своей квартире, потому что спал и работал в двух других комнатах. Табачный дым мне не мешал.

— Нормально, Дик, это получить отказ. Потом через определенное время, кажется через полгода, не раньше, но точно не скажу, снова подать документы и получить еще один отказ. Было такое выражение: «сидеть в отказе». Так вот, в отказе сидели годами. Кого-то потом все-таки выпускали, а кто-то так и не смог уехать. Но очень многим давали разрешение на выезд с первого же раза, хотя ждать приходилось и по полгода, и по году. Люди надеялись на то, что выезд разрешат, распродавали имущество, менялись квартирами с друзьями, потому что если квартира государственная, то продать ее нельзя, можно только обмен совершить. Сидели и ждали. Получали отказ. Через полгода снова подавали и снова сидели и ждали. Ждали, когда в их почтовый ящик опустят заветную открыточку. Если в ней будет написано «явиться туда-то в такую-то комнату», значит, разрешили. Если комната не указана, значит, отказ. А теперь представь: чтобы подать документы, нужно отовсюду уволиться и представить справку, что партийный или комсомольский билет сданы. И что делать человеку, которому отказано в выезде? На работу по специальности его не берут, он же в любой момент может получить разрешение и уехать, то есть работник ненадежный. Кроме того, взять такого человека на приличную работу — чревато неприятностями, ведь он добровольно отказался от членства в КПСС и сдал партбилет, то есть он предатель Родины и со всех сторон плохой человек. Кстати, дружить с таким человеком тоже опасно, узнают — могут обвинить в политической близорукости, объявить выговор за это, а кому нужен такой выговор в личном деле? А жить надо, и есть-пить надо, и за квартиру платить. То, что выручено от продажи имущества, старались по возможности не тратить, чтобы после выезда не остаться совсем без штанов, но зачастую приходилось и эту заначку использовать. Да и не работать страшно, могут же посадить за тунеядство, чем, кстати, частенько пользовались, если по каким-то причинам не хотели выпускать человека из страны. И вот ученые и классные специалисты идут работать грузчиками и дворниками, на такие работы их охотно брали. Работают, ждут, надеются. Однако, повторяю, такая картина была обычной, но не поголовной. Очень многих выпускали после первой подачи. Просто семье Аллы, видимо, не повезло. Если Володя написал все как было и отец девушки действительно был инженером на крупном заводе, то, вполне возможно, был связан с оборонкой или какими-то госсекретами в плане техники, потому их и не выпустили сразу. Хотели, скорее всего, помурыжить несколько лет, пока эти секреты не устареют и не потеряют актуальность.

Все это звучало для меня чудовищно. Когда я жил в США, в круг моего общения входило довольно много эмигрантов из Советского Союза, но мне никогда не приходило в голову расспрашивать их о подробностях эмиграции. Мне не было интересно, почему они уехали оттуда и приехали в мою страну. Ответ казался мне очевидным, и ни в какой дополнительной информации я самонадеянно не нуждался. Неужели все эти люди вынуждены были пройти через то, о чем мне сейчас рассказывал Назар? Но если его догадка верна и отец Аллы имел какое-то отношение к новейшим техническим разработкам, то почему их вдруг так внезапно выпустили?

— Дик, ты же имеешь представление о своей сестре, — уклончиво ответил Назар. — И не забывай, она давно и регулярно общалась с КГБ, она знала в этой организации очень многих.

Но я все еще не понимал.

— И что? Ну, знала, ну, общалась. Дальше что?

— Она вполне могла попросить у них содействия, чтобы избавиться от Аллы. Пусть уже она уедет, лишь бы сын не оказался мужем предателя Родины. Иначе пострадает вся семья Лагутиных. В КГБ пошли навстречу, почему нет? Зина — человек полезный, стучит на кого надо и обеспечивает государству регулярный приток валюты. Ручеек не слишком большой, зато стабильный. Отчего же не помочь хорошему человеку?

— Но как она узнала, что сын собирается жениться на Алле? Как, если он Аллу родителям не показывал и даже имени ее не упоминал?

Назар расхохотался, быстрым точным движением загасил в пепельнице сигарету, сделал глоток остывшего кофе.

— Ты хоть представляешь себе, под каким контролем находились студенты МГИМО?

— Нет, — признался я.

— Ну так можешь мне поверить: с них глаз не спускали. Тут может быть несколько вариантов. Например, кто-то из контролирующих узнал, что студент Лагутин посетил отдел загс и подал заявление на регистрацию брака. Невесту проверили — отказница. И тут же сообщили отцу. Другой вариант: Зина знакома с заведующей районным отделом загса, и та ей позвонила, когда узнала, что сын приятельницы собрался жениться, а Зина уже сама по своим каналам проверила невесту и пришла в ужас.

— Погоди, разве в Москве был только один загс? Или ты считаешь, что это чистое совпадение: молодые люди подают заявление именно в тот загс, где работает приятельница Зинаиды? Не слишком ли фантастично? — засомневался я.

— Ни на секундочку, — заверил меня Назар. — загсов было полно, больше тридцати, по одному на каждый район, плюс еще Дворец бракосочетаний. Но подавать заявление и регистрироваться можно было только в том районе, где прописан один из брачующихся. Володя жил и был прописан там, где я работал, в Краснопресненском районе, а Алла, если действительно жила в Бескудникове, прописана в Тимирязевском. То есть выбор у ребят был небольшой, всего два загса. Думаю, Зина со своей активностью по налаживанию контактов не могла пройти мимо этого учреждения. Когда Ульяна Макаровна скончалась? В семьдесят четвертом? Стало быть, свидетельство о смерти Лагутиной в этом загсе и получали, так что вероятность знакомства Зины с заведующей загсом весьма высока. А могло быть и совсем просто. Ты про приглашения слыхал?

— Про приглашения? Какие?

— Так дефицит же во всем был, Дик! Даже самое простое обручальное кольцо — и то трудно купить. И вот придумали такую штуку, называется «Салон для новобрачных». Одежда, в том числе и свадебные платья, и костюмы, обувь, ювелирка, косметика. Вроде как для того, чтобы в самый главный день своей жизни молодые могли прилично выглядеть и достойно обменяться кольцами при регистрации. Там, конечно, не только свадебное продавалось, но и обычное, но всякий импортный дефицит выбрасывали намного чаще, чем в других магазинах. Так вот, делать покупки в этом салоне человек имел право, только имея на руках специальную книжечку, которая называлась «Приглашение в салон для новобрачных». Эти книжечки прямо в загсах выдавали тем, кто подавал заявление на регистрацию брака. В книжечке были отрезные купоны, типа талонов, на каждом написано, к примеру: кольцо обручальное мужское, кольцо обручальное женское, туфли женские белые, и так далее. Купил — талончик отрезали, больше уже не купишь. Многие товары продавались и без талонов, но книжечку надо было обязательно предъявить и на входе в магазин, и продавцу. Это я к чему рассказываю-то? Если Володя и Алла подали заявление, они тоже такую книжечку получили. И Зина могла случайно ее обнаружить в комнате сына или в кармане его пальто. Голову даю на отсечение, что она карманы у детей шмонала. Ну, а дальше все по варианту номер два: поход в КГБ, просьба проверить невесту, затем следующая просьба — невесту убрать, сына оградить, семью спасти. Помогли. Убрали, оградили, спасли. Вот таким путем и получилось разрешение на выезд с предписанием покинуть пределы страны в течение трех суток. Торопиться надо было. Впрочем, возможно, были еще какие-то варианты. Но я уверен, что всю операцию провернули мадам и хозяин, причем сыну ничего не сказали, что вполне понятно. Мальчик думал, что просто вот так неудачно сложились обстоятельства. Ну и семья Аллы, само собой, тоже не была в курсе, почему такое чудо вдруг приключилось. Обрадовались, что выпускают, и лишних вопросов не задавали.

Какой же мерзавкой, однако, была моя сестрица! Но если Назар угадал, то я, кажется, начинаю понимать, каким был Владимир. И теперь совсем иначе я воспринимал «Записки молодого учителя» в части романа «Дело Артамоновых». Мне стало понятно, почему Владимир уделил столько внимания ситуации, которая для самого Горького выглядела проходной и незначительной: внезапному отъезду дочери Поповой, за которой ухаживал Мирон Артамонов. Володя Лагутин не задавался вопросом, почему девушка сбежала и вышла замуж за лучшего друга своего жениха. Он размышлял о том, что чувствовал внезапно покинутый Мирон.

И еще я не совсем понимал, о каких компенсациях за высшее образование Володя написал в «Романе-переносе». Выдумал? Или так было в действительности?

— Было, — подтвердил Назар. — Но сделали хитро, как обычно. Налог на образование ввели сразу же, как только разрешили выезд, а в семьдесят третьем году

Политбюро ЦК дало устное распоряжение приостановить взимание налога. Ну, устное — оно и есть устное, на бумажке не записано, стало быть, имеется полная свобода усмотрения: хочу — взимаю, хочу — отпускаю без налога. Само собой, чаще всего устное указание исполняли и налог не взимали, но поскольку официально налог никто не отменил до второй половины восьмидесятых, то выезжающих этим налогом весьма эффективно запугивали, мол, ведите себя прилично, а то заставим платить.

— И много платить приходилось? Володя написал, что налог сопоставим со стоимостью автомобиля, но мне что-то с трудом верится.

— Сейчас вспомню точно, — Назар уставился в какую-то точку на щербатом потолке. — Самым дорогим было обучение в Московском университете, больше двенадцати тысяч рублей, если окончил или учишься на последнем курсе. Для сравнения — самый дорогой автомобиль «Волга» стоил дешевле. За двенадцать тысяч можно было приобрести хорошую кооперативную квартиру. Там, помнится, была даже таблица, по которой рассчитывали, сколько человеку платить в зависимости от вуза и от того, сколько курсов он в этом вузе отучился. Я еще ужасно удивлялся в те годы, что обучение в любом другом университете, кроме Московского, стоило ровно в два раза дешевле. После МГУ самыми дорогими были институты искусств, медицинские, физкультурные и инженерно-технические. Понимали, гады, что врачи, инженеры, артисты, писатели и спортсмены нам самим нужны, вот и ставили заоблачные цены. Если ты аспирант, учишься в ординатуре или адъюнктуре, тоже полагалось платить, начисляли больше полутора тысяч рублей за каждый год обучения. А уж если ты, не дай бог, диссертацию защитил, то и за это плати: за кандидатскую — пять с половиной тысяч, за докторскую — больше семи. Вот и прикинь, могла ли выехать в эмиграцию семья научных работников, где папа доктор наук, мама кандидат, сын окончил МГУ, а дочь учится еще где-нибудь. Думаю, при таких размерах неотмененного официального налога легко можно было держать людей в страхе. А знаешь, какие вузы были самыми дешевыми?

— Какие же? — с любопытством спросил я.

— Экономические, юридические, педагогические, историко-архивные. Суммы, конечно, тоже очень солидные, мало кому по карману, но все-таки поменьше. Эх, не догадывалось руководство страны в тот момент, что пройдет всего два десятка лет и экономисты и юристы станут самыми востребованными! Что такое в семидесятые годы бухгалтер или юрист на предприятии? Да тьфу! Курам на смех! Если юрист — прокурор, судья, адвокат, даже следователь, это престижно, уважаемо, но юрист-цивилист, специалист по гражданско-правовым договорам, — это считалось вообще несерьезным. А после перестройки эти профессии стали самыми важными, самыми необходимыми. Смешно жизнь устроена!

\* \* \*

Еще совсем недавно Владимир Лагутин был для меня не более чем просто сыном Зинаиды, о котором я почти ничего не знал. Теперь же образ Володи прорисовывался все отчетливее, в нем появлялись штрихи и краски.

В десятом классе он знакомится с Аллой, влюбляется. Алла отвечает взаимностью, отношения крепнут. Оба поступают в институты, Володя в МГИМО, Алла — в медицинский. Когда учатся на втором курсе, семья Аллы подает документы на выезд и получает отказ. Володя чувствует, что не хочет больше жить в обстановке демагогии и лицемерия, он стремится вырваться оттуда, и единственным выходом для себя видит эмиграцию в качестве мужа Аллы. Поскольку сам он не еврей, то одного его никто не выпустит. Кроме того, он понимает, что очень любит Аллу и не желает с ней расставаться, а если семья уедет за границу, то они вряд ли когда-нибудь снова увидятся. Он отдает себе отчет, что у родителей будут огромные неприятности, если он осуществит задуманное, но желание вырваться куда сильнее сыновней привязанности, да и привязанность эта, если судить по «Роману-переносу», более чем сомнительна, не зря же Виктор Добрынин ненавидит свою мать и не хочет с ней жить ни при каких условиях, готов даже жениться на нелюбимой, лишь бы оказаться подальше от мамаши. Алла тоже хотела создать семью с Владимиром, причем готова была отказаться от выезда с родителями, выйти замуж и остаться в СССР, но мой родственник настоял на том, что уедут все вместе. Они готовятся зарегистрировать брак, никого не ставя в известность. Когда в паспорте появится штамп, Лагутины-старшие ничего не смогут с этим поделать. Володя с нетерпением ждал, когда можно будет отчислиться из ненавистного института и сдать комсомольский билет, чтобы подавать документы вместе с семьей Аллы. Из рассказов невесты, уже прошедшей все этапы подготовки к «подаче», он хорошо знал, каким мучительным и унизительным может оказаться выход из комсомольской организации, но готов был перетерпеть и это.

И вдруг... Они уехали. Так быстро, что он даже не успел ничего понять и осознать. В жизни Володи Лагутина образовалась огромная черная дыра, куда, как в бездонную пропасть, утекали надежды, радость жизни, эмоциональные силы, рассудочность. Жизнь стала еще более невыносимой, а свет, мерцавший в конце тоннеля, померк. «Кожу бы всю оставила, только вырваться, только вырваться...» Вырваться куда угодно, только бы подальше от родителей, от института, от ненужной профессии, от комсомольских собраний, от передовиц в газете «Правда». В голову приходит решение, которое нельзя назвать никак иначе, нежели «полный идиотизм». Но тем не менее оно кажется Володе единственно возможным, во всяком случае, в том душевном состоянии черноты и безнадежности, в каком он в тот период пребывал.

И в августе 1975 года, за две-три недели до начала учебы на третьем курсе, он убивает человека. Забивает насмерть пьяного бродягу, который, наверное, даже сопротивляться не мог. Ждет, когда в дверь позвонит милиция и его арестуют. Но никто не звонит и не приходит. И уже через несколько дней Володя начинает осознавать содеянное. Вряд ли я в состоянии в полной мере понять всю глубину его ужаса и отчаяния, да и мало кто смог бы это сделать. Психика юноши стремительно катилась в пропасть по наклонной плоскости, и в сентябре он предпринимает попытку уйти из жизни. Зинаида уверена, что депрессия вызвана внезапным расставанием с любимой девушкой, поэтому ни с какими вопросами к сыну не пристает, думая, что ей и без того все прекрасно известно.

Через несколько месяцев, весной, в семье Лагутиных заговорили о том, что Ульяна будет переводиться в Текстильный институт, потому что первый год учебы в Институте иностранных языков ясно показал: она ошиблась с выбором будущей профессии. Вот тут Владимир и вспоминает о пьесе «Старик», перечитывает ее, осмысливает по-иному, не так, как три года назад, когда он был десятиклассником. В «Записках молодого учителя» он совершенно определенно указывает: к «Старику» он вернулся на третьем курсе. Уверен, что случайностью это не было. Володя догадался, каким способом сестре удалось добиться своего. А что мешало ему самому поступить точно так же? Заявить родителям, дескать, не мешайте мне стать учителем литературы, бросить МГИМО и перевестись в педагогический институт, иначе я всем расскажу, что пытался покончить с собой, и пусть меня отправят в психушку и залечат до состояния овоща, то есть сына-дипломата у вас все равно не будет. Мог он так поступить? Теоретически, наверное, мог. И, полагаю, обдумывал подобный вариант. Но по каким-то причинам отказался от него. Вероятно, душевный склад не позволил пойти на грубый шантаж родителей. А может быть, побоялся, смелости не хватило. Интересно устроен человек! На то, чтобы забить пьяного бомжа в темном подъезде, сил и окаянства хватает, а на то, чтобы белым днем, глядя в глаза родителям, сказать им: «Не хочу и не буду!» — мужества почему-то не находится. Впрочем, это проблема не только одного лишь Володи Лагутина. Такое встречается сплошь и рядом.

Пресвятая Дева, как же похож, оказывается, Владимир на своего (и моего) предка Джонатана Уайли! Оба они видели конечную цель, которая казалась им правильной и значительной, и совершенно не думали о мелочах и деталях, в которых, и это всем известно, как раз и кроется дьявол. Джонатан не принял во внимание, что трое его внуков, дети Грейс и Фрэнка (а также Роберта Купера), вырастут разными по характеру и менталитету, а уж об их потомках и говорить нечего, и грандиозный полуторавековой проект превратится в итоге неизвестно во что. Володя видел перед собой дальнюю цель — бегство из страны, но, по всей вероятности, не задумывался о том, как он будет жить, бросив институт, разругавшись со своей семьей и ожидая разрешения на выезд. Поставив перед собой новую цель — бегство из «правильной» советской жизни в «неправильную» жизнь мест лишения свободы, — он точно так же не задумывался о возможных вариантах, будучи уверенным, что достаточно только совершить преступление, а дальше все покатится, как запланировано: арест, суд, приговор, колония на долгие годы. Мысль о том, что убийство останется нераскрытым, его голову почему-то не посетила. Но он мог прийти в милицию и написать явку с повинной. Не пришел и не написал. По-видимому, наряду с осознанием того, что совершен страшный грех, убийство человека, пришел и страх перед тюрьмой, которого прежде не было. Так или иначе, милиция преступление не раскрыла, а сам Володя не признался. Но все последующие годы он не упускал возможности назвать себя слабым, трусливым и глупым. Третья попытка бегства — в небытие — тоже успехом не увенчалась, и подозреваю, что молодой человек снова не продумал детали или не рассчитал время. Да, пожалуй, все становится на свои места. Как там было в стихах, которые я услышал на соревновании? «И все затихло, улеглось и обрело свой вид».

Если у Володи и был некий ресурс сил и сопротивляемости, то, вероятно, очень небольшой, и весь он растратился до последней капли. Он покорно доучился в МГИМО и так же покорно работал на своей мелкой должности, не совершая больше никаких резких движений и спасаясь от самого себя алкоголем и попытками что-то написать, мечтая о несостоявшейся жизни школьного учителя. И еще заставлял себя испытывать боль, вину и стыд, периодически появляясь рядом с местом, где убил человека.

Пожалуй, для моего будущего исследования этого достаточно. Завтра я объявлю об окончании квеста, поблагодарю всех участников и сотрудников и переведу на их карты оплату, указанную в соглашениях, а также огромные премии всем без исключения. Результат моего проекта оказался не таким, как я ожидал, ведь я намеревался всего лишь постараться поглубже проработать психологию Владимира, его образ мысли, а на выявление столь значимых ярких фактов его жизни даже не рассчитывал. И не имеет значения, что Аллу обнаружила Галия, странности маршрута заметил Назар, о самоубийстве и шантаже догадался Эдуард, а за тринадцатого солдата зацепился я сам. Без того, о чем каждый день во время обсуждения «Записок» говорили наши молодые участники, без их реакции и на прочитанное, и на импровизированные комсомольские собрания, без их унылой скуки, без постоянных кропотливых усилий Вилена, проводившего тестирование и анализировавшего результаты, наши мысли вряд ли двинулись бы в правильном направлении. Награду заслужили все.

\* \* \*

Когда я утром объявил участникам об окончании квеста и о достижении поставленной цели, они растерялись, а кое-кто даже расстроился. Обрадовался только Тимур, восторженно воскликнувший:

— Ура! Свобода! Да здравствует интернет! Да здравствуют «Ред Булл» и чипсы!

Артем и Евдокия удовлетворенно кивнули, и я понял: какие бы задачи они ни ставили перед собой, соглашаясь поучаствовать в моем проекте, оба получили то, за чем приехали. А вот Сергей и две другие девушки выглядели обескураженными и огорченными. У Марины в разгаре роман с доктором, это я понимал, а Наталья и Сергей меня удивили.

— Значит, можно получить телефоны и прочие прибамбасы? — нетерпеливо спросил Тимур.

Назар сказал, что после подведения итогов он готов всем раздать изъятую технику. Больше никаких ограничений, можно гулять без сопровождающих, идти в магазины и покупать все, что хочется. И можно переодеться в свою одежду.

Неожиданно мне стало грустно. С этими молодыми людьми я провел меньше двух недель и был уверен, что все они для меня посторонние, чужие, они — инструмент, которым я пользуюсь для достижения цели. А сейчас я вдруг увидел их, живых, настоящих, в чем-то отчаянно глупеньких, плохо образованных и недалеких, а в чем-то нестандартных, самобытных, со своеобразным восприятием. Злящихся. Влюбляющихся. Скучающих. Надеющихся. Нетерпеливых. Таких милых. Таких уверенных в себе и в то же время беззащитных, легко поддающихся обману. Ни к чему не привязанных, кроме своих телефонов. Свободных. Замечательных!

Я понял, что мне жаль расставаться с ними. Все эти люди — и сотрудники, и участники — стали на короткое время моим ближайшим окружением, я успел к ним привыкнуть и, наверное, буду скучать по ним. Особенно по Назару, с которым я провел бок о бок последние полтора месяца.

Закончив подведение итогов и сделав все уместные объявления, касающиеся организационных вопросов, я пригласил всех явиться в 15:00 в столовую на прощальное чаепитие с пирогами. Надежду я предупредил о своих планах заранее, и сейчас запах выпекающегося теста доносился, благодаря открытым дверям, со второго этажа на четвертый. Назар демонстративно достал из кармана ключи и побренчал ими у всех на виду, тем самым приглашая владельцев гаджетов подняться на пятый этаж в богадельню и получить свое вожделенное имущество. Молодежь дружно потянулась следом за ним. Евдокия шла последней, причем шла медленно, и на какое-то мгновение мне показалось, что девушка не может решить, нужно ли ей прямо сейчас забирать телефон. Странная молчаливая Евдокия, за которую просил Назар... Какой она человек? Что за ситуация заставила ее стремиться уехать в поселок? Я так мало знаю о каждом из них, хотя имел все возможности узнать больше. Я так преступно пренебрежителен к другим людям! Мне хорошо в одиночестве, мне никто не интересен. Пресвятая Дева, какой же я идиот! Как бессмысленно я провел свою долгую жизнь!

* * *

— Они все знают, — сообщил Юрий как можно более спокойным и ровным голосом.

Он уже почти принял решение, недоставало лишь маленького толчка, последнего.

— О чем они знают? — встревоженно спросила обладательница райского голоса. — О самоубийстве? Это ты мне уже говорил. Ничего страшного.

— Они знают про Аллу. И про бомжа.

В телефоне вибрировала пауза, наполненная прерывистым дыханием.

— Откуда? — наконец спросила Ульяна. — Ты им сказал?

— Сами догадались. Не глупее тебя, чтоб ты знала.

— Поговори мне!

Он снова помолчал, собираясь задать главный вопрос.

— Почему ты мне не сказала, что знала Назара Бычкова? Он приходил к вам в дом, он был знаком с твоей семьей, и он работал в том районе, где вы жили и где Володька... ну, где все случилось.

— А почему я должна была тебе об этом говорить?

— Ты с самого начала, с того дня, когда я впервые назвал тебе имя Назара, знала... И промолчала. Забыть ты не могла, имя уж очень редкое. Значит, сразу же и вспомнила. Но ничего не сказала. Ты меня за дурака держишь, что ли?

— А за кого еще тебя держать? Кто ты такой, чтобы я тебе все рассказывала? Я тебе плачу, а твое дело — выполнять что сказано. Твоя задача была — следить, чтобы Ричард ничего такого не узнал, и при необходимости уводить его рассуждения в противоположную сторону и подбрасывать непродуктивные идеи. Ты это сделал? Нет. Ты справился с заданием? Нет. Так вот, Юрок, денег тебе не будет. Сколько уже получил — столько и получил, но больше ни цента.

— Ты хорошо подумала? — спросил он на всякий случай.

— Тут и думать не над чем. Ты никогда ни на что не годился, я всегда это знала. Впрочем, вы, мужики, вообще ни на что не годитесь, за вас даже замуж выходить глупо. Правильно я сделала, что Антошку родила, а расписываться с тем придурком не стала, как чувствовала, что он такой же недоумок, как все вы. Притащился бы вместе с нами в Штаты и сидел бы на моей шее.

Ну, вот и все. Последний толчок получен. Как Юрий любил ее когда-то! Дышать без Ульяны не мог, при звуке ее голоса у него в груди начинали переливаться разноцветные хрустальные радуги.

Да, когда-то он ее любил. Длилось это недолго, но воспоминания остались яркими. И когда спустя сорок лет Ульяна вдруг разыскала его в Фейсбуке и предложила денег за помощь в сомнительном, но абсолютно безопасном и с юридической точки зрения чистом деле, он согласился без колебаний. Деньги были очень нужны. А звуки ее голоса по-прежнему волновали и подавляли способность злиться.

— Хорошо, любимая, я тебя понял, — сказал он мягко. — Я провалил задание, и денег ты мне больше не заплатишь. Целую тебя нежно, птичка моя райская.

Отключил соединение, не дожидаясь прощальных слов Ульяны, вытащил сим-карту и выбросил в урну. В телефоне осталась еще одна карта, этот номер знали все знакомые Юрия. Вторую карту, которая никогда не была ему нужна, он купил и поставил по настоянию Ульяны: почему-то ей хотелось быть единственным абонентом, которому звонят с этого номера. Кто поймет, что у них в головах, у этих женщин? Неужели стремление быть единственной, уникальной, неповторимой может трансформироваться в такую вот глупость?

Сегодня утром Ричард собрал всех на четвертом этаже, отменил комсомольское собрание и подробно рассказал о результатах квеста. Остался один непроясненный вопрос, но к Владимиру Лагутину он отношения не имел. И Юрий подумал, слушая рассказ Назара Захаровича, что, наверное, играет не на той половине поля и не за ту команду. Ведь все висело на волоске именно потому, что Ульяна не сочла нужным сказать ему правду. А если бы он случайно прокололся? Упомянул бы в разговоре то, о чем говорить не следует? У Назара хватка мертвая, он бы не выпустил.

Юрий вернулся в дом, поднялся на пятый этаж, позвонил в дверь к Бычкову, но никто не открыл. Понятное дело, опять у Ричарда сидит.

Так и оказалось. Дверь квартиры, в которой обитал Уайли, открыл Назар.

— А, сынок, проходи. Как дела с билетами? — сразу спросил он, едва увидев Юрия.

В конце утреннего собрания Юрий получил указание заняться организацией отправки участников и сотрудников по домам. Галия уезжала в Петербург, остальные сотрудники — в Москву, молодежь — кто куда. Кроме того, нужно было обеспечить прибытие и проживание юриста Сорокопята, который должен юридически оформить их выезд из дома и окончательно расплатиться с муниципальными властями за аренду здания.

Юрий вошел следом за Назаром в комнату, где Уайли что-то писал на компьютере.

— С билетами все в порядке, часть людей уедет сегодня вечером, часть завтра. Удалось даже для Евдокии взять билет на проходящий поезд сегодня ночью, а остальные москвичи поедут завтра, поезд фирменный, спальный вагон, как вы велели, — доложил он.

— А с Андреем что?

— Прилетит завтра утром, номер в отеле я забронировал.

— Золотой ты парень, сынок, — одобрительно крякнул Назар. — Цены тебе нет.

— Есть.

Назар взглянул остро, настороженно. Да, такой не выпустит. Ни одно слово с двойным смыслом, ни один намек мимо внимания не проскочит.

— Что-то хочешь сказать, Юрочка? Говори, не тяни.

— Вы хотели узнать, кто сказал вашему начальнику Волосову про Лагутина?

— Хотел, — подтвердил Назар. — И кто же?

Уайли оторвался от своего ноутбука и тоже пристально посмотрел на Юрия.

— Я.

\* \* \*

В нем всегда жили два разных человека. Один был четким, точным, ответственным, прекрасным организатором. В нынешнее время он вполне мог бы успешно работать в логистической компании на позиции старшего менеджера, а то и повыше, но сорок лет назад его природные данные использовались для функций «доставалы». В своей второй ипостаси Юра был махровым спекулянтом, скупавшим и перепродававшим импортные сигареты, спиртное, джинсы, косметику, виниловые диски с записями модных на Западе групп. Делал он это изящно, красиво, почти артистично, ухитряясь приобретать подешевле и продавать подороже, умел поддерживать нужные контакты, всюду успевал раньше других, схватывал буквально на лету малейшие обрывки полезной информации и умело ее использовал. Но самое главное — он умел не попадаться. В институт он поступил, чтобы не идти в армию, выбрал самый непрестижный, попроще, куда нет конкурса и вступительные экзамены сдать легко, потому что поступают туда в основном девчонки и каждый парень-абитуриент на вес золота. На занятия ходил редко, ровно столько, чтобы не отчислили, целыми днями мотался по известным адресам, общался с дельцами, потом развозил товар постоянным проверенным покупателям, кому домой, кому на работу, непристроенные остатки дефицита распродавал — топтался рядом с комиссионными магазинами в ожидании клиентов. Зарабатывал достаточно, чтобы не отказывать себе в удовольствиях и делать приятные небольшие подарки красивым девочкам. В среде столичных фарцовщиков за Юрой прочно закрепилось прозвище «Лаки». Счастливчик. Везунчик. Удачливый. Его так и называли за глаза: Юрка-Лаки.

Однажды в ресторане, где он проводил время в компании двух очаровашек, пытаясь сделать свой выбор и решить, с какой из них провести сегодняшнюю ночь, а какую оставить на потом, официант принес им бутылку шампанского и сказал, что «это от товарища вон за тем столиком». Юра посмотрел в ту сторону, увидел хорошо одетого мужика, поднявшего в приветственном жесте руку с бокалом. Заказав очаровашкам еще икры «под шампусик», подошел к незнакомцу, хотел поблагодарить. Уверен был, что это либо деловой, либо клиент, до которого дошли слухи о том, что с Юрой-Лаки иметь дело надежно и безопасно. Мужик словно ждал его: сразу же показал ему клочок бумаги с написанным адресом.

— Запомни адресок, завтра в три часа приходи, есть предмет для разговора. И не болтай.

Юра пожал плечами и с равнодушным видом отошел. Но адрес запомнил. И на следующий день пришел. Он ничем не рисковал, шел «пустым», в кошельке два рубля с мелочью и «единый» проездной.

— Ловкий ты парень, Юра, — сказал мужик, представившийся Дмитрием Дмитриевичем Волосовым. — Красиво работаешь, чисто, уважаю. А вот многие твои друзья такой аккуратностью и тщательностью продумывания деталей не отличаются. Следят, пачкают. Нехорошо.

— Хотите, чтобы я курсы повышения квалификации открыл? — усмехнулся Юра.

Дмитрий Дмитриевич пропустил издевку мимо ушей и продолжал как ни в чем не бывало:

— Вчера вот Костика Высоковского взяли... Позавчера Лешу Горбаневича... И все рядом с одним «комком». Как же так?

— Так их же отпустили, — вырвалось у Юры.

— А товар?

— Забрали, как положено.

— Вот то-то и оно, — сказал Волосов и почему-то вздохнул. — Забрали, административку составили, товар по акту изъяли. А может, и протокола не было никакого, как думаешь?

— Могло и не быть, — согласился Юра. — Воспитательную беседу провели, попугали и отпустили. Так иногда бывает, если повезет.

— Но если не было протокола, то и акта изъятия товара нет, — задумчиво продолжал Волосов. — И где же тогда товар?

— Известно где, — рассмеялся Юра. И почему этот мужик такой недогадливый? Очевидно же все! Ребят отпустили, товар между собой поделили, так всегда делалось. — У мусоров в столах и сейфах, или домой утащили уже. Вы что, с Луны свалились? Или меня на вшивость проверяете?

— Не на вшивость, а на ум и сообразительность, — очень серьезно ответил Дмитрий Дмитриевич. — Мне не нужно, чтобы ты сдавал мне свои контакты, клиентов или других фарцовщиков, я их и без тебя всех знаю, и поименно, и в лицо.

— А что же тогда вам надо? — удивился Юра. — Для чего вы меня сюда вызвали?

— Мне надо, Юра-Лаки, чтобы ты мне звонил сразу же, как только кого-то из твоих приятелей прихватят.

— Зачем?

— Я должен знать. Просто звонишь мне и сообщаешь, когда прихватили, в каком месте и с каким товаром. Кого именно отловили — можешь не говорить, мне это ни к чему. Меня интересует только место, время и товар. И хорошо, если будешь знать, в какое отделение повезли.

Юра-Лаки глупым не был. Он моментально сообразил, что к чему. Когда спустя много лет в МВД начали создавать службу собственной безопасности, он только посмеивался в усы: его давний знакомец Дим-Димыч, земля ему пухом, отлично все понимал и предвидел, чуйка на события будущего у Волосова была фантастическая. Он, как и все обычные люди, далеко не всегда умел распознавать ложь, и, как любой человек, зачастую принимал не самые верные решения, но абсолютно точно чувствовал, в каком направлении дело будет развиваться дальше.

Их сотрудничество длилось без малого два года. Юра добросовестно сообщал Волосову то, что его интересовало, в обмен на помощь в решении возникавших порой мелких проблем. Когда Димычу дали наконец долгожданную квартиру, Юра привез ему сервиз «Мадонна», жутко модный и дефицитный, подарить — не подарил, конечно, дорого, да Димыч и не принял бы в подарок, но денег взял ровно столько, сколько эта посуда реально стоила в немецких марках, пересчитанных на рубли по курсу Госбанка.

Теплой, чуть душноватой августовской ночью 1975 года Юра вышел из своего прикормленного «комка», с директором которого водил полезную дружбу. Директор в кругу самых доверенных людей отмечал день рождения. Стол накрыли прямо в кабинете, посидели на славу. Юра привез в качестве подарка ящик настоящего французского коньяку, а когда расходились, изрядно захмелевший и радостный именинник начал рассовывать гостям то, что осталось несъеденным и нетронутым: кому банку икры, кому крабов, или палку сухой колбасы, или коробку конфет. Юре его же коньяк и достался, целых две бутылки. Метро уже закрылось, городской транспорт не ходил, и Юра шел, не торопясь, и поглядывал по сторонам в поисках телефона-автомата, из которого собирался позвонить знакомому «бомбиле», тому самому, который и привез его с ящиком спиртного на день рождения директора комиссионного магазина. «Бомбила» был жадным до денег и потому никогда не отказывался ни от какого приработка, хоть среди ночи готов был ехать в любой конец Москвы, а то и за город. С автоматом Юре в тот раз не очень везло: в первом была оборвана трубка, второй стоял целехенек, но, сожрав сначала «двушку», потом еще два гривенника, которыми тоже можно было пользоваться, поскольку по размеру они полностью совпадали с двухкопеечными монетами, в соединении с абонентом отказал категорически. Вот же невезуха! Если бы эта толстая корова из управления торговли не напилась в хлам, не начала размахивать руками и не скинула на пол телефонный аппарат, стоявший на столе хозяина кабинета... Телефон вдребезги, а теперь вот ищи автомат. Ей-то что, ее шофер в машине ждал, да и все остальные гости при колесах, кто при служебных, кто при собственных, а таких, как Лаки, безлошадных, всего двое и было.

Юра наткнулся на вполне симпатичную лавочку под раскидистым деревом, сел, закурил. Он не любил курить на ходу. Сидел, прикидывал, как лучше поступить: продолжать прочесывать улицы в поисках работающего телефона или выйти дворами к более оживленной трассе, по которой хоть иногда проезжают машины, в надежде поймать такси или частника.

И тут увидел этого парня. Парень бежал, спотыкаясь и шатаясь. Лица его Юра издалека не разглядел, но сразу понял: что-то случилось. Спотыкаются и шатаются пьяные, но они, как правило, ходят медленно, не бегают. Может, парень, конечно, и пьян, но явно дело не только в этом.

— Эй, чувак! — громко окликнул его Юра. — Помощь не требуется? С тобой все нормально?

Парень замедлил ход, в очередной раз споткнулся, на этот раз уже серьезно, упал. Юра подошел к нему, помог подняться, усадил на скамейку. Даже в темноте опытный взгляд фарцовщика смог разглядеть и оценить фирменные джинсы, итальянские мокасины, канадскую сорочку с модным воротником и планкой. Правда, одежда заляпана кровью, и Юра решил, что парень, наверное, не один раз успел упасть и основательно расквасить физиономию.

От парня исходил запах свежего перегара, но лицо, хоть и измазанное кое-где кровью, выглядело вполне целым.

— Ты чего такой потрепанный? — дружелюбно спросил Юра. — Не в той компании выпил, что ли? Или силы не рассчитал?

— Не рассчитал, — невнятно пробормотал парень. — Закурить найдется?

Юра протянул ему открытую пачку «Кэмел» и зажигалку. Парень затянулся жадно, но неумело, однако не закашлялся. Когда выдыхал, из его груди вместе с дымом вырвался протяжный стон. «Все ясно, — мелькнуло в голове у Юры, — с чувихой своей расплевался. Или застал ее с другим».

— Что, хреново? — сочувственно спросил он.

Парень молча кивнул.

— Выпить хочешь? — предложил Юра.

— Давай.

— Только у меня стаканов нет. Из горла будешь?

— Давай, — тупо повторил парень.

Юра свою норму знал хорошо и пить не собирался. Достал из сумки одну из двух бутылок коньяка, отвинтил крышку, протянул незнакомцу. Тот сделал несколько больших глотков.

— Э, притормози, — предупредил его Юра. — Это не лимонад все-таки.

— Ничего.

Парень перевел дыхание и снова прильнул к бутылке. Его развозило прямо на глазах, и Юра забеспокоился.

— Ты до дома-то сам доберешься?

— Я... я... сука...

«Ну, понятное дело, что сука, раз изменила», — подумал Юра и снова спросил:

— Ты живешь далеко? Доберешься?

— Я... человека я убил... там...

«Совсем мозги поплыли, уже глюки начались. Надо отобрать у него бутылку, а то коня двинет, — решил Юра. — И в карманах посмотреть, может, паспорт с собой, там адрес есть. Довезу как-нибудь, черт с ним, не бросать же его здесь одного. Шмотки дорогие, разденут ведь до трусов. Хотя если трусы тоже фирменные, то и их снимут».

Парень вырубился и бесформенной кучей осел на скамье. Юра проверил карманы: рубль, две трешки, пятерка, немного мелочи, студенческий билет. Ключи, наверное, от дома. Знать бы еще, где тот дом... Паспорта не было. Юра открыл студенческий билет, прочитал название вуза и имя: Московский государственный институт международных отношений, Лагутин Владимир Николаевич. Посмотрел год выдачи билета — 1973. Значит, отучился два курса, перешел на третий. Надо же, золотая молодежь, институт блатной, барахло — сплошной импорт, парень весь упакованный, а вот и его чувиха бросила... С одной стороны, и жалко его, и боязно оставлять спящим мертвецким пьяным сном на лавке, но Юра — не благотворительная организация, в конце концов. Если бы этот «золотой мальчик» не нажрался как свинья и сохранил хоть каплю рассудка, Юра, конечно, дознался бы, где он живет, и помог добраться до дома. А теперь что ж... Сидеть рядом до утра и караулить в ожидании, пока незадачливый Ромео проспится? Ну уж нет.

На улице Горького ему удалось-таки поймать свободное такси, и он благополучно вернулся домой. А утром, около половины восьмого, встретился с Дим-Димычем: Волосов приходил на службу рано, не позже восьми часов, и встречались они, как правило, либо днем или вечером на конспиративной квартире, либо, если разговор предстоял короткий, по утрам на автобусной остановке, рядом с которой находился работающий с семи утра киоск «Союзпечать». Юра как будто ждал автобус, а Димыч покупал свежую прессу.

— Как вчера посидели? — осведомился Димыч. — Кто был?

Юра добросовестно перечислил всех участников банкета, среди которых были руководители двух других комиссионок. Один из них, как следует приняв на грудь, обмолвился, что недавняя ревизия уж так трясла его, так трясла, он прямо сухари сушить собрался, но следователь попался вменяемый и все обошлось.

— Обошлось, значит, — недобро усмехнулся Волосов. — Ну-ну. А сам как? Проблемы есть?

— У меня — нет, — бодро отрапортовал Юра.

— А у кого есть?

— У студента МГИМО по фамилии Лагутин.

Волосов нахмурился.

— Лагутин? — переспросил он. — Как зовут?

— Владимир Николаевич. Перешел на третий курс.

— И что с ним не так? Фарцует?

— Да вы что! — рассмеялся Юра. — Такой чистенький мальчик, упакованный, у него и так все есть. Сильно перебрал вчера, заснул на скамейке. Беспокоюсь, не обокрали бы его, спящего. Если что — имейте в виду, у него было двенадцать рублей, джинсы «Ливайс», рубашка «Кэжуал юник», мокасы итальянские, замшевые. Если его раздели ночью, то он, когда прочухается, ничего не вспомнит и место вряд ли укажет, не соображал ничего.

Юра точно назвал адрес дома, рядом с которым находилась та самая скамейка под раскидистым деревом.

— Неужели такой пьяный был, что ничего не вспомнит? — усомнился Димыч.

— Зуб даю! У него уже глюки начались, бормотал, что человека убил. Так что если у кого вещички его обнаружите, то я вас предупредил. Да, и на вещах должна быть кровь, у него вся рожа была перепачкана, падал несколько раз.

Если бы Юра в тот момент знал, что видит Дим-Димыча Волосова в последний раз... Но он этого не знал. Поэтому попрощался, как обычно, легко и коротко, небрежно бросив шутливое: «Чао, шеф!» — вскочил в подошедший автобус и отправился по своим делам. О том, что Волосов застрелился, Юра узнал только через несколько дней.

И о том, что той душной ночью был убит человек, Юра тоже узнал. Труп забитого до смерти бомжа обнаружили в подъезде дома, находящегося в двух минутах ходьбы от скамейки, на которой заснул пьяный Владимир Лагутин. Сложить два и два было несложно.

В голове у Юры начал зреть план, пока еще совсем сырой, но если довести его до ума, то можно будет хорошо пристроиться в этой жизни. Он дождался 1 сентября и поехал к зданию МГИМО. Занял удобную наблюдательную позицию и стал ждать. Он и сам студент и хорошо понимает: можно до посинения прогуливать занятия, но 1 сентября приходят все поголовно. Если есть шанс выследить Лагутина, то сегодня этот шанс высок как никогда.

И Юра не ошибся. Своего недавнего знакомца он увидел стоящим на улице в компании нескольких приятелей, скорее всего сокурсников. Осторожно попался ему на глаза, якобы случайно задел локтем, извинился, перехватил взгляд, в котором не выразилось ровным счетом ничего: ни колебания, ни узнавания, ни испуга. Теперь Юра точно знал: Владимир Лагутин его не помнит. Это было замечательной новостью! Но еще более обнадеживающим выглядел тот факт, что спустя две недели после события студент спокойно явился в институт. Значит, не задержан, не арестован, и вообще, никто его ни в чем не подозревает.

Дождавшись конца первого учебного дня, Юра терпеливо таскался за Лагутиным, выдерживая безопасную дистанцию, пока наконец не оказался возле его дома. Детали предстоящей операции еще не вызрели в голове, понятно было только одно: есть человек с известным именем и адресом и есть информация об этом человеке, которую нужно суметь продать ему самому максимально дорого. Юра был осторожен, поэтому не торопился. Сначала он хотел выяснить как можно больше о семье Владимира Лагутина, об их достатке, о связях и возможностях, о характере и привычках, при этом собирать сведения следовало таким образом, чтобы не засветиться. Нельзя ни у кого ничего спрашивать о Владимире и его близких. Можно только наблюдать и делать выводы.

Первая удача привалила в ближайшие выходные: в субботу во второй половине дня Владимир вышел из дома в окружении всего семейства. Яркая дородная дама — наверняка мать, хмурый мужик с властным недовольным лицом — отец, девушка — сестра. Или не сестра, а подруга? Жена? Хотя третий курс — рановато для семейной жизни. Так все-таки кто она, сестра или подруга? Юрий прищурился, издалека вглядываясь в лица, заметил несомненное сходство девушки и с матерью, и с Владимиром. Значит, сестра.

Они подошли к черной «Волге», припаркованной в нескольких метрах от подъезда, Владимир и его отец начали засовывать в багажник сумки. «На дачу собираются, — понял Юра. — Вряд ли в отпуск, занятия же начались. Черная «Волга» с водителем — значит, кто-то из родителей большой начальник. Немудрено, дети маленьких начальников в МГИМО не учатся». Женщина и девушка сразу уселись в машину, но внезапно дверь распахнулась, девушка выскочила из салона и быстро направилась в сторону подъезда. Из машины выглянула мать и крикнула ей вслед:

— Плиту тоже проверь, кажется, я газ не выключила под чайником!

Девушка обернулась и громко ответила:

— Да, хорошо, мамулик.

От звука ее голоса у Юры перехватило дыхание. Уже в следующую секунду все планы, все мечты об удачной продаже информации вылетели из его головы, а их место заняла одна-единственная мысль: он должен познакомиться с этой девушкой, потому что больше не сможет жить, не слыша ее голоса.

Что-что, а знакомиться с девушками Юра-Лаки умел, причем делал это так, что девушки были уверены: первый шаг к знакомству сделали именно они сами, а не этот приятный воспитанный молодой человек в стильных очках с затемненными дымчатыми стеклами, модно одетый и хорошо разбирающийся в современной музыке. После тех выходных, когда Юра впервые увидел семью в полном составе, Владимир очень долго не появлялся в институте, и возле дома Юра его тоже не встречал. Мать первые пару недель куда-то все время ездила, потом и она пропала, как будто уехала из города. А вот девушку Юре удавалось увидеть почти каждый день, и он довольно быстро разобрался в ее распорядке: около четырех часов она возвращалась домой, примерно через полчаса выходила, шла в магазины, покупала продукты, возвращалась и больше не появлялась. Никаких кавалеров, поджидающих возле подъезда, Юра не приметил, хотя днем девушка иногда возвращалась домой в сопровождении то одного парня, то другого. Это воодушевляло: если провожающие разные, значит, постоянного нет.

Разобравшись с расписанием, Юра составил план и с блеском его реализовал. Через два дня после знакомства он уже целовался с Ульяной Лагутиной, младшей сестрой Владимира, студенткой-первокурсницей, а через неделю ловко и без особых усилий уложил ее в постель. О своей семье Ульяна в первые дни говорила скупо, упомянула, что брат и мать болеют, у Володи что-то с сердцем, у мамы сотрясение мозга. К себе домой не приглашала, знакомить возлюбленного с родителями не собиралась. Такие люди, как Лагутины, были Юре знакомы, он много всякого товара для них доставал, поэтому хорошо понимал: Ульяне он не ровня. Ее семья его не примет, а если он проявит настойчивость — быстро сделают так, что Юра сядет, причем надолго. Поэтому приближаться к семье девушки он и не собирался, себе дороже. Даже наоборот: все время просил Ульяну быть осторожной, чтобы ее родители и брат не узнали об их отношениях.

Примерно недели через две после знакомства Юра с удивлением обнаружил, что Ульяна любит поговорить, а ее первоначальная сдержанность объяснялась вполне понятной настороженностью по отношению к малознакомому человеку.

— Койка — это одно, — заявила девушка, — в койке я рискую только собой. А рассказывать про семью всем подряд означает рисковать всей семьей.

Такая холодная рассудочность его слегка покоробила, но он был счастлив, влюблен и с удовольствием, с наслаждением слушал ее райский голосок. Очень скоро Юра узнал множество подробностей о жизни Лагутиных, в том числе и о том, что мама не пьет лекарства, а вот ест очень хорошо, хотя и жалуется на тошноту. Ульяна не скрывала, что профессия переводчика ей совсем не нравится, и Юра внес немалую лепту в дело склонения родителей в пользу перевода в другой институт. Кое-что подсказал, задал кое-какие вопросы, кое в чем убедил, а когда было нужно — устроил Ульяне приватную консультацию опытного врача, который и усомнился в наличии у Зинаиды Михайловны черепно-мозговой травмы. Дальше все пошло как по маслу: Ульяне разрешили сменить место учебы. Но ведь известно, что лиха беда начало. Стоило только девушке убедиться, что она в состоянии добиваться своего наперекор желаниям родителей, она пустилась во все тяжкие. Едва оказавшись в другом институте, Ульяна начала водить знакомства с художниками, пропадала в их мастерских, влилась в полубогемную компанию и быстро отдалилась от Юры. Они перестали встречаться, но иногда, раз в год или два, Ульяна вдруг звонила и рассказывала, как у нее дела, хотя Юру ее жизнь, честно говоря, интересовала мало. Влюбленность давно прошла, а райский голосок — что ж, почему бы не послушать себе в удовольствие. Во время одного из таких разговоров он узнал, что Ульяна окончила свой институт с красным дипломом, во время другого — что родила сына, но замуж не вышла, и родители устроили ей отдельную квартиру, совсем маленькую, но свою. А в 1992 году Ульяна сообщила, что они все втроем эмигрируют в США по линии воссоединения семьи.

— Втроем? — удивленно переспросил Юра. — Вас же должно быть пятеро: родители, вы с братом и твой ребенок. Значит, уезжают не все? Кто-то остается?

— Уезжают все, — равнодушно ответила Ульяна. — Ах, да, я тебе не говорила... Володя давно умер. И папа тоже умер пару лет назад.

«Господи! Да она же чудовище! — в изумлении подумал в тот момент Юра. — Как можно так говорить о смерти самых близких? Давно... Пару лет назад... Как будто рассказывает о том, что купили новый ковер». Он уже не понимал, как мог без памяти влюбиться в нее. Хотя звуки ее голоса и по сей день будоражили его, вызывая приятное волнение.

Больше она не звонила.

Жизнь Юры складывалась пестро, разнообразно и весело, но сколотить капиталец он так и не сумел, очень уж легко и щедро тратил заработанное. Были хорошие возможности прилепиться к настоящим деловым, цеховикам, у которых крутились огромные деньги, но осторожность всегда вела его правильным путем, подсказывала избегать рискованных предприятий, ведь хорошо известно: чем значительнее суммы — тем выше риски, то есть увеличивается вероятность попасться и присесть. Институт он кое-как окончил, диплом получил, отработал три года на периферии в Доме культуры, куда его направили по распределению, тосковал о Москве и считал дни до светлого момента, когда можно будет вернуться в столицу. Он хорошо играл на гитаре, прилично владел ударной установкой, разбирался в роке и со старших классов школы участвовал в самодеятельной рок-группе. После возвращения Юра удачно пристроил свою трудовую книжку в какой-то замшелый клуб на окраине Москвы, где документ и пролежал до девяностых годов. Владелец же книжки употреблял свои административные способности на ниве организации выступлений любительских ансамблей на вечерах, танцах и прочих мероприятиях. В конце девяностых таланты Юрия нашли применение в кинопроизводстве, когда начали снимать множество сериалов, и подороже, и подешевле. Никто лучше него не умел управляться с массовкой, обеспечивая явку нужного количества правильно одетых нужных типажей на съемочную площадку точно к назначенному часу. Еще лет пятнадцать он кочевал из одной продюсерской компании в другую, из проекта в проект, потом выросло новое поколение современных продвинутых администраторов, а шестидесятилетний Юрий стал мало кому интересен. Знакомых было много, работу периодически подбрасывали, но не постоянную, а разовую. Людей, разменявших седьмой десяток, на постоянную работу никто не брал, несмотря на то что выглядел Юрий моложаво, был стройным, подтянутым, энергичным, не жаловался на здоровье и ловко управлялся с любой техникой, хоть металлической, хоть электронной.

И вдруг объявилась Ульяна, которую он давным-давно потерял из виду. Рассказанная ею история о проекте Уайли-Купера показалась Юрию совершенно фантастической и неправдоподобной. Он был уверен, что Ульяна, которая теперь именовалась Уллой, или лжет, или заблуждается.

— Меня не интересует, веришь ты мне или нет, — заявила она. — Мне нужно, чтобы ты выполнил для меня определенную работу, за которую я тебе заплачу...

И назвала сумму. Очень привлекательную, особенно если иметь в виду, что пенсию Юрию начислили маленькую даже с учетом московской надбавки, а разовая работа подворачивалась все реже и реже. Работа же, которую требовалось выполнить, выглядела достаточно несложной. Самым трудным оказалось попасть в проект, и Юрию пришлось пойти на то, чтобы отстегнуть существенную часть первого транша, поступившего от Уллы, человеку, отвечавшему за подбор кадров. Все остальное было намного легче. Достать-найти-организовать-доставить-починить-наладить — это как раз та сфера, в которой Юрий чувствовал себя как рыба в воде.

Он не знал о том, что Назар Захарович Бычков работал с Волосовым и был знаком с семьей Лагутиных. Впервые услышал об этом только сегодня утром, когда Ричард и Назар подводили итоги квеста. Услышал — и похолодел. Стоило только случайно упомянуть о Димыче в любом контексте — и Назар вытащил бы из Юрия всю правду. Да и не обязательно о Волосове упоминать, можно было брякнуть любое слово о любом месте в Краснопресненском районе и тут же нарваться на вопрос: «А ты там часто бывал?» И уже через пять минут Назар понял бы, что Юрий фарцевал возле комиссионных магазинов и состоял на связи у Димыча в качестве негласного источника информации. То, что происходило сорок лет назад, уже быльем поросло и никого не интересует, так что испугать Юрия словами «фарцовщик» или «агент на связи» невозможно, времена теперь другие. Но ушлый и хваткий Назар ни за что не поверил бы, что Юрий оказался в проекте чисто случайно, по совпадению. Он начал бы копать. И очень быстро все узнал бы о Юре и Ульяне. Не о том, что они когда-то были любовниками, а об их нынешнем соглашении. О том, что Юрий получает от Ульяны деньги за то, чтобы помешать Ричарду Уайли прийти к правильным выводам и тем самым обеспечить получение Энтони Лагутиным огромной премии Уайли-Купера.

На самом деле он и не собирался мешать Ричарду. Юрий слишком хорошо помнил равнодушно брошенные Ульяной слова о смерти брата и отца. Он не забыл свой ужас и отвращение к этой женщине. Но ему так нужны были деньги! Сначала он эти деньги честно отрабатывал, следил за каждым шагом Ричарда, выяснял, с кем он встречается, где бывает. Но уже во время отборочного тура, познакомившись с Уайли поближе, Юрий вдруг понял, что этот переводчик-отшельник ему симпатичен, вызывает уважение и даже восхищение, в то время как Улла ведет себя по-хамски, унижает его, а порой и оскорбляет. Как он может относиться к этой женщине? Да если бы не деньги, послал бы ее подальше, еще и ускорение бы придал пинком.

В течение месяца, прошедшего между отборочным туром и квестом, Юрий, казалось, нашел для себя приемлемый баланс, решив, что будет сообщать Улле обо всем, что происходит, но вмешиваться в работу Ричарда не станет, даже если будет понимать, что ситуация и требует того, и позволяет что-то реально изменить. Но когда начался квест и Ричард произнес те слова о разделе премии Уайли-Купера между всеми, кто помогал ему... Суммы, обещанные Уллой, намного меньше, на порядки. Зато они попадут в его руки уже совсем скоро. А премия Уайли-Купера еще не факт, что окажется присуждена Ричарду. Даже если ее получит именно Ричард, а не Энтони или кто-то еще и даже если Ричард выполнит обещание и щедро поделится вознаграждением с сотрудниками и участниками, это ведь произойдет еще не скоро. Конкурс будет объявлен только через три года, а сколько еще ждать решения конкурсной комиссии? Несколько лет, наверное. Доживет ли Ричард Уайли до этого дня? И кто будет распоряжаться его финансами, если не доживет? Одним словом, Юрий оказался перед лицом классического выбора между журавлем в небе и синицей в руках.

И только сегодня утром, осознав, что Ульяна скрыла от него важные обстоятельства, из-за незнания которых он мог легко спалиться, Юрий принял решение в пользу журавля. Он рискнет и все расскажет Уайли и Назару. Если они сочтут его обманщиком, из корыстных соображений втершимся в доверие, то будут правы. Так и есть. Работал он добросовестно, старательно, Ричард им доволен, так что зарплату за отработанное время он все равно получит, а это солидные деньги, на которые можно какое-то время вполне достойно существовать. А вот деньги от женщины, которая его ни в грош не ставит, унижает и называет ничтожеством, ему не нужны. Пусть он не накопил сбережений на старость, не сделал карьеру, ничего не добился в жизни, но самоуважение у него все-таки есть. Он себя не на помойке нашел.

Юрий слушал рассказ Назара на утреннем собрании и с содроганием вспоминал, как в разговорах с Тимуром частенько использовал словечки и даже целые фразы, которые так любил употреблять Димыч. При этом еще и добавлял: «Как говорил один мой знакомый...» Судьба простерла над Юрием свою охраняющую длань и не позволила ляпнуть ничего подобного в присутствии Назара. Одно слово... всего одно слово... «Почему она ничего мне не сказала? — проносилось в его голове. — Почему скрыла от меня? Неужели не понимала, как все может обернуться, если я ненароком подставлюсь?»

Он решил задать Ульяне прямой вопрос. Если ответ будет неубедительным, он пойдет и признается во всем.

* * *

— Удивил, сынок, удивил, — протянул Назар Захарович. — Ты Ульяне про убийство когда сказал? Когда любовь с ней крутил?

— Нет, только теперь, когда она объявилась. Хотел, чтобы она думала, будто мы познакомились чисто случайно.

— А про Аллу когда узнал?

— Тоже только теперь. Когда мы были вместе, она ничего этого не знала. Про попытку самоубийства догадалась...

— С твоей помощью, — ввернул Бычков.

— Ну... да, наверное. Про Аллу в то время знали только родители. Уже после переезда в Штаты мать Ульяне рассказала про свою комбинацию.

— Значит, мы правильно угадали? Зинаида поспособствовала тому, что их так внезапно и быстро выпустили?

— Конечно, — Юрий слабо улыбнулся. — Ульяна понимает, что история с Аллой, убийство и суицидальная попытка Владимира — это та информация, которая должна обеспечить бесспорное преимущество ее сына перед любым другим исследователем-конкурсантом. Ну и липовая травма головы, и обстоятельства перехода в другой вуз. Для Ульяны и Энтони эти сведения — бесценное сокровище, благодаря которому они получат огромные деньги. Понятно, что они не хотят, чтобы вы узнали обо всем этом. Если честно, я радовался, когда вы узнавали все больше и больше.

— Спасибо, Юра, — сказал Уайли. — Я все понял. У меня к вам еще один вопрос. Когда вы рассказали Ульяне о том, что ее брат совершил убийство, как она отреагировала? Что сказала? Спрашиваю не из праздного любопытства, а для дополнения портрета Уллы, для исследования.

Юрий отчетливо помнил слова Ульяны, сказанные в том разговоре. Отвратительные, циничные, вполне в ее духе.

«Дураком жил, дураком и помер. Всегда таким был. Впрочем, как и все мужики».

Ему потребовалось значительное усилие, чтобы заставить себя повторить это вслух.

— Понятно, — кивнул Назар Захарович.

— Ожидаемо, — вздохнул Уайли.

* * *

В очереди за телефонами и планшетами Дуня стояла последней. Когда дядя Назар протянул ей мобильник, взяла осторожно, но включать не стала, сжала в руке и вернулась в квартиру. Положила телефон на стол перед собой и долго рассматривала, словно неизвестного науке зверя, прислушиваясь к себе. Что у нее в голове? Какие мысли? Какие страхи?

А никаких страхов почему-то не оказалось. Было только отчаянное нежелание контактировать с Денисом. Но это был не страх, а отторжение, неприятие. Чего ей бояться? Ведь на самом деле она боялась не Дениса, она боялась собственной слабости, не хотела ей потакать, не хотела идти у нее на поводу. Слабой быть стыдно, нужно быть сильной. Но почему слабой быть стыдно? Почему? Кто это сказал? Они на квесте каждый день разбирали «Записки молодого учителя», где на каждой странице Владимир Лагутин упрекал себя в слабости, трусости и глупости, и они постоянно обсуждали эти слова. И что? Разве кто-то из них хоть раз плохо подумал об авторе «Записок»? Разве сказано было об этом человеке хоть одно злое слово? Нет, нет и нет. Владимир вызывал сочувствие, желание получше узнать его, разобраться в его жизни, но никак не презрение или насмешки. Так почему же она, Дуня, так боится признать собственную слабость?

Она включила телефон, ввела пин-код, увидела выраженное трехзначным числом количество непринятых вызовов и непрочитанных сообщений от абонента «Денис», равнодушно скользнула глазами по экрану и позвонила Ромке.

— Что случилось? — Голос его звучал напряженно и испуганно.

Ну конечно, она ведь позвонила на мобильный и с мобильного. Значит, привычный порядок нарушен.

— Мы закончили, — весело сообщила Дуня. — Я уже совсем скоро вернусь. Если мне возьмут билет на ночной поезд, то я буду в Москве завтра к обеду.

Она понимала, что поймала Ромку в разгар работы, и ему, в общем-то, не до нее, поэтому старалась быть краткой.

— Встречать меня не нужно, я с вокзала сразу приеду домой и буду тебя ждать, — торопливо проговорила она. — За меня не волнуйся, я в полном порядке, все хорошо. Целую тебя!

Еще некоторое время она смотрела на телефон, что-то обдумывая, потом снова взяла его в руки и начала писать сообщение Денису.

«Добрый день! Ставлю тебя в известность, что твои звонки и сообщения меня нервируют. Ты мне не нужен и не интересен, и я начинаю злиться, когда приходится тратить время на разговоры с тобой. Поскольку вежливого обращения ты не понимаешь и продолжаешь мне звонить, я перестаю оплачивать этот номер и выбрасываю симку. Предупреждаю честно: в соцсетях свои страницы закрою и заведу новые, под другим именем и без фотографии. Всего тебе самого доброго!»

Жаль, конечно, что приходится вести себя так по-детсадовски, не по-взрослому. Но, в конце концов, нет ничего постыдного в том, чтобы открыто признаться: да, у меня не хватает сил, а может быть, и ума. Ну и что с того? С течением жизни придет опыт, а с ним и ум, и силы. Всему свое время.

— Иришка, а давай нарядимся в красавиц, пойдем в кафе и наедимся мороженого! — предложила она.

Ирина отошла от шкафа, из которого вынимала одежду и складывала в чемодан. Посмотрела на Дуню сперва удивленно, потом весело.

— А давай! Пропадай моя талия, живем один раз!

* * *

Надежда Павловна занималась пирогами к торжественному чаепитию, и Наташа могла быть уверена, что в квартиру никто не зайдет. Ей было томительно грустно и казалось, что жизнь закончилась. Только-только все стало так хорошо — и вдруг... Конец. Их отправляют по домам. И больше ничего не будет. Она улетит на самолете, Сережа уедет на поезде.

*Злится ветер — князь удельный в гати бездорожной.*
*Самолет мой — крест нательный на любви безбожной.*
*Свет неяркий, акварельный, под стрелой крылатой.*
*Самолет мой — крест нательный на любви проклятой...*

— Что за стихи? — спросил Сергей, продолжая обнимать ее.

— Дольский. Это песня такая.

— Грустная... И ты грустишь?

— Конечно.

Она уткнулась в его плечо и тихонько всхлипнула.

— Мы же ненадолго расстаемся, — улыбнулся Сергей. — Ты обещала через несколько дней приехать ко мне, и мы поедем с тобой к моей бабуле, возьмем ключи от дачи и будем только вдвоем. Знаешь, как там хорошо! Тихо, красиво... И бабуля у меня классная, она тебе обязательно понравится. Между прочим, она, оказывается, Ричарда знает, он переводил дедову монографию и бабулин доклад. Представляешь, как мир тесен!

Наташа кивнула, и получилось, как будто она тычется лбом ему в грудь.

— Как Маринка? — спросил он. — Тоже грустит?

— Ревет, — ответила она. — Сразу после собрания пошла к Эдуарду обсудить планы, а он ей сказал, что пока не готов взять на себя ответственность за нее. Ну типа, что она молоденькая совсем, и если она будет с ним, то ему придется полностью ее обеспечивать и жильем, и финансово, потому что она сама себя содержать не может, а у него сейчас положение шаткое, работы нет. Если она готова ждать, то они вернутся к этому разговору, когда он найдет хорошую постоянную работу. И не в Москве, а на периферии, в какой-нибудь сельской больнице. Или в поселке типа нашего. Если ее устраивает такая перспектива, то есть сначала ждать неизвестно сколько, а потом жить с сельским врачом, то он будет рад. Ну, как-то вот так.

— И чего она? Будет ждать?

— Не знаю. Пока ревет белугой. Жалко ее ужасно...

— Тебе всех жалко, — улыбнулся Сергей.

— Это плохо?

Наташа подняла на него полные слез глаза. Огромные и невозможно синие.

— Это замечательно, — искренне ответил он. — Не плачь, пожалуйста. Ты сегодня вечером улетишь, завтра поговоришь с родителями, соберешь вещи, возьмешь билет и позвонишь мне, скажешь, когда тебя встречать.

— Да, — пробормотала она, вздохнула и негромко пропела:

*Даль уходит беспредельно в горизонт неявный.*
*Самолет мой — крест нательный на тебе, и я в нем.*

— Вот и правильно, хорошие слова, — сказал Сергей, обнимая ее еще крепче. — Будешь лететь домой и представлять себе подвеску-самолетик, которая висит у меня на шее. А в этом самолетике — ты, и мы не разлучаемся ни на минутку.

— Тебе правда не смешно? Честно? — недоверчиво проговорила она.

— Смешно? Почему мне должно быть смешно?

— Ну... Я все время стихи и песни цитирую... Просто я их много знаю и очень люблю. Маринка надо мной смеется всегда.

— Я не Маринка, — ответил он очень серьезно. — Я Сергей Гребенев. А ты — самая чудесная девчонка на свете. Таких, как ты, больше нет.

\* \* \*

Утреннее собрание оказалось коротким, с десяти утра все были свободны и при телефонах, на пироги велели приходить к трем, и Тимур с восторгом думал о том, что у него есть целых пять часов, чтобы погрузиться в дебри интернета, всем написать, всем ответить, составить и опубликовать первый из запланированной серии постов. Дел — куча! Можно даже успеть замутить какую-нибудь клевую тусню с ребятами, ведь теперь все разрешено! Иди куда хочешь, делай что угодно, ешь и пей что любишь, а не то, что положено по совковому меню. Если Юра возьмет ему билет на завтра, а не на сегодня, то можно даже мотнуться в город и зависнуть на ночь в каком-нибудь клубешнике.

Но из ребят Тимуру встретился только Артем, спускавшийся вниз по лестнице.

— Где народ? — подрагивающим от возбуждения голосом спросил Тимур.

— Кто где. Тебе нужен кто-то конкретный?

— Я... — Тимур растерялся. — Я думал, мы что-нибудь замутим... Ну, чтоб расслабиться после этой тюрьмы, вроде как отпразднуем выход на свободу.

— Не знаю, как другим, а мне праздновать нечего, я себя в тюрьме не ощущал, — сухо ответил Артем.

— Ты сейчас куда?

— Пойду почту проверю. А через час договорился с Ириной и Евдокией по мороженому ударить.

— Пошли вместе, мне тоже вайфай нужен, — оживился Тимур.

— Ну ладно, пошли.

Тимур, конечно же, не мог дождаться, когда они дойдут до ближайшего кафе, и полез в телефон, едва они отошли от дома. Он был уверен, что его страницы

забиты сообщениями и тревожно-недоуменными вопросами: куда он пропал? Как у него дела? Когда ждать
рассказов? Будет ли фотоотчет?

Но сообщений оказалось на удивление мало, и все
они приходили только в первые пару дней его отсутствия. На третий день количество мессаг резко умень-
шилось, а начиная с четвертого дня исчислялось жал-
кими единицами. И лайки к его фоткам и постам ставить перестали. Как же так? Он был уверен, что у него
множество друзей, его все любят и он всем нужен, и уж
конечно, его отсутствие и в городе, и в Сети не пройдет незамеченным. А на деле оказалось, что он никому
не нужен и его быстро вычеркнули из жизни, словно
Тимура и не было.

Он все еще испытывал неловкость перед Артемом
за свой тайный сговор с той теткой, Аленой, хоть Артем и сказал, что простил его и не сердится. В такой
ситуации как-то глупо делиться своими переживани-
ями. Но больше поговорить сейчас не с кем. Тимур не
привык к ощущению одиночества, и ему казалось, что
его буквально разорвет на кусочки, если он промолчит
и ни с кем не поделится.

— А как ты думал? — усмехнулся Артем, выслушав
Тимура. — Ты считал, что достаточно собрать «лук»,
чтобы стать всем нужным? Что ты можешь, что ты уме-
ешь, кроме как одеваться по-хипстерски и выискивать
уникальные фенечки и платки ручной работы? Для
того чтобы быть кому-то нужным, надо обладать способностью удовлетворять какую-нибудь потребность.
Это я тебе как маркетолог говорю. Ты думаешь, красиво
стильно оделся — и уже нарасхват? Ну, может, и нарасхват, у таких же безмозглых и никому не нужных, как
ты сам. Но и это ненадолго, и твой собственный опыт
это подтверждает. Делом надо заниматься, Тим, а не

груши околачивать. А чтобы заниматься делом, надо получить знания и научиться думать. Вот и займись, вместо того чтобы устраивать тут рыдания с соплями.

Артем был резок и грубоват, но Тимур не обиделся. Он же не обидчивый. И хорошего расположения духа никогда не утрачивает. Конечно, неприятно осознавать, что он никому не нужен, ни родителям, ни сообществу. Но... Он неплохой фотограф. Он участвовал в необыкновенном квесте. И у него появилась идея.

\* \* \*

С почтой Артем разобрался быстро и, прежде чем идти на встречу с Ирой и Дуней, позвонил матери.

— Тема, с тобой все в порядке? — тут же закудахтала мать. — Когда ты вернешься?

— Еще не знаю. Скорее всего, завтра, но, возможно, и сегодня поздно вечером. Зависит от билетов.

— Слава богу! Мне спокойнее, когда ты в городе, а не болтаешься неизвестно где. Ты здоров?

— Да здоров я, мам, не волнуйся. Скажи, в твоей юности было что-то такое, что тебе очень хотелось иметь, и ты чувствовала себя униженной из-за того, что у кого-то это есть, а у тебя нету?

— Конечно. Много такого было. В середине восьмидесятых в магазинах вообще ничего не было, если город снабжался не по высшей или по первой категории. В Москве и Ленинграде еще можно было что-то достать или в закрытых городах, где предприятия работали на оборонку или на космос, там снабжение было получше. А в нашем городе ничего такого не было, поэтому прилавки пустовали. Почему ты спросил?

— Чтобы знать, чего нельзя тебе дарить, — улыбнулся Артем.

— Нельзя? — удивленно спросила мать. — Почему нельзя?

— Долго объяснять. Просто поверь мне на слово. И списочек всего этого составь для меня, хорошо? Да, и у отца спроси.

— Странный ты, Тема, — озабоченно сказала она. — С тобой точно все в порядке? Ничего не случилось?

— Все в порядке.

Он уже попрощался и собрался отключиться — и вдруг неожиданно для самого себя добавил:

— Скоро увидимся, мам. Я тебя люблю.

\* \* \*

На завершение всех формальностей потребовалось несколько дней. Наконец я мог вернуться домой. И снова меня провожал Назар, с которым я всю дорогу до аэропорта договаривался связываться по скайпу не реже одного раза в три дня. Я требовал, чтобы Назар дал мне честное слово внимательно анализировать все, что я говорю, наблюдать за тем, как я говорю, с какими эмоциями, и сразу же поставить меня в известность, как только ему покажется, что у меня начались изменения личности. Пусть самые незначительные, едва заметные, но я должен об этом узнать вовремя, то есть до того, как распад личности пойдет полным ходом и мне уже все будет безразлично. При распаде личности в первую очередь страдает то, что в обыденной жизни называется стыдом и совестью.

Дома я первым делом достал из дорожной сумки таблетки Энтони и убрал в шкафчик, висящий в ванной. В ближайшие два-три месяца я не планировал никуда уезжать, и в приеме препарата можно сделать большой перерыв. Конечно, плохо и опасно было пить таблетки ежедневно на протяжении длительного времени, но все же я надеялся, что обойдется.

И вот я снова оказался в привычной обстановке, среди давно знакомых любимых вещей, книг, картин, и преследовавшие меня в последнее время мысли о смерти стали тяжелее и горше. В самом деле, не подумать ли о переезде в хороший дорогой дом престарелых? Или еще рано?

Рано. Сначала нужно написать исследование, сделать все возможное, чтобы выбить финансовую почву из-под ног Энтони Лагутина, не дать ему травить людей, склонных к проявлениям такой обычной и такой понятной человеческой слабости. А потом можно и в богадельню.

Я вспомнил наш с Назаром пятый этаж и улыбнулся.

Через несколько дней я получил письмо от Тимура. При прощании я всем продиктовал свой адрес и разрешил обращаться с любыми вопросами, но почему-то полагал, что если кто и напишет мне, то скорее Вилен или Семен. Письмо от веселого неунывающего хипстера-фотографа было самым неожиданным из всего, что я мог себе представить. Тимур сообщал, что решил написать книгу о нашем квесте, снабдив ее всеми имеющимися фотографиями, и спрашивал, можно ли ему использовать в тексте «Записки молодого учителя» и расшифровки диктофонных записей наших обсуждений.

Сказать, что я был удивлен, — ничего не сказать. Я обдумал письмо, связался с фирмой Берлингтонов, проговорил с ними вопросы о правах на публикацию как отрывков, так и текста целиком, после чего отправил Тимуру ответ:

«Дорогой Тимур! Я искренне рад, что наш проект оставил в Вашей душе след настолько глубокий, что Вы решили написать о нем книгу. Думаю, работа окажется интересной и полезной для многих. В свою очередь, предлагаю Вам свой вариант сотрудничества. Как Вы посмотрите на работу в качестве моего секретаря? Вы будете жить либо в моем доме (он достаточно просторен), либо снимете жилье, зарплату я Вам гарантирую достаточно высокую, чтобы Вы чувствовали себя свободно и ни в чем не нуждались. Вы будете помогать мне заниматься исследованием и сможете свободно использовать любые материалы для Вашей книги. Подумайте над моим предложением.

С уважением

Ричард Уайли»

Я не успел допить чашку кофе, как пришло очередное письмо, совсем короткое:

«Спасибо! Когда приезжать? Т.»

И я снова поймал себя на том, что улыбаюсь, находясь в полном одиночестве. Улыбаюсь не кому-то другому, а самому себе. Прежде за мной такого не водилось.

Пожалуй, в богадельню мне все-таки рано.

*Октябрь 2017 — июль 2018*

**Конец**

# СОДЕРЖАНИЕ

Литературно-художественное издание

А. МАРИНИНА. БОЛЬШЕ ЧЕМ ДЕТЕКТИВ. НОВОЕ ОФОРМЛЕНИЕ

**Маринина Александра**

**ГОРЬКИЙ КВЕСТ**
**ТОМ 3**

Ответственный редактор *О. Дышева*
Художественный редактор *А. Сауков*
Технический редактор *О. Серкина*
Компьютерная верстка *Е. Беликовой*
Корректор *О. Супрун*

**ООО «Издательство «Эксмо»**
123308, Москва, ул. Зорге, д. 1. Тел.: 8 (495) 411-68-86.
Home page: www.eksmo.ru   E-mail: info@eksmo.ru
Өндіруші: «ЭКСМО» АҚБ Баспасы, 123308, Мәскеу, Ресей, Зорге көшесі, 1 үй.
Тел.: 8 (495) 411-68-86.
Home page: www.eksmo.ru   E-mail: info@eksmo.ru.
Тауар белгісі: «Эксмо»
**Интернет-магазин** : www.book24.ru
**Интернет-дүкен** : www.book24.kz
Импортёр в Республику Казахстан ТОО «РДЦ-Алматы».
Қазақстан Республикасындағы импорттаушы «РДЦ-Алматы» ЖШС.
Дистрибьютор и представитель по приему претензий на продукцию,
в Республике Казахстан: ТОО «РДЦ-Алматы»
Қазақстан Республикасында дистрибьютор және өнім бойынша арыз-талаптарды
қабылдаушының өкілі «РДЦ-Алматы» ЖШС,
Алматы қ., Домбровский көш., 3«а», литер Б, офис 1.
Тел.: 8 (727) 251-59-90/91/92;  E-mail: RDC-Almaty@eksmo.kz
Өнімнің жарамдылық мерзімі шектелмеген.
Сертификация туралы ақпарат сайтта: www.eksmo.ru/certification

Сведения о подтверждении соответствия издания согласно законодательству РФ
о техническом регулировании можно получить на сайте Издательства «Эксмо»
www.eksmo.ru/certification
Өндірген мемлекет: Ресей. Сертификация қарастырылмаған

Подписано в печать 10.08.2018. Формат 84x108 $^1/_{32}$.
Гарнитура «Гарамонд». Печать офсетная.
Усл. печ. л. 20,16. Тираж 50 000 экз. Заказ 7796

Отпечатано с готовых файлов заказчика
в АО «Первая Образцовая типография»,
филиал «УЛЬЯНОВСКИЙ ДОМ ПЕЧАТИ»
432980, г. Ульяновск, ул. Гончарова, 14